人間の歴史入門

平山裕人

私たちはどこに向かう？

私たちはどこに向かっていますか。
いつから、そこに向かっているのですか。
どうして、そこに向かっているのですか。
ほかに、向かう道はなかったのですか。
今、向かっている道は大丈夫ですか。
大丈夫でなかったら、どういう道がありますか。
その道を「人間の歴史」に問いかけることにしました。
「人間の歴史」を学ぶことは、それらのことを考えることなのです。
考えたら、新しい道を見つけましょう。
私たちには、自分で切り開ける可能性を持っていますから。
今まさに、私たちはこのことを考えるときがやってきているのです。

人間の歴史入門　目次

「知」を武器にする、人間の歴史

現生人類のことを、ホモ・サピエンスと言います。

ホモ・サピエンスとは、「知性人」「叡智人《えいち》」の意味だそうです。

荒れ狂う自然、変貌する自然、怖い動物、毒性の強い植物に対して、鋭い爪も、頑丈な歯も、素早い足も、空飛ぶ羽も持たない現生人類。彼らは、生き残るために、殻（社会・経済・文化）をつくって、生身《なまみ》の生命を奪われないようにしてきました。そして、その殻を守るために、「知」を発達させ、それを仲間や子孫に伝えることを武器にしました。

人間の歴史とは、殻つくりと、それを守るための「知」を働かせ続けた歴史だと、換言できます。

そして十数万年。地球という小さな惑星の、自然を大幅に改変し、自分たちの過ごしやすいように、殻をつくり変えていきました。人類の中でも、自分だけが、自分の一族だけが、自分の民族だけが、自分の国だけが、自分の同盟国だけが、つまり、自分たちの殻だけが「快適」に生きられるように、「策略」という「知」を活用してきました。

この殻の中で、人間は他者と関わり、助け合い、対立し、学びます。個・家族に始まり、部族・民族・国、皆そうです。

その殻は、ときに暴走します。殻自身の拡大が自己目的化し、殻の中にいる人々を痛めつけ、他の殻を破壊しようとすることさえあります。ただ、暴走した殻は、永遠ではない、やがて腐れ果てていきます。

そのときに使われた「知」には方向・目的がありません。本来は、自然の脅威の中で、かろうじて生き残るための武器だった「知」が、自分の所属しない人類に、そして今では地球を痛めつける存在に、変わり果ててしまいました。

農耕・遊牧と国・階層・戦争、機械工業と大量生産・世界戦争という流れが、それをまっしぐらに推し進めました。国・階層・大量生産の流れは、主に温帯、一部の乾燥帯という自然環境の中で「知」を使って育まれたものです。言い換えれば、「文明」というものです。

一方で、人類には、熱帯や寒帯、冷帯（亜寒帯）に住む集団もおります。そこに住む人たちは長らく狩猟採集の生活を選択してきました。人間の歴史には、「文明」とは別の、もう一つの流れ（「非文明」）もあったのです。

こちらの流れは、自然に打撃を与えないように、自然の怒りに触れないように、細心の想いで生きてきました。「非文明」とは「野蛮」「未開」という意味では決してない、大地の声を聞こうとし、まさしく自然の一部を使わせてもらうという生き方です。それは地球上の一生物として、生きるための「知恵」と言えます。

「文明」と「非文明」。二つの流れの歴史を示しながら、自然のしっぺ返しに苦しんでいる現代人が、今後、どう生きていくべきか、その手がかりを考えてみませんか。そこには論理的な分析と統合の視点（科学）を基盤とする「知性」が必要です。

「叡智」……、私ごとき凡人には、ときどき「そういうものがあるようだ」と垣間見《かいま》るくらいで、未だによく見えていません。しかし、内面を見つめ、あるいは高いところから俯瞰《ふかん》し、思索することによって得られる洞察。それは「知恵」や「知性（科学）」より深いものがあり、それはきっと「叡智」につながるものだろうと思います。

『旧約聖書』が看破《かんぱ》したように、人間は「知の実」を食し続け、現代の八方塞《ふさ》がりに至っているのです。

人間の歴史を通して、私たちはどう生きるべきか、つまり単なる「知」を持つ私たちと、「知恵」「知性」、さらには「叡智」について何なのかを考えてみることにします。ホモサピエンスの「知性人」「叡智人」とは私たちのことではない。私たちの目ざすところなのです。

「文明」史の概説

1　「人間の歴史」の概要

人は生き物として、今を生きなければなりません。

そこで、食べるための「欲」、自然の脅威から身を守るための生命「欲」は、生きるための当然の「本能」と言えます。そのための技・考え方は「知恵」となって伝えられていきました。

ところが、農耕・牧畜社会が到来し、生産が大増大すると、それを管理する人、それを支配する人が出てきました。膨大な生産と、そこから得られる「富」を守るために、さらにそれを広げるために「知」を利用し、他を蹴落とし、「欲」は際限なく広がるようになりました。その「知」の塊《かたまり》の範囲を「文明」と言っています。

しかし、「知性」（科学）の目で見ると数十年後、百年後の姿がわかるし、「叡智」の目で見ると、強権を振るう人の弱さ、刹那《せつな》刹那《せつな》に生きる人のむなしさ、はかなさが見えてきます。その中で私たちはどう生きるべきか、それこそが「歴史を学ぶ」ことなのです。

以下は、本書において、それぞれの社会を構成する、基盤の生業と、「文明圏」を中心に見た、時代区分の概略を示したものです。

本書全体で、「文明圏」の時代区分と、同時代の「文明圏」に属さない人たちの歴史を見ていきますが、その前に、「文明圏」史の概略を知っておいた方が、理解しやすいと思い、ここに提示しました。

(1)「文明」と「非文明」の成立

世界の現生人類・二十数万年の歴史のうち、ほとんどの時代の社会は、狩猟採集を生業とする社会です。最近の1万年ほど前までは、世界のすべての地域が狩猟採集社会だったのです。

1万年ほど前、温帯地域の一部から、農耕社会、あるいは牧畜社会が開始されますが、気候的に農耕社会を選択しようのない地域、農耕社会の結果として出現した国家を拒否する社会は、ほんの百年余り前まで世界各地に存在しました。そして、現在も、少数ながらあります。

一方、農耕・遊牧の社会を選んだ集団は「文明」を築きます。

この「文明」とは何か、どういう社会意志が根底にあって、続いてきたのか。それは、「文明」の暴走に押しつぶされそうな現代・未来を考えることなのです。

「文明」圏の歴史は、大きく、二つの時代に分けることができます。

前近代と、近代です。

前近代と近代の画期として、象徴的な事件を上げると、コロンブスの西インド諸島(中央アメリカのカリブ海)「到達」以前と以後ということになります。

前近代とは、「文明」の構成要素の国は、王朝国家であり、生業は集約農耕か、遊牧となります。

かつて、ヨーロッパ史を基準に歴史を組み立ててきたのに対し、最近ではヨーロッパ、中東、南アジア、東アジアを含めて巨視的にみよう、つまりユーラシア史全域を視点にしようという主張が出ています。本書の柱の一つも、そこにありますが、それとても人間の歴史の半分に過ぎません。

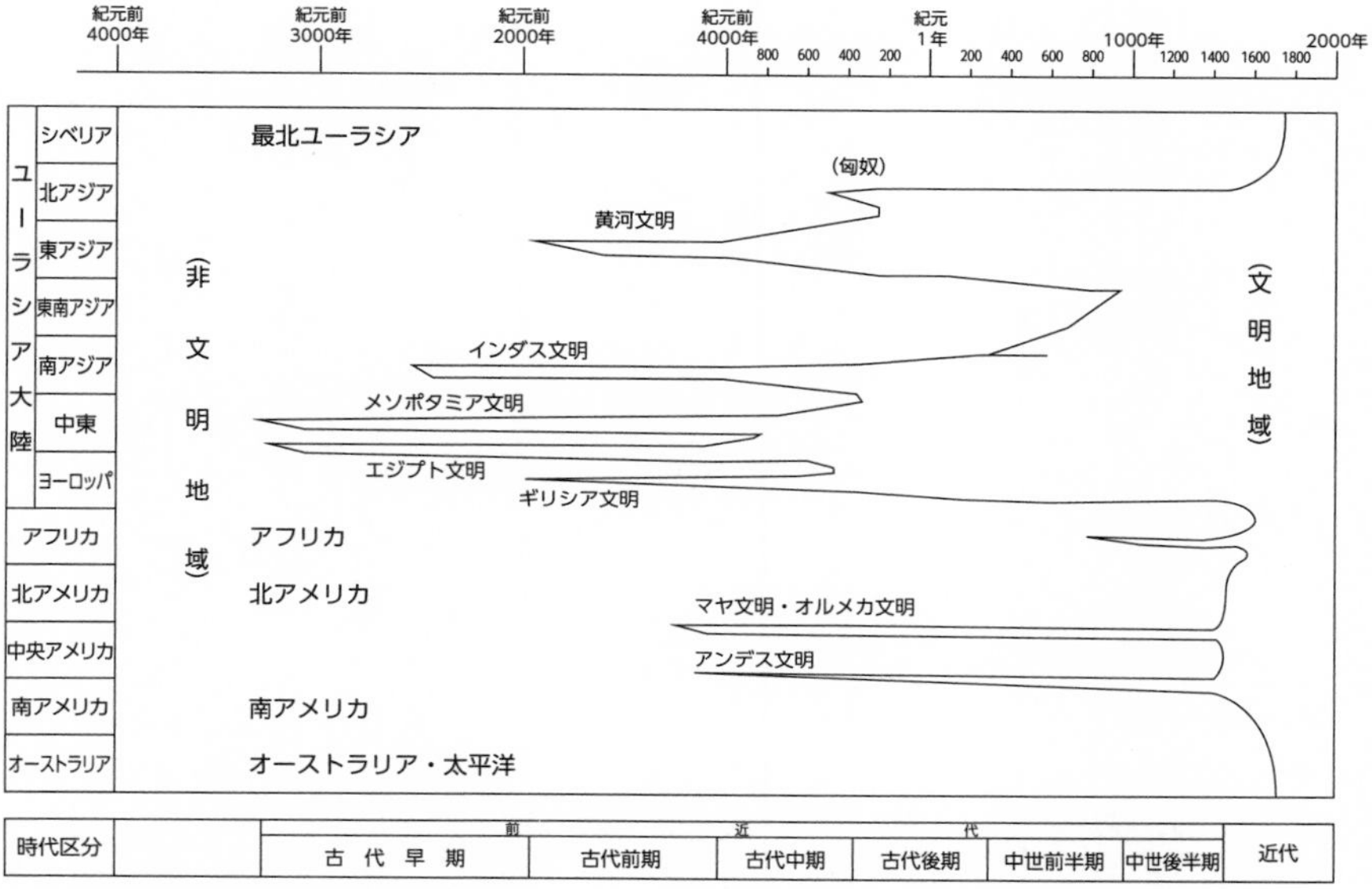

図1　非文明地域と文明地域

「半分に過ぎない」とは、「文明」地域よりずっと広大な「非文明」地域がないがしろにされているということです。狩猟採集、直放農耕（いわゆる「粗放」農耕、「原始」農耕）などを生業とした国家を必要としない人たちの歴史も、「文明」地域と共存してきたのです。

従って、人間史を標榜《ひょうぼう》するならば、「文明圏」と「非文明圏」の歴史を明らかにしなければなりません。

その中で、前近代の「ユーラシア文明圏」史の時代区分として、古代、中世と分けました。

ただし、古代国家は、ユーラシア大陸に限らず、西アフリカにも、中央アメリカにも、南アメリカのアンデス地方にも出現しました。しかし、ユーラシア文明圏に限って、遊牧と農耕の確執《かくしつ》・融合という条件の中で、中世という時代が登場しました。これは古代と別格なものではない、あくまでも古代の一つの特殊型、ただ、その特殊型の規模が大きくなったので、あたかも、これが一般的な「人間の歴史の姿」かのような錯《さっ》覚《かく》を、私たちは起こしているのです。古代も、ユーラシア文明圏の中世も、大きな意味では、前近代の王朝国家のカテゴリーに入ることを確認しておきます。

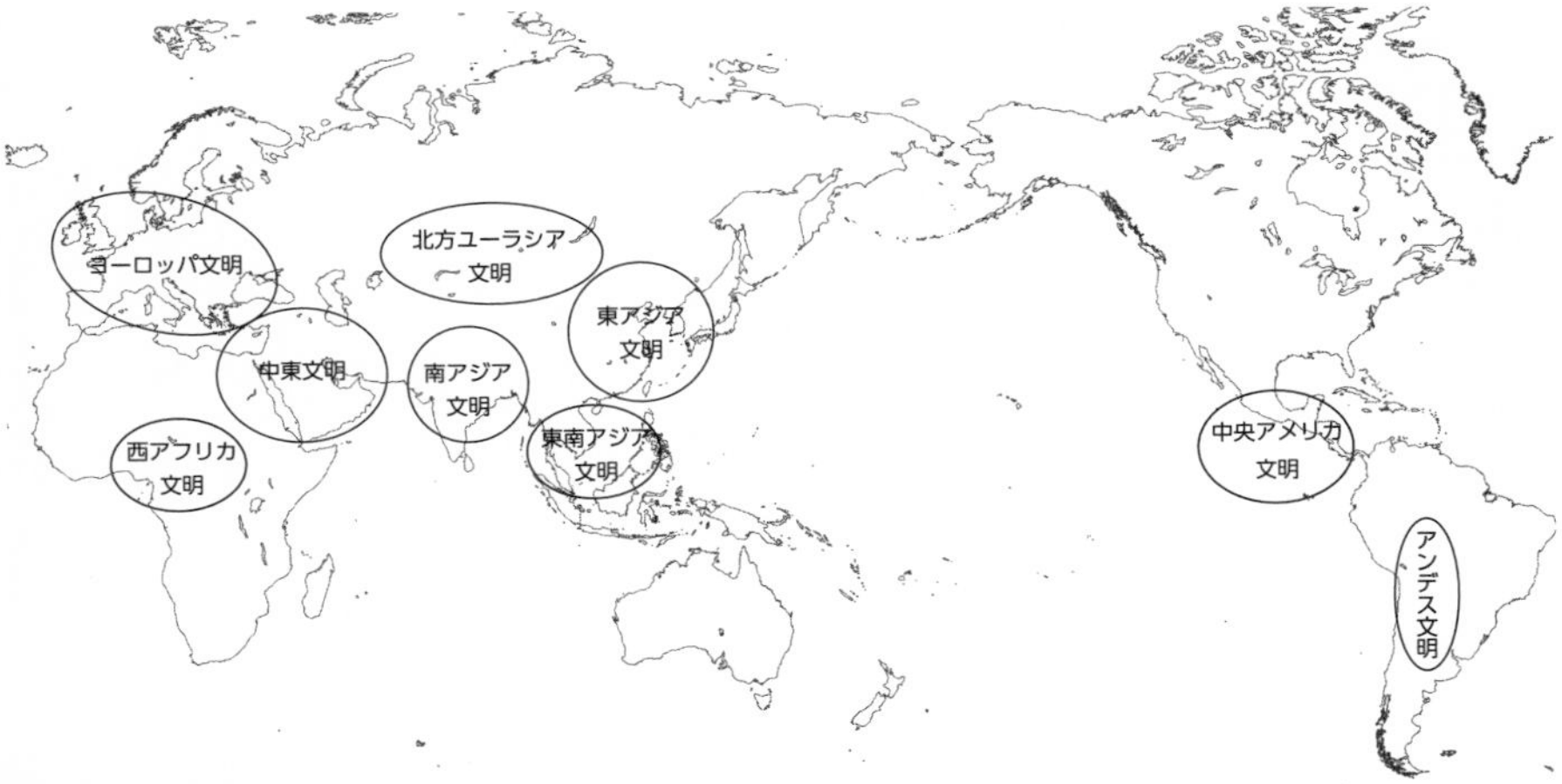

図2　前近代の文明圏

まとめてみましょう。前近代には、「文明圏」と「非文明圏」の二大地域が存在しました。このうち、「文明圏」に出現したのが、古代国家（王朝国家）であり、このうち、「ユーラシア文明圏」には農耕と遊牧の相克の中で、中世という特殊型が出現したと言えます。

そのように規定すると、「近代という時代が何なのか」ということも見えてきます。

近代とは世界中が「文明圏」になり、「非文明圏」を奪っていく時代と言えます。これは、王朝国家から国民国家へ、集約農耕・遊牧から工業化した国家へ、こうして誕生した近代国家が、直放農耕・狩猟採集社会の地域までもどこまでも呑み込もうとした時代と言えます。

さて、「文明」は、前近代においては大きく、九つの塊（地域）が出現しました。

中東・南アジア・東アジア・北方ユーラシア・東南アジア・中央アメリカ・アンデス・西アフリカ・ヨーロッパです（図2）。これらの「文明」がどのようにからんで、「文明」の歴史を展開したのか、以下、時代区分（古代、中世前半期、中世後半期、近代）を示しながら、概略を説明します。なお、この四つの時代には、それぞれ、始源～興隆～衰退というように、サイクルがあります。

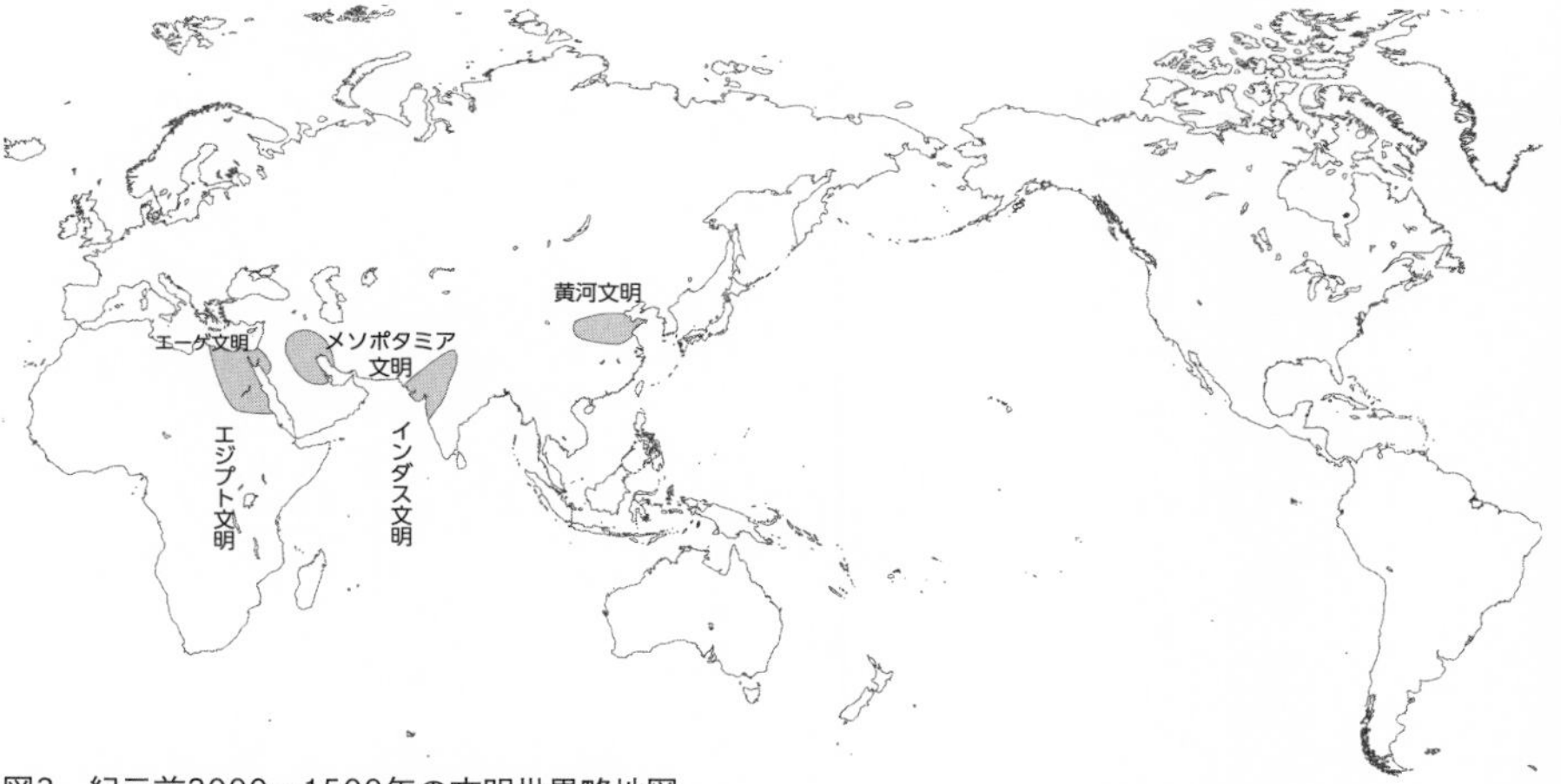

図3　紀元前2000～1500年の文明世界略地図

（２）〈古代（早期・前期）〉

「農耕社会が階層を産み、戦いを産み、古代国家をつくっていく」～中東に始まった古代「文明」が、ユーラシア大陸の各地に点在する流れを追う～

古代文明は紀元前４０００年紀（紀元前４０００年から千年間）に始まります。このとき、「文明」は「中東」（エジプト・メソポタミア）のみで、人間社会の中の「一点」に過ぎません。集約農耕の地域は、「文明」予備地域としてありますが、世界の多くの地域は、狩猟採集民か、直放農耕の民です。ここから、「文明」が各地に「点在」し、増加していく時代を「古代」早期とします。

古代国家は、中央アメリカにも、アンデスにも、西アフリカにも出現しました。しかし、人間の歴史の時代区分としては、「ユーラシア文明圏」の塊ができ、それらがどのように興亡するかという視点で見ていきます。

紀元前２０００～紀元前１５００年ころには、「中東」「南アジア」「東アジア」に「文明」が出現しています。「中央・南アメリカ」に神殿都市ができます。世界の各地に「文明」が成立し、この辺りから「古代」前期とします（図３）。

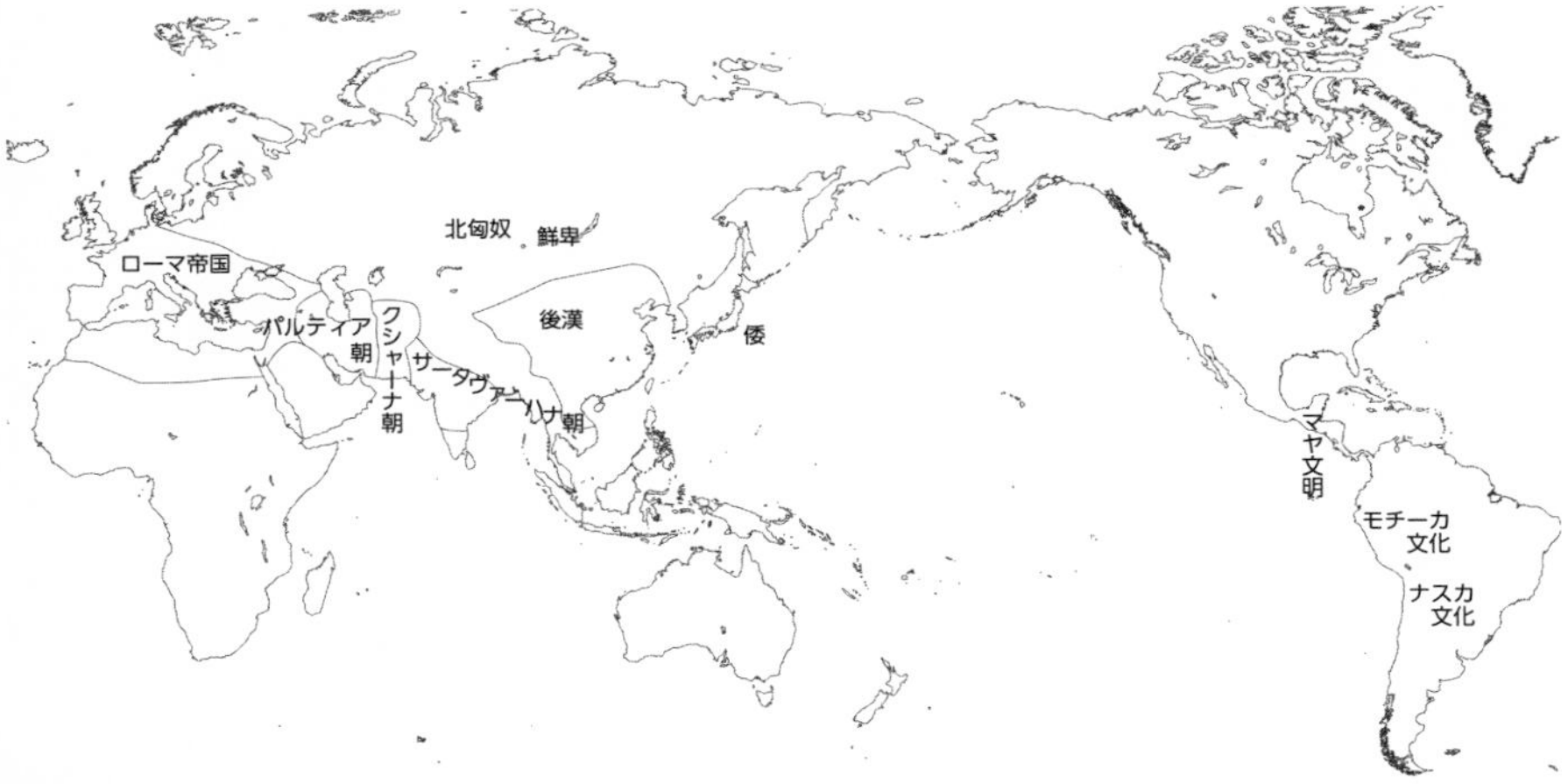

図4　2世紀ころの文明世界略地図

(3)〈古代(中期・後期)〉

~「ユーラシア文明圏」に領域国家ができ、それらが戦い、世界帝国になっていく。しかし、北方ユーラシアの遊牧民が南下し、世界帝国が崩壊する~

「ユーラシア文明圏」の中では、都市国家の中から、領域国家も出現するようになります(古代中期)。

さらに、紀元前500年ころから、「中東」「南ヨーロッパ」「南アジア」が活発に交流し、アケメネス朝(ペルシア)、アレクサンドロス大王の帝国などの帝国が出現します。そして、紀元1・2世紀のローマ帝国・漢王朝の世界帝国の時代をもって、古代後期とします(図4)。

世界帝国出現と、ほぼ時期を同じくして、「北方ユーラシア」の遊牧民の活動が活発化し、4世紀には古代世界帝国を崩壊させます。いわば、「中東」「ヨーロッパ」「南アジア」「東アジア」の文明が出揃い、相互に影響し合い、「北方ユーラシア」が侵入し、古代国家が崩壊していく過程が、「ユーラシア文明圏」の「古代」のサイクルとなります。

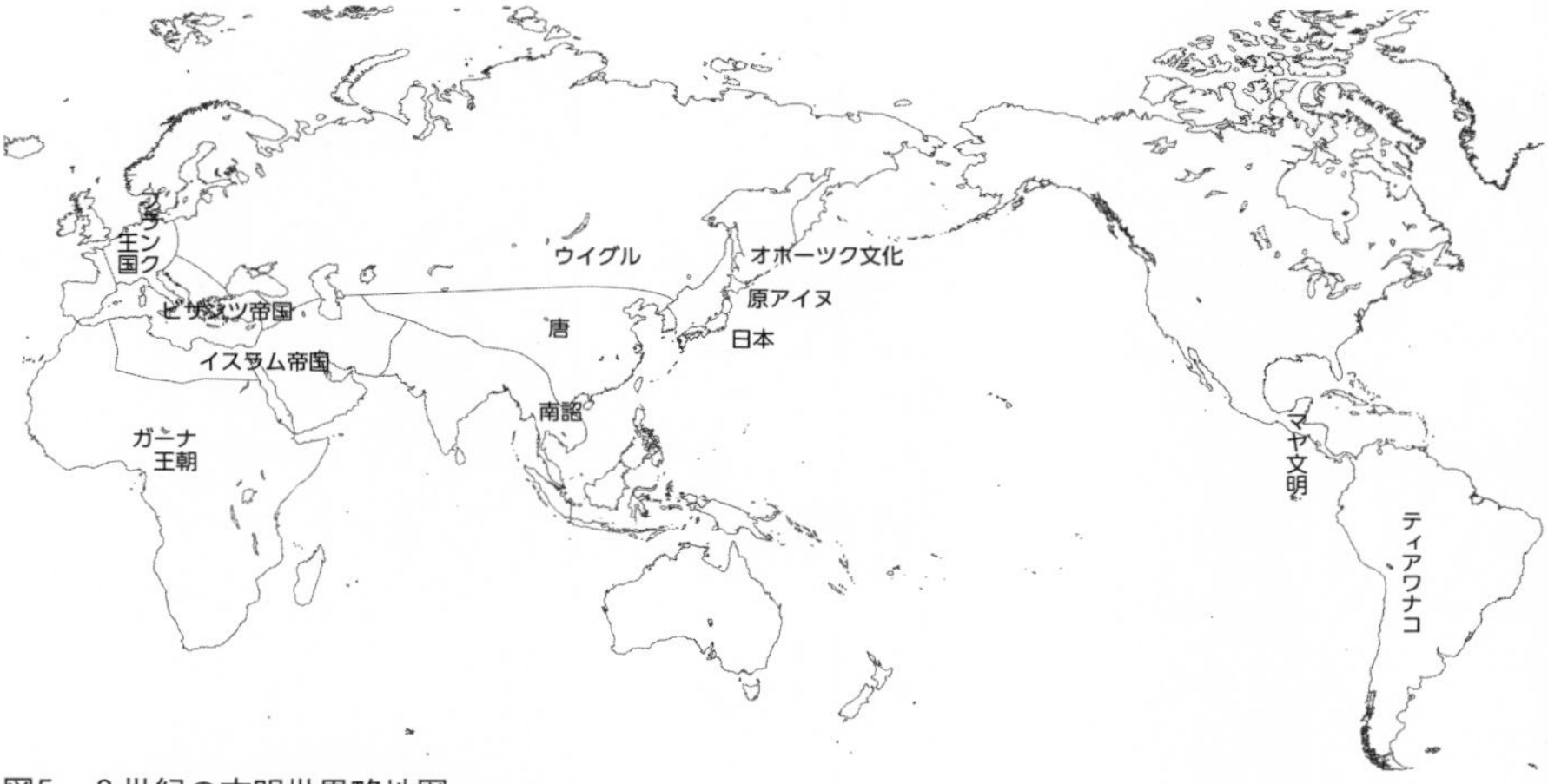

図5　8世紀の文明世界略地図

（4）〈中世前半期〉

「中世とは、二回に渡り、農耕社会に遊牧国家が侵入し、新たにつくられた社会秩序。その一回目が前半期」

〜「ユーラシア文明圏」の農耕社会に遊牧社会が侵入し、大混乱を引き起こす。やがて、両者が融合し、新たな世界をつくる〜

中世は、「ユーラシア文明圏」にのみ見える、前近代期の特殊型です。

その「ユーラシア文明圏」では、遊牧の国家が農耕の国家に侵入し、大混乱になりますが、やがて、混乱を克服した強大な国家が作られ、安定した時代を迎えます（隋・唐帝国と、イスラム帝国、フランク王国など）。しかし、そこにも新たな海洋民（ヴァイキング）など北方の民の侵入で、再び乱世になります。これが中世前半期の一サイクルです。

中世前半期の中期（図5）の時代には、「東南アジア」が「ユーラシア文明圏」に加わります。また、「ユーラシア文明圏」以外の、「西アフリカ」「中央アメリカ」「アンデス」にも、文明が出現していますが、ここは古代を継続しています。

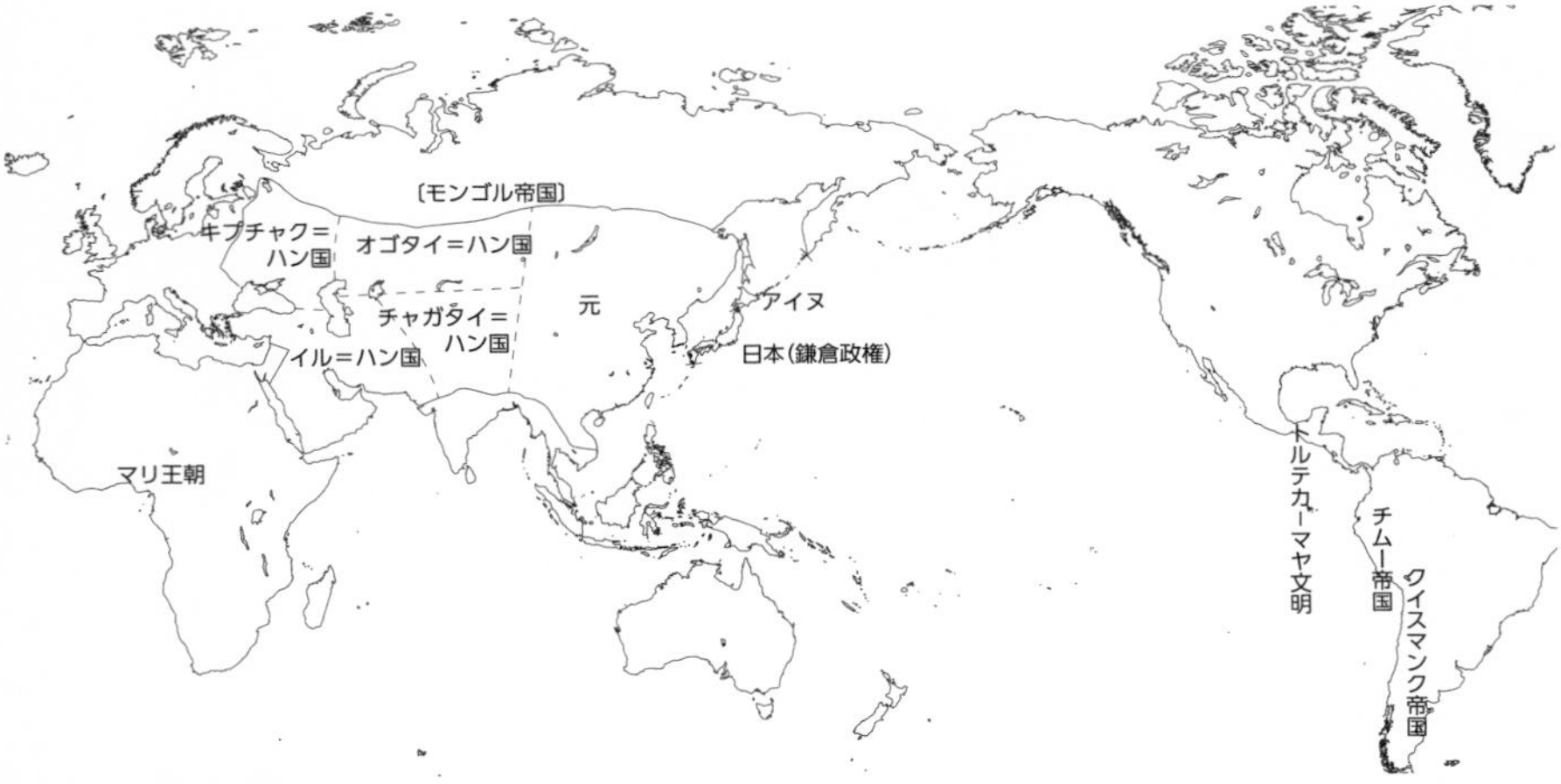

図6　13世紀の文明世界略地図

（5）〈中世後半期〉

「中世後半期は、遊牧社会が統一され、農耕社会をなぎ倒し、史上最大の巨大帝国をつくる」

～「ユーラシア文明圏」における、中世後半期の遊牧民勢力の拡大は、温帯・亜熱帯地域、あるいは一部冷帯地域まで及ぶ、大規模なものになった～

再び遊牧国家の勢力が順次拡大し、ついには遊牧国家がユーラシア世界を圧巻します（モンゴル帝国―図6）。やがて遊牧国家の攻勢の時代は過ぎ、海洋民（商人・海賊）が活動、農耕民が反転攻勢に転じ、地域ごとの分裂となります。これが、中世後半期のサイクルになります。なお、古代・中世をとおして、つまり、前近代においては、「ユーラシア文明圏」は「非文明圏」に対し、上から目線で見下すことはあっても、侵入は抑えられていました。

（6）前近代の「非文明圏」

「非文明圏」を地域で分けると、①アフリカ、②最北ユーラシア、③北アメリカ、④南アメリカ、⑤オーストラリア・太平洋の5地

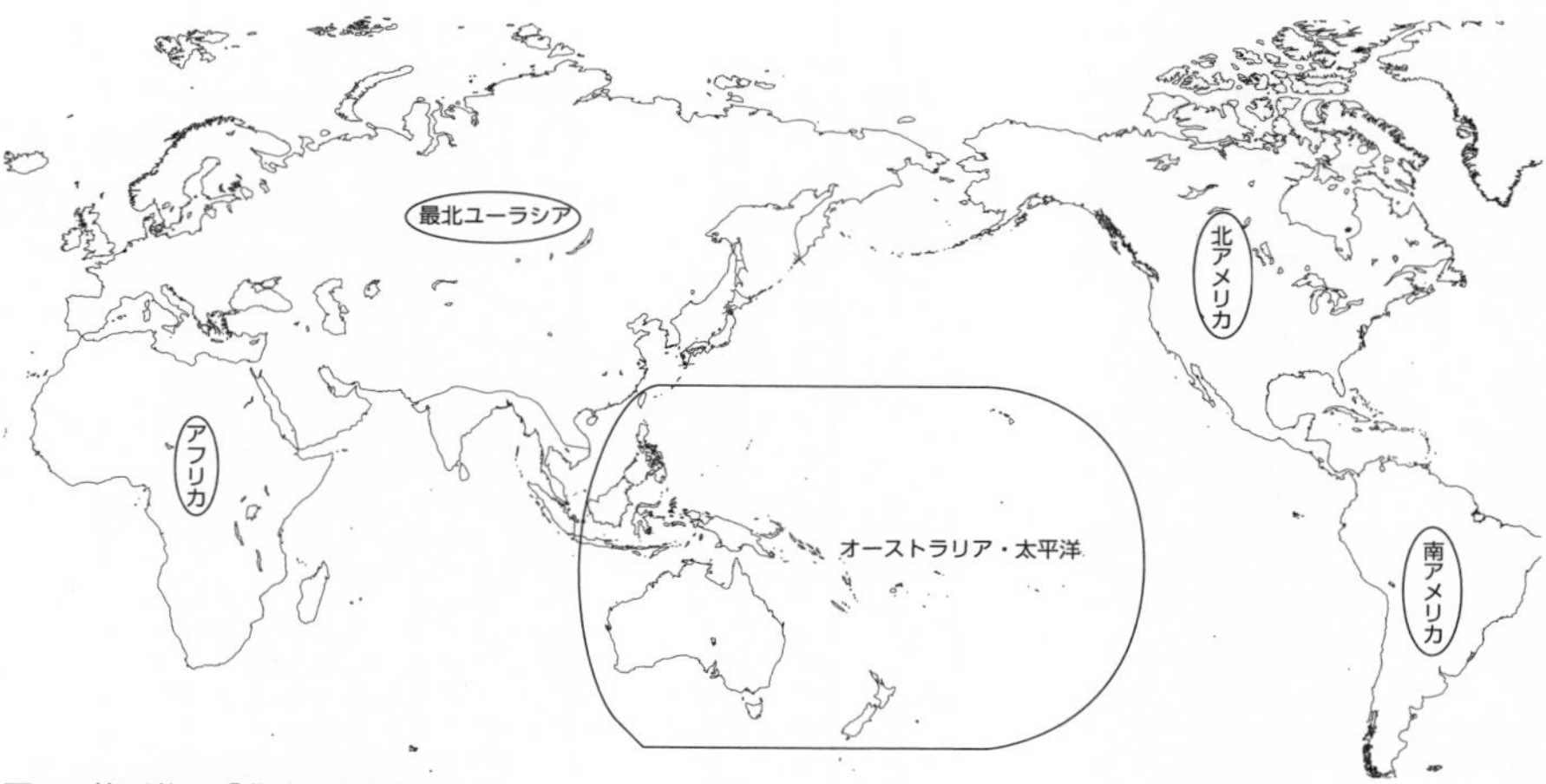

図7　前近代の「非文明圏」

域になります。

それぞれの地域内で、ゆるやかに影響し合ってはいますが、各地域を統率する者や民族はいません。また、5地域がそれぞれどういう特徴があったのかということは、「非文明圏」に文字史料がなかったため、詳しい歴史が解明されていません。

それぞれの地域には、熱帯・温帯・乾燥帯・冷帯・寒帯の多様な気候が存在します。そして、〈非文明圏〉は狩猟採集社会や直放農耕社会のため、気候によって生活が規定されます。傾向として冷帯、さらに寒帯へと寒冷化するほど採集の割合が減り、熱帯になると、採集、そして直放農耕も可能になります。「文明圏」は広大な「非文明圏」のうちで、温帯・乾燥帯の一部から現れ、広がったものに過ぎません。しかし、近代になると、「文明圏」が「非文明圏」に無残な侵略を行い、地球全体を我が物にします。

「北アメリカ」「アフリカ」で英語、フランス語、「オーストラリア・太平洋」で英語、「南アフリカ」でスペイン語・ポルトガル語、「最北ユーラシア」でロシア語を公用語として多く使われています。それはこれらの国々が「非文明圏」を侵略した結果です。また現在、英語が世界でもっとも広く使われ、学校教育でも教えられるのは、次に述べる近代中期にイギリスが、近代後期にアメリカ合州国が世界の覇権国家になったためです。

(7)〈近代〉

近代とは、世界史ではフランス革命から、日本史では明治維新からというのが常識です。しかし、本書では、フランス革命によって成立した近代(国民)国家は狭い意味での「近代」と見ます。そして、「近代とは、世界商業、そして工業社会へ。世界中が国民国家となり、人間が莫大なエネルギーを消費する時代」と広く見ます。

~近代のサイクルとは、「ユーラシア文明圏」のうち、辺境にあった西ヨーロッパ諸国が、アメリカ大陸、オーストラリア大陸、シベリアに侵攻、さらにアメリカ合州国と日本も加わり、アジア・アフリカも奪っていく。だが、二つの世界大戦のもと、植民地にされた国々が独立していく~

(近代前期) 海洋民のパワーのうち、西ヨーロッパの諸国が乱暴な冒険主義国家と化し、アジアに、アメリカ大陸に、シベリアに、オーストラリア大陸に侵攻します。アジアの温帯地域を除く地域、つまり、世界の狩猟採集社会の地域、直放農耕社会の地域、あるいは古代国家(アメリカの先住民族の国家)が、皆、侵攻・蹂躙《じゅうりん》されました。西ヨーロッパ人による世界貿易出現によって、それまで「ユーラシア文明圏」の中で中世社会が形成されていたのに、莫大な富の獲得の結果、一気に「世界」につながるようになったのです。

近代前期は工業社会ではなく、農耕社会が基盤にありますが、商業を世界規模に広げたことから、列強の世界分捕り戦争につながるものとなりました。

また、西ヨーロッパ諸国の分捕りの巻き添えを拒否した東アジア諸国は、彼等との接触を最小限にして、基本的に自国の世界の中で生きること(海禁政策。日本では「鎖国」)を選択しました。

(近代中期) アメリカ独立戦争が、フランス革命が、国民国家を作らせていきました。また、産業革命が機械工業社会を作らせていきました。こうして成立した欧米列強は急速にパワーアップして、東アジア諸国の海禁政策をこじ開け、そこを蹂躙していきます。列強の植民地・獲得戦争は凶暴化してアフリカにも広がり、世界のあらゆる地を奪い尽くし、奪う地から捕り尽くしました。

（近代後期）　世界中を奪い尽くした後、その分捕《ぶんど》りをめぐって、ついには二度の世界大戦を引き起こしました。この列強の中には、西ヨーロッパのみではなく、アメリカ合州国と日本も加わります。二度の大戦の後は、米ソ冷戦が起こりました。この間、列強に侵攻・蹂躙《じゅうりん》された諸地域は、段階的に独立を勝ち取っていきました。この時期から、巨大土建工事が巨大な利と雇用を産むことがわかり、巨大企業による地球資源の収奪が始まります。人間が地球資源を奪い合う、そして地球資源の枯渇《こかつ》に向かう、近代に続く新たな歴史の芽が起きようとしています。

なお、以上の時代区分は、前近代（古代〜中世前半期〜中世後半期）においては、「ユーラシア文明圏」の時代区分に限るものでしたが、近代は世界の時代区分になります。

そして、あらかじめお断りしておくべきことは、それぞれの過程に優劣はないということです。いわゆる「発展段階」とは見ていません。

つまり、狩猟採集社会が劣っていて、近代工業社会が「進歩」していたとは捉えていません。非人道的な大量の殺人兵器を開発する競争社会に、地球資源を奪い合う社会に、「進歩」の名は与えられません。だからと言って、狩猟採集社会がユートピアだったとも思えません。どちらも、人間の歴史の中の、不完全な一つの形と見ます。ホモ・サピエンスの社会である以上、すべてに優劣はありません。それぞれの生業に裏打ちされた社会を守るための「殻」に過ぎません。ただし、近代は武器や生産力のパワー、乱「開発」により、他の「殻」に所属する人間を、何よりも地球を痛めつけています。

2　東アジア列島の歴史を見る目

（1）世界基準の日本史

現在、あらゆる人間はどこかの国に所属します。世界中の人間が自分の立地点を歴史の中でどう位置付けたらよいのか、そのモデルケースを示します。

今、この書を手にする多くの人たちは、日本という国に生きています。そこで、私たちの住む日本の歴史を人間の歴史の中に位置付けます。ただ、この手法は、どこの国、どこの民族、どこの地域の歴史に置き換えても同様に位置づけができます。自分の立っている歴史を「人間の歴史」に当てはめるだけですから。

近代に生きる人々は絶えず、国家の側から、「自国は正しい」と思うように、働きかけられています。近代社会においては、国家の引力から脱して、分析・判断することが「人間として歴史を見る」ことになりますが、どうすればいいのでしょうか。

それは世界基準に照らし合わせて、自国の歴史を相対化して見ることです。

日本史（日本国のうち、和人の歴史）では、

（古代）　氏姓国家、律令《りつりょう》国家、王朝国家

（中世）　鎌倉幕府・室町幕府の封建制国家

（近世）　織田・豊臣政権から江戸幕府の幕藩《ばくはん》制国家

（近代）　明治維新に始まる大日本帝国の時代（帝国主義）

（現代）　戦後の改革に始まる日本国の時代（経済成長主義）

という時代区分がされます。

これは、こと日本史だけを見ていると、抜群《ばつぐん》にわかりやすい、ほぼ確定した時代区分と言えます。さすが、今まで、日本史の専門家が議論を尽くしてきただけの結論です。

しかし、これを一度、御破算《ごはさん》にします。日本史をローカルな、完結した地域として時代区分することは否定しませんが、世界基準に合わせ、相対化したらどうなるかという、新たな時代区分を作り直すことが必要です。

はっきり言います。日本史が世界とどうつながっていたかを見るのではありません。「人間の歴史」の中の一部として、日本史全部を組み立て直す（日本史を相対化する）のです。

（2）北の文化圏・中の文化圏・南の文化圏

日本史の見方の二つ目。

実は、わかりやすく、「日本史を相対化する」と言ったのですが、それは正確ではありません。ユーラシア大陸の東端の島々（この列島を示す名称がないので、東アジア列島と名付けます）の歴史をどう見るかを示し、その見方の中で、日本史の位置づけも決まってくることになります。

東アジア列島の歴史とは、北の文化圏（主にアイヌ民族）、中の文化圏（和人）、南の文化圏（琉球・台湾）の歴史を含めたものを言っ

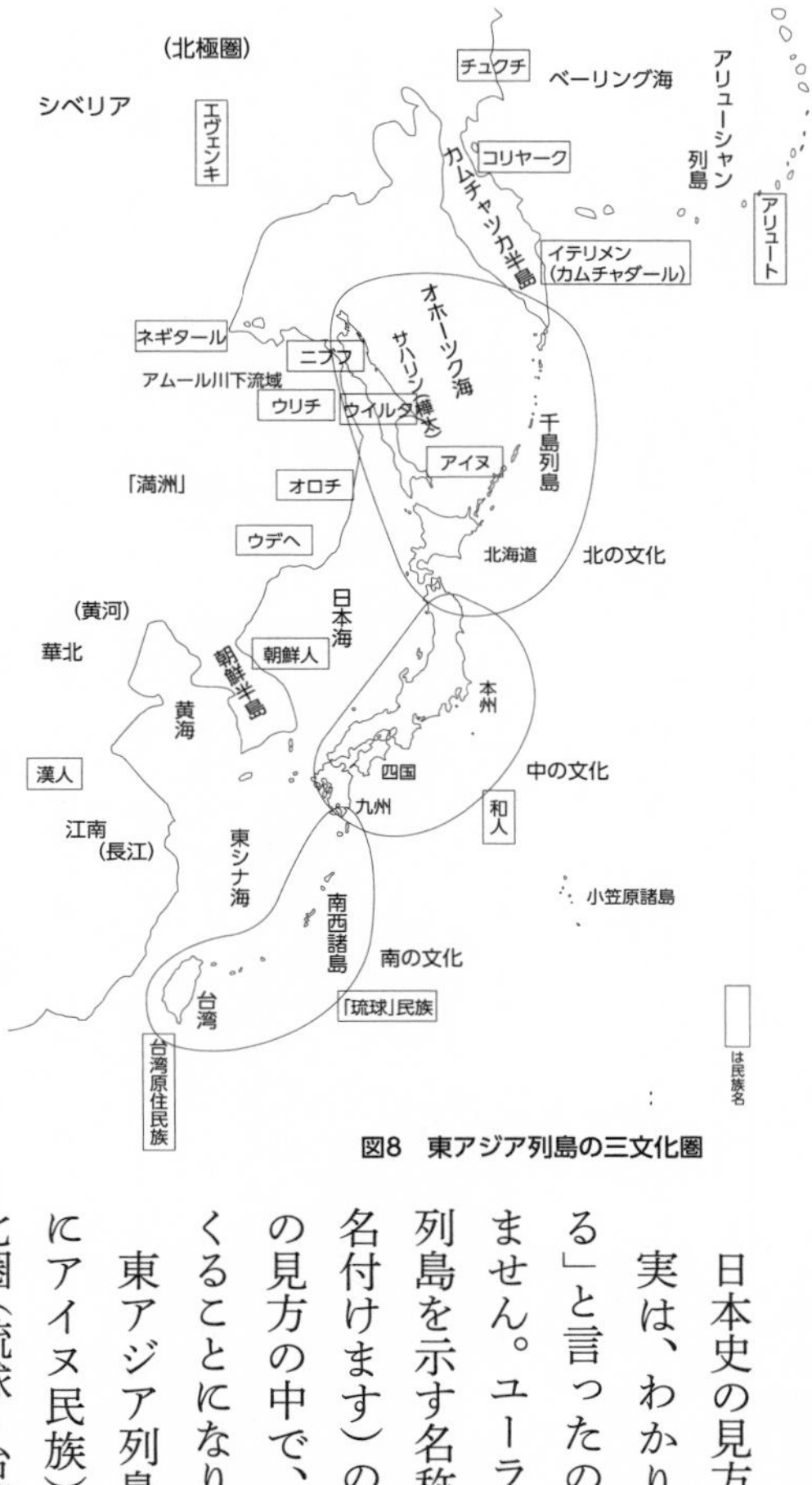

図8　東アジア列島の三文化圏

ています(図8)。これらの用語自体は、藤本強氏提唱を参考にしています。ただし、明確にお断りしますが、これは現在の日本の領土、つまり日本列島の範囲とは一致しません。日本列島は北海道から南西諸島までを言いますが、サハリン・千島列島から、南西諸島・台湾までの歴史を扱おうと言うのですから。

このサハリン・千島列島から、南西諸島・台湾までが、ユーラシア大陸の東の列島であるし(東アジア列島)、その内海(オホーツク海、日本海、黄海、東シナ海)こそは東アジア海と言えるものです。そうなると、オホーツク海は東アジア海北部、日本海は東アジア海中部、黄海・東シナ海は東アジア海南部という位置づけになります。

また、気候で言えば、北の文化圏は冷帯、中の文化圏は温帯、南の文化圏は亜熱帯にほぼ重なります。

なお、これは「日本という国が三つの文化圏からなる」ということを述べたものではありません。本来、この三つの文化圏はそれぞれ独立したもの、別なものでした。

北の文化圏には、アイヌの他に、ウイルタ、ニブフがいます。この各民族は、狩猟採集民族で、シベリア、その中でも北東アジアの諸民族の一つとして見たほうがいいでしょう。ここは長らく、文明を拒絶してきました。

南の文化圏では、中世後半期の琉球民族は、東南アジア文明圏の広大な交易圏の一地域として栄えていました。

そういう中、アイヌの大地(アイヌモシリ)は日本とロシアが分割し、琉球王国という独立国は日本と中国が奪い合い、日本の一部にしたものです。また、現在の台湾は、中国や日本の公式見解とは違って、「一つの中国(中華人民共和国)」の一部ではなく、一つの独立圏と見るべきです。

本書では、日本史の概説を累々《るいるい》と述べる気はありません。世界史基準で見たら、東アジア列島の歴史をどう見たらよいのかという一点を示すことで、おのずと日本史の位置も明らかになると考えたものです。

さて、「人間の歴史」と、世界基準から見た「日本史」(正しくは「東アジア列島史」)の、簡単な説明はここまでです。

それでは、「人間の歴史と、私たちの立地点」を考える世界に招待いたします。

第一編　古代国家と「非文明」社会

第1章　古代国家の誕生

一　現生人類が世界に住む

1　現生人類の誕生

私たち・現生人類に至る前に、人類700万年の膨大な、気の遠くなるような歴史があります。その間、学者によって数え方が違いますが、10種から20種の間の、さまざまな人類が出現しては滅びていきました。700万年前に犬歯《けんし》(糸切り歯)の縮小が始まり、やがて直立二足歩行へ。前足が手として使えるようになった、つまり手の出現！それは人類が「便利（工夫)」の模索の道に足を踏み入れたということです。まず、石器を生み出し、火を利用するようになりました。そして、それに合わせて、脳の容量も確実に大きくなりました。

こうして、幾多の古人類たちの積み重ねの上に、二十数万年ほど前、現生人類が出現したのです。このとき、自分の精神をどう表現しようとしたのか、証拠はありません。ただ、もはや身体は現代人と変わりません。

2　現生人類の大移動

ここから10万年以上が経過しました。
現生人類は依然としてアフリカにいます。

赤城威『ネアンデルタール人の正体』(朝日新聞社2005年)一部補足

図1　現生人類の拡大

あるとき、現生人類は精神からこみあげてくるものを表現しようとします。

7万5千年前の南アフリカ・ブロンボス洞窟では、幾《き》何学《かがく》模様に刻まれた土片を残します。多数の貝殻があり、ネックレスの存在を窺わせます。

20万年前から7万5千年前のどこかの時点で、心を形に表現するようになったのです。この時点を「心の現代化」と言っています。言葉は自分の意思を示し、他者の意思を確認するものであり、祖先や知人から順次伝わってきた技を伝授する媒介になりました。技の集大成は「知恵」となって、次の世代につながっていきます。また、自分の内面から湧き出るモノを表現する、それが深いものであればあるほど、人に感銘を与え、魂を揺さぶります。

その後、気候環境の変化のため、一説にはアフリカの砂漠化が広がったせいとも言われていますが、現生人類の一派はアフリカを発ちます。ヨーロッパへ。アジアへ。アジアからオーストラリアへと移住を始めました。

シベリアから北米大陸の北、アラスカに到達したのが1万数千年前。氷期なので歩いて渡れたのでしょう。そして南アメリカ大陸の南部に達するのは1万年ほど前。

こうして、現生人類は地球のほとんどの地域に居住圏を広げました。つまり、現生人類は本来アフリカの一画に生息する哺乳動物の一種に過ぎなかったのです。他の地球のすべての大地は現生人類以外の生物が生息していました。国(領土・領海・領空)も、いや、先住権でさえ、この500年間の近代国家、あるいは近代国家の不正義に対する見方なのだと、一度、相対化しておきます。私たちが人権と言うものもその上に立ったもので、それ以前から大地は存在したのです。「正義」とは「だれから見て」ということの他に「どのレベルの」ということによって変わるものなのです。私たちは「大地は人間のもの」という発想の前に「人間が使わせてもらっているもの」という見方が必要だということです。

ヨーロッパに達した人類は、洞窟にさまざまな絵画を刻みました。現生人類でも相当の技と感性がなければ、描けないものばかりです。これは4万年ほど前の人類に始まるもので、「文化のビックバン」と呼びます。このころの現生人類と、今生きる「私たち」が、タイムマシンが発明されて出会えたとしたら、同じ人間として友人になれるのではないでしょうか。

このころ、ヨーロッパや中東に達した現生人類は、現生人類とは別種のネアンデルタール人と接します。アフリカ人を除く「私たち」の身体には、ネアンデルタール人の遺伝子も含まれているらしいです。ザッと4万年ほど前、現生人類は東アジアに達しました。もちろん、ここで言う数千年や1万年は新たな出土物の「発見」で、たちまち別の説になろうことは、承知いただきたいです。

3　言葉の獲得

現生人類は南極大陸以外の、すべての地球の陸上に住み付くことになりました。

どうして、現生人類にこうしたことが可能になったのでしょうか。

衣食住の工夫でしょうか。環境に合わせて生活スタイル(文化)を創っていく、これは現生人類の特徴です。その中で衣服もなく、住居もない、現生人類も存在します。食は、動物である限り、必ず必要ですが、衣・住は必需品ではないのです。

それでは、現生人類に共通のものは何でしょうか。石器？　確かに石器は、すべての現生人類が使っていました。「便利(工夫)」こそは、古人類〜現生人類に至るすべての人類に共通する流れですから。

しかし、石器は現生人類が誕生する前、例えばアウストラロピテクスも使っていました。

石器にしても、衣服にしても、住居にしても、考古学資料として形に残るもの、後世の学者が、「現生人類の歩み」を研究するときに証拠になるものです。しかし、そういう証拠にはならないけれども、現在、人類ならば、必ず持っていたもの、それは言葉です。言葉は物質的な形として残りませんから、いつ発明されたか、あるいはネアンデルタール人も使用していたのか、わかりません。しかし、これが複雑化し、次に何をしたらよいか、経験則や予想(知)を伝えあって、現生人類は居住圏を広げることができたのでしょう。言葉でもって、地球上のさまざまな環境(熱帯、温帯、乾燥帯、冷帯、寒帯にも)に適合する文化を築いたと言えます。言葉の存在〜知恵の伝達が、人類の居住圏の拡大には欠かせません。

4　「発展」は正しいか、「停滞」は悪か

本書では、現生人類史の中で、狩猟採集社会で生きてきた人々を取り上げつつ、「発展」の問題を何度も批判的に見ていきます。その一方で、狩猟採集社会とは、ともすれば「停滞した社会」と捉えられかねません。

人類史における「発展」、つまり「栄華」「拡大」「成長」は、ある層、ある集団や国のみが莫大な「富」を手に入

れて急膨張し、そうではない人々を虐《しいた》げることで成り立ってきました。そして、それがより広い人々に拡張したときに、地球環境を食い尽くすという事態が、現在、起こっているのです。

農耕・牧畜のもと、国ができて、文字を持ち、今では工業生産を高めることが「発展」であり、人類の行きつくところだと勘違いされています。しかし、「発展」とは「幸福」「進歩」「善」を意味するわけではありません。ただ「急激な変化」を意味するに過ぎません。また、「停滞」とは「不幸」とか「後進」とか「悪」を意味しません。ただ「ゆっくりと時が流れる」ことに過ぎません。

二　古代史の概観

「ユーラシア文明圏」の古代

～集約農耕の開始から、部族連合～都市国家（前期）～領域国家（中期）～世界帝国とその崩壊（後期）というサイクルを示す。東アジア列島では、古代後期に「中の文化圏」において、「ユーラシア文明圏」に含まれるようになった。

「ユーラシア文明圏」	東アジア列島
中の文化圏	
	北の文化圏
	南の文化圏

早期・前期	集約農耕が始まり、部族連合社会へ、さらに都市国家が形成される。紀元前3000年ころのシュメール文明の都市国家が最初である（早期開始）。 紀元前二千年紀に、ユーラシア文明圏としての古代国家が出そろう（前期）。			
中期	中東のアケメネス朝、アレクサンドロス大王、中国の戦国の七雄など、領域国家が出現する。	九州北部から稲作農耕が広がっていく。		
後期	東アジアに秦・漢帝国、ヨーロッパにローマ帝国という古代世界帝国が成立。4世紀ころに、遊牧の民が侵入し、古代世界帝国が崩壊する。	部族連合〜都市国家〜領域国家という流れを踏み、大王政権が成立。		

1　古代黎明期

(1) 農耕と牧畜の「発明」

現生人類は世界中に移住を進めたものの、氷期という寒冷気候の中では、活動は限られていました。多くは打製石器を使い、毛皮を着て、マンモスやオオツノジカを追うという生活を続けてきたのでしょう。

現生人類が潜在として持っていた知的側面が開花し、生産が拡大し、文化のバリエーションが多様化するのは、1万数千年前に温暖化が進んでから（間氷《かんぴょう》期）です。この段階で、大型獣が相次いで滅び、森の小動物や木の実、河川の魚を追う生活になりました。

このとき、多くの地で新石器（磨製《ませい》石器）を発明するというのは、氷期では発芽できなかった現生人類の「能力」（知）が気候環境によって、芽生えることができたということでしょう。

ここからの1万数千年間の人類の生産の形は、ほとんどの時代、ほとんどの地域で、実は狩猟採集経済でした。現生人類の生活の基盤は歴史的には狩猟採集にあったと言っても過言ではありません。

このことを大前提にした上で、9000年ほど前、イラク北部やヨルダン川河口で農耕が始まりました。ペルシア湾の奥からシリアに至る農耕社会の開始地域を「肥沃《ひよく》な三日月地帯」と言っています。農耕の始まりは、ムギの栽培です。ただ、この事件は地球のほんの一角で始まったことで、全世界の99％の地域は狩猟採集社会だったことを忘れてはいけません。

狩猟採集の生活は、その地域、その地域の、季節ごとの自然の恵みを、あるときは植物から、あるときは海産物から、あるときは陸上動物から、獲得していきました。

一方の農耕は、タネを播《ま》き、辛抱《しんぼう》強く育て、収穫するまでの、何と根気がいることでしょうか。農耕の始まりは狩猟採集の補助として細々と行っていたのでしょう。それが一歩一歩農耕の割合が広がり、やがて農耕社会になっていきました。タネが数十倍の食料となって収穫するというのは、大発明であり、画期的なことです。

農作物とは植物を人間好みに合わせて、ある一部分だけを変形させ、食べられるように改変したものです。しかし、食料確保の利点を一旦知った人々は、コムギの他に、オオムギ・エンドウマメ・オリーブ・ブドウ・ニンジン・カブと、収穫物を増やしていきました。こうなると、狩猟生活の片手間にはできません。農耕を生業とする農耕社会の出現となります。

農耕の出現とほぼ同時期か、ほんの少し遅れたものですが、イラン高原にヤギの骨が出土します。このヤギには、一つの傾向がありました。大部分がオスの成獣で、メスヤギは老年のものが多いということです。前者は食用に使い、後者は子を産まなくなるまで利用したのでしょう。ヤギ、そしてヒツジの家畜化につながって、食肉・乳・毛皮を得る技術を獲得していったのでしょう。

人が動物を家畜化し、その動物の集団に入り込み、移動しながら管理する。これが遊牧の始まりです。これも農耕と並ぶ人類の大きな生産革命となりました。これはやがてユーラシア大陸の北部を中心に広がります。前近代におけるアメリカ大陸では、家畜こそ存在しましたが、遊牧社会にはなりませんでした。

農耕と遊牧は、人類の「発展」なのでしょうか。従来は人類の偉大な「発明」ととらえられてきました。確かに農耕と牧畜は「食料を育てる」という、生存に不可欠な食料の安定確保をもたらしました。結果、多くの人々を養うことができるようになりました。このことはどれほど強調してもよいことです。

しかし、私たちは、農耕と牧畜が、人類の自然破壊の第一歩だったという見方もしなければなりません。石器だけの狩猟採集、持ち物を必要としない社会から、国という殻を造り、「知」をめぐらし、富や利益、物質欲、勝敗を激しく繰り返し、徐々に地球環境を破壊していく第一歩が、ここに始まったのです。こうした現象は、人類が本来特徴としたものではない、まさしく「文明」によって、人間のある一部分が肥大化したものです。

（２）農耕社会の広がりと土器の使用

中東のイラク周辺に始まった農耕が伝播《でんぱ》し、あるいは、それぞれの地域で発明し、いくつの地で農耕を開始します。

中東の農耕は、バルカン半島（ギリシア・アルバニアなど）を経て、南ヨーロッパ（イタリア半島）に伝わり、紀元前４０００年までにイベリア半島（スペイン・ポルトガル地域）に伝わりました。

９０００年前ころ、東アジア（中国）ではコメ・アワ・ダイズ・アズキが作られ、それより遅れて中南米ではトウモロコシ・サツマイモ・トマト・カボチャが作られました。

農耕・遊牧社会の到来とは別に、現生人類は「保存する」「煮沸《しゃふつ》する」という技能を手に入れました。具体的には土器の発明がそれに当たります。さまざまな容器につながる、人類の「便利」（工夫）の一つの形です。

ヨーロッパ史では、新石器、土器、農耕がセットに近い形で見られるようで、合わせて新石器時代と呼んでいますが、世界史の視野で見ると、そうとは限りません。

中国や日本などの東アジアの一部では、1万数千年前に土器が作られていました。しかし、東アジア列島の稲作農耕は3千年ほど前に九州北部で始まったものだし、北海道に至っては百年余り前に農耕が広がりました。逆に中南米では農耕社会になって、ずっと経ってから土器が使われるようになりました。

2 古代早期・前期（都市国家）

（1）部族連合から都市国家へ

狩猟採集社会、農耕社会、牧畜社会に関わらず、富が一方の集落に偏《かたよ》り、一方の集落が貧困であれば、戦い（暴力）が起こります。以後、暴力の歴史故《ゆえ》に、それを動かすのは、人間の半分（男性）になります。

戦いに勝つには、作戦（「知」）が必要になります。強い集落といくつかの集落が統一戦線を組むとか、戦いに勝つ兵法とか、駆け引きとか、さまざまな戦略や作戦が必要です。

歴史は一見、『孫子《そんし》の兵法』に見るような駆け引きや策略や作戦の中でつくられていきました。しかし、底流には大きな流れがあります。しょせんはその流れの中の「知」なのです。

さて、狩猟採集社会も農耕社会も、戦いの激化により、より強力な仕組みとして、部族連合ができます。農耕社会の場合は、さらに部族連合の盟主が出現し、防衛を固め、組織内の団結を図る都市国家になっていく場合があります。これが狩猟採集社会ならば、そうはなりません。

戦いは本来、獲物（動物）を得るため、自分に、家族に、集落に必要だったのです。それが前近代（古代・中世）では、王朝国家の「栄華」のため（王朝道徳）、近代では国家の「拡大」のため（国家道徳）のものとされ、そのために戦死すること、人を殺害することが「賛美」される社会意志がつくられました。

(2) 都市国家

最古の都市文明は今のところ、中東のシュメール文明です。紀元前３０００年ころから、神殿《しんでん》を中心に都市をつくり、エリドゥ、ウルク、ウルなどの都市国家が出現しました（古代早期の開始）。農耕が始まってから数千年がたっています。ウルは『旧約聖書』のアブラハムの出身地だそうです。シュメール文明は紀元前３０００年紀初頭～紀元前２０００年ころのもので、粘土板に書かれた楔型《くさびがた》文字を生み出しました。紀元前２６００年ころのウルクのものとされる『ギルガメシュ叙事詩』は現在に伝わる人類最古のお話です。メソポタミアは都市国家の時代が長く続き、さまざまな民族が侵入してきては新たな都市国家の王朝を築いていきました。

エジプトには紀元前３５００年ころにノモスと呼ばれる42の集落国家ができました。紀元前２７００年ころにメネス王によって統一されます。ピラミッドが造られるのは紀元前３０００年紀中ころ、第３王朝からのことです。死者再生にかけたミイラ造りのエネルギーは、魂と滅びゆく肉体（死）にどう対処するかという大問題への対処法でした。かれらは神官と官僚によって、政治が運営されました。

インダス川流域は紀元前７０００年ころに農耕と家畜が始まり、紀元前３０００年ころに大きな規模の集落になりました。コムギ・オオムギなどの穀物、ヤギ・ヒツジ・ウシなどの家畜を飼い、紀元前２３００年ころ～紀元前１８００年ころにインダス文明として栄えたようです。

インダス文明には、ハラッパー、モエンジョ＝ダーロなどの都市がありました。石器・青銅器を使用する人々による都市文明で、南北・東西16ｍの大通りが交差し、給水・排水などの衛生設備が完備していました。注目すべきことに、神殿や宮殿跡は見つかっていません。城壁（市街地）の外は農耕地で、コムギ・オオムギ・ゴマ・豆・ナツメヤシの実などを栽培し、穀物倉庫や製粉所が見つかっています。インダス文字は現在につながらず、未だに解読されていません。ここは、紀元前１５００年ころにアーリア人が侵入したようです。

東アジアでは、長江《ちょうこう》と黄河に農耕社会が誕生しました。

黄河文明は前半が仰韶《ぎょうしょう》文化（紀元前５０００～紀元前３０００年ころ）でムギ・コメの農耕と、ブタ・ウシ・ヒツジ・ヤギの飼育を行っていました。後半の山東龍山文化（紀元前３０００年ころ～紀元前２０００年ころ）はイネの栽培、牧畜・養蚕《ようさん》・染物を行い、動物の肩甲骨《けんこうこつ》を用いた占いを行っていました。長江中流域では屈家嶺《くつかれい》文化（紀元前３０００年ころ～紀元前２５００年ころ）、下流域では良渚《りょうは》文化（紀元前３３００年ころ～紀元前２２００年ころ）で、紀元前４０００年ころの水田が見つかっています。

このうち、後世の文字史料が残っているのは黄河文明です。伝説的な三皇五帝、未だに確認されてはいない夏《か》王朝の時代を経て、殷《いん》王朝・周王朝となっていきます。司馬遷《しばせん》『史記』によれば、夏王朝は17君四百数十年ほど続いたと伝えられ、河南省二里頭村出土の巨大宮殿が夏王朝の王都かとも推測されています。そして、存在の確実な殷王朝は紀元前１６００年ころ～紀元前１０５０年ころの王朝だと言われています。殷王朝の後を担《にな》った周王朝は紀元前７７１年に一度滅ぼされます。

殷王朝にしても、周王朝にしても、都市国家の盟主と位置付けられるでしょう。

中東・南アジア・東アジアに文明が出そろった紀元前２０００年紀をもって、「ユーラシア文明圏」の古代前期の開始と言えましょう。それ以前は、文明と言っても、点に過ぎず、古代早期と見ます。本来は「ユーラシア文明圏」という言葉自体当てはまらず、圧倒的な非文明圏（狩猟採集社会・直放農耕社会）の中で、将来のユーラシア文明圏に連なる芽が点在化したということです。

古代早期の期間が長いのは、文明が互いに交流しなかったこと、競争しなかったこと、あるいはその程度が弱かったことによります。これが互いに交流し、複雑化し、密接化する度合いが深まれば深まるほど、社会の変動が激化します。

「文明」は、ユーラシア大陸のみに出現したものではありません。

中東・南アジア地域の文明はコムギによる農耕社会、東アジア地域の文明はイネによる農耕社会が基盤になりましたが、アメリカ大陸の場合はトウモロコシ・ジャガイモによる農耕社会が基盤になりました。後世、中央アメリカにアステカ文明、マヤ文明、南米ペルーにインカ文明となる前段階の文化が栄えました。

前アステカでは、紀元前１２００～紀元前９００年ころにオルメカ文明が栄え、土のピラミッドを建築し、紀元前４～紀元５世紀には都市が存在していたようです。

前マヤでは、紀元前２５００年ころにピラミッドや儀礼センターが見られ、紀元前１５００年～紀元３００年ころには各地に神殿都市が出現しました。

前インカでは、紀元前１０００年ころのチャビン文化で、石造神殿が見られ、紀元前２００年～紀元６００年ころのワリ・ティアナコイデ文化で、都市が誕生しました。

中南米の都市国家は「ユーラシア文明圏」の影響があって、出現したものではありません。それぞれの穀物生産による農耕社会が形成され、そこに管理する（支配する）人と管理される人が分離されました。そして、支配する人は農作物が豊穣《ほうじょう》で、自分たちの社会（都市国家）が栄えるように、絶えず神の意志を読み取る役割を持たされました。

3　古代中期（領域国家へ）

（1）都市国家の連合と領域国家の出現

都市国家は部族連合と領域国家の間の段階なのでしょうか。

歴史の流れを見ていると、ギリシアにしても、中国にしても、明らかにそういう流れにあるように見えます。しかし、それも一つの可能性に過ぎなかったようです。領域国家を選ばず、都市国家を続けた社会もあるからです。

つまり、中央アメリカの文明では、紀元前に成立した都市国家が、その後の文化の変遷があっても続き、ヨーロッパ人が侵攻する時代まで（16世紀）、都市国家の姿を保っていました。温帯地域以外の人類社会では、狩猟採集社会の居心地《いごこち》がよかったように、中央アメリカの前アステカ社会、前マヤ社会では都市国家の形が、居心地がよかったのでしょう。つまり、都市国家は必ずしも国家史の過度期の形態とはなりません。

一方、「ユーラシア文明圏」では、都市国家と領域国家が鎬《しのぎ》を削ります。

東地中海の都市国家では構成員の意見を反映する仕組み、つまりアテネの民主制、ローマの共和制があり、ほかには中東のアケメネス朝の中央集権制など、後世につながるさまざまな政治形態を経験し、そのぶつかり合いが「ユーラシア文明圏」の強さになっていきました。逆に、マヤ文明、アステカ文明は神権政治のみが基本にあり、多様性の欠如が16～17世紀に容易に滅ぼされる一因になりました。

ただ多様性は、「人が生き抜く」上では考えものです。そこには農耕の社会に遊牧の民が攻めていったり、遊牧の領域に勝手に農地を切り開いて、遊牧の民を攻撃したり、さまざまな殺し合いがありました。「多様性を調整する」「多様性を認め合う」社会意志を持つには、長い時間と犠牲が必要だったのです。

エーゲ文明は紀元前２０００年〜紀元前１２００年ころのものです。ここはシュリーマンの感動的な発掘で有名ですが、エーゲ文明の前半はクレタ文明（あるいはミノア文明）、後半はミケーネ文明が中心となります。彼は古代ギリシアの詩人ホメロスの『イリアス』『オデュッセイア』の示す神話（トロイア戦争）に歴史的背景があったことを見つけました。紀元前１５００年ころ、ギリシア人がクノッソスまで侵入、紀元前12世紀ころにギリシア人の新しい一派ドーリア人が侵入し、エーゲ文明は終わりを告げました。

ギリシアの都市国家成立には、インド・ヨーロッパ語族という中央アジア辺りにいたらしい集団が、一方は中東からヨーロッパへ、一方はインドへと移動していく歴史にからんでいます。ギリシアに第1波が侵入したのは紀元前20世紀ころでアカイア人によるもの、第2波はドーリア人によるものでした。

ギリシア本土に１５０以上、植民都市も入れると１０００もの都市国家がありました。彼らは対立も続けながら、同一の神話のもと、同族意識を育《はぐく》み、紀元前７７６年からは4年に1回のオリンピア大会も行いました。同じギリシアの地の都市国家という基盤で、アテネでは議論と民主制が、スパルタでは市民総軍事制という真逆の社会（実はどちらも奴隷制社会にある）が出現しました。

ここに、領域国家となったアケメネス朝（ペルシア）が攻撃をかけます。

アケメネス朝はすでに、前代のアッシリアが一時的にエジプトからメソポタミアまでを統一した（紀元前６７０年）実績が根底にあり、イラン高原からエジプトに至る大帝国を作りました（紀元前５２５年）。アケメネス朝は、（砂漠に囲まれた地勢環境にある）エジプトの国家志向と違い、拡張しようという社会意志が絶えず働きます。紀元前４９２〜紀元前４４９年に、3回に渡り、大規模なギリシア遠征を行いました（2回目がマラトン〜マラソンの語源〜の戦い）が、アテネ・スパルタなどのギリシア都市国家連合がこれを退けました。

ここで社会意志ということを述べましたが、これは個・一族・民族・国・人類の行動を決定する土台になります。人間の歴史を動かしてきた社会意志は何なのか、さらには人類の現在・未来を考える、本書の柱の一つになります。

さて、ギリシア諸都市国家を征服したのは、ギリシアの北方のマケドニア王・フィリッポス2世によるもので、息子のアレクサンドロス大王により、ギリシア・エジプト・メソポタミア・イラン高原・インダス川に至る巨大帝国が作られました。史上初の世界帝国と言えます。

メソポタミアに始まったオリエント文明は、西はギリシア、東はインドまでを範囲とする巨大な地域、いわば大オリエント文明と見て、その興亡を見る視点が必要なようです。

(2) 農耕国家と遊牧国家の相克

西アジアでは、農耕民と遊牧民との争いが繰り返されていました。

そのとき、そのときの力関係で、覇者が出現します。

紀元前550年ころ、アーリア人最初の帝国・アケメネス朝(ペルシア)が成立しました。アケメネス朝は遊牧的色彩が強かったのですが、メソポタミア文明の影響を受け、農耕国家になっていきました。

この時期から、近代中期まで、皇帝やら国王やら、日本の場合は、天皇や征夷大将軍などが国を支配します。彼らの治めた国家を王朝国家と通称することにします。王も皇帝も征夷大将軍も、「鳥の目」で見たときに、王朝国家の首長であることに変わりありません。部族の豊かな首長と、王朝国家の首長の違いは、組織的に収奪していたか否かによります。

王朝国家には「栄華を極める」という時期がありますが、紀元前522年に帝位に就いたダレイオス1世は、西はエーゲ海北岸、エジプト、東はインドのガンジス川に至る大帝国を打ち立てました。彼はペルセポリスを王都に定め、貨幣を鋳造《ちゅうぞう》し、地方には「王の目」「王の耳」と呼ばれる監視官を派遣して、人々を監視しました。現在に至るまで、巨大権力ができると、批判や不満に圧力をかけ、こうした覧視体制を示すようになります。権力を未来永劫《えいごう》、自分のものへ、さらに子々孫々つなげようという意志を持つ者ほど、その傾向が強いです。

アケメネス朝はアレクサンドロス大王の遠征によって滅びますが、紀元前3世紀中ころ、遊牧の国・パルティア帝国が出現しました。同国はイラン系のパルニ族が建てた、騎馬遊牧民国家です。パルテイア帝国は約500年間、西アジアを支配しますが、農耕を主体とするササン朝に滅ぼされます（226年）。

西アジアでは、遊牧の民と農耕の民の相克が見られますが、それはまだこの地域のみに収まっていたことを確認しておきます。

（3）中国は都市国家から領域国家へ変遷

南ヨーロッパや中東では、都市国家と領域国家の格闘期間を経て、最終的に領域国家に編入されていきました。一方、東アジアでは、違う特色を示します。

殷王朝、周王朝は都市国家の盟主でした。周王朝は幽王の時代に滅ぼされますが、幽王の「正妻」の太子により、洛邑《らくゆう》に新たな周王朝（東周）を立てました（紀元前771年）。一度消滅したように見えても、再興するに足る一族・個と見られ、再興することを反転エネルギーと呼ぶことにします。ただ、東周には権威はあっても、都市国家諸国の力が強く、もはや東周時代とは言えません。中国史では春秋戦国時代と言っています。まがりなりにも東周の権威があった時代を春秋時代、東周の権威がまったくなくなった時代を戦国時代と言っています。

春秋時代に、東周王朝の権威を支えていたのは、「覇者《はしゃ》」と呼ばれる諸侯です。春秋時代の「覇者」は王ではない、「有徳」な実力者ですが、斉の桓公《かんこう》や晋の文公も東周王朝の内紛や諸国の対立を解決しました。

各国は領域国家として、領土を拡大していきます。中国の場合、他から領域国家が侵入してきて、都市国家を飲み込んだのではなく、都市国家が収れんされて領域国家になっていったのです。戦国の七雄と呼ばれる領域国家が周辺に領域を広げ、殷・周時代の領域の数倍の支配領域を占めるようになりました。

オリエントとともに、中国でも「拡大」という形に火が付いたのです。

(4) 広域哲学・広域宗教の成立と限界

都市国家相互の争いや、都市国家と領域国家の争いの時代、ユーラシア大陸には後世に絶大な影響を与える、普遍を唱えた広域哲学・広域宗教が成立しました。仏教、ギリシア哲学、儒教、キリスト教です。人の欲と欲がぶつかり合い、はかなく滅んでいく、権謀術数で勝ち残っても、何が幸せなのか、そんな矛盾をたびたび目にしながら、人はいかに生きるべきか真剣に考え、時代や地域を超えた人間の普遍を探していきました。彼らの出現とは、大自然に神々の存在を見て、ひっそり生きてきた人類が、自然を改変し、他者を欺《あざむ》く策力「知」ばかりの社会に成り下がったことへの、「叡智」の眼差しとも言えます。そして、それらは現在に至るまで、輝きを失いません。と言うより、この時代より、ますます、人間の普遍を考える必要になっています。

仏教は、紀元前6世紀中ころ、ガウタマ・シッダールタ（ブッダ）によって、開かれました。

インドでは、人が死ぬと現世に行った業（カルマ）によって、来世に何に生まれ変わるかが決まる。宇宙の根源（ブラフマン）と、人間の本体（アートマン）との合一によって、この輪廻転生《りんねてんしょう》から解脱《げだつ》できるという思想が大もとにありました。

北インドでは多くの国に分かれ、やがてマガタ国が北インドの大部分を支配しようという時期に、ブッダは教えを説きました。いくつもの真理を求める宗派の一つとして、原始仏教が出現しました。

世の中は常に変化する無常の世界で、そこに人の苦が出現します。生きること、老いること、病になること、死ぬことなど八つの苦（四苦八苦）、そして欲しいものが得られない、渇愛《かつあい》、欲望こそが苦の原因と考え、その人生の悩みから解脱《げだつ》するにはどうしたらよいのか（八正道《はっしょうどう》）を説いたのです。高い地位と富を捨てて、数年に及ぶ激しい修行、そしてその限界を知り、内面をどこまでも掘り下げることで、この教えがひらめいたと見られます。ブッダは晩年になっても、自らの出自であるシャカ族の滅亡やダイバダッタの分断行為に遇い、深い境地に達しても、なお襲ってくる人間としての苦悩がありました。

　後に仏教は、自分自身が厳しく修行し、瞑想《めいそう》し、自らの解脱を求める南伝仏教と、すべてのものには実態がないという空の考えのもと、広く一般の救いを求める北伝仏教に分かれました。これほど幅広く解釈されるようになった仏教ですが、時代や地域を超えた本質が根っこにあり、中東を除くアジアの文明圏に広がりました。

　中国の春秋戦国時代、諸子百家《しょしひゃっか》と言われる多くの思想家が現れました。

　その中で、後世の歴代中国王朝や、朝鮮や日本などの東アジア世界に影響を与えたのが、孔子の儒教です。乱世の時代、孔子の思想の原形にあったのは、周王朝の基礎を築いた周公の政治で、仁＝忠（誠意）と恕《じょ》（寛容）が大切であり、それは教育と修養によって得られると考えました。ただし、孔子の教えは国を治めるもの（君子）のものであり、一般人（小人）の道徳とは区別しました。それはそれぞれの分をわきまえること、バランスを取ること、社会を固定化することで、平穏が保たれるということです。

　儒教では家族愛を基盤にし、孝を大事にしようと主張し、諸国をめぐり政治の理想を説きます。しかし、貴族たちの反感を買い、晩年は弟子の教育に専念しました。孔子の思想は王朝体制を維持するものと利用され、東アジアの近代化にブレーキをかけました。それはブッダやイエスの教えよりも、はるかに普遍性に欠けますが、それは二千数百年単位で見た場合のことです。また、弟子たちの個性を見抜く、孔子の教育者としての力量はたいしたものです。何よりも教育によって「社会意志を育てる」というのは、孔子の大発見です。

　諸子百家の中には、儒教に対抗するものとして、文明や成長、見た目の損得、人為的な道徳に徹底して懐疑的な老荘《ろうそう》思想があり、後に道教につながります。効率を求める「文明」社会、そしてその行きついた先の現代文明を、「柔弱は剛強に勝つ」や「大器晩成」と言い、小気味いいくらい徹底的に批判する目がそこにあります。

ギリシアの都市国家アテネでは、奴隷制をもとにしながらも、男性の市民層による直接民主制が行われていました。民主主義では討論が大事にされ、出世のためには弁論術は不可欠でした。そこで、相手を言い負かす駆《か》け引きの詭弁《きべん》術のソフィストがもてはやされますが、ソクラテスは逆に彼らと問答し、一人一人の良心に問いかけることで、幸福とは欲望を満たすことではなく、すぐれた魂を持つこと、生きる目的は魂の充実だと気づかせようとしました。ソクラテスは何一つ文を残すことなく、青年を惑わす者として死刑になりますが、彼の弟子プラトンがソクラテスの言葉を残しました。プラトンは衆愚《しゅうぐ》政治ではなく、真理をとらえ、高い理想を持った哲人による哲人政治を主張しました。また、現実世界は常に未熟で不安定で仮の世界だが、完全で永久的な本質世界（イデア界）こそが魂の故郷だと言いました。一方、プラトンの弟子・アリストテレス（紀元前384～紀元前322年）は現実の個別的なものを離れて普遍は存在しないと考えました。また、幸福こそが人生の実現すべき目標と考え、幸福とはものの本質を実現したときに感じる充実感だと見ました。知は単なる知ではない、内面と結びつけようとしたことが、彼らが人類の教師になったゆえんです。ただ、アリストテレスは労働を軽蔑《けいべつ》し、彼らの哲学は奴隷制度に乗っかったものでした。

ソクラテス・プラトン・アリストテレスは、自らの内面を洞察し、理性に着目し、魂の向上こそが幸福だと見ましたが、その一方で労働、奴隷に対する見方は時代の限界も示しています。なお、アリストテレスはアレクサンドロス大王の家庭教師を行ったことがあり、アレクサンドロス大王の教養は、（ギリシア世界にオリエント世界を融合《ゆうごう》させた）ヘレニズム世界を構成する支柱になりました。

ギリシア文化及びそれに連なるヘレニズム文化における「知性」は、今も中学数学で登場するピタゴラスやユークリッド、ドレミファ……の音階をつくったピタゴラス、地球の円周を計測したエラトステネスを産み出しました。また、奴隷の目から社会を見たのがイソップ童話（「ウサギとカメ」「アリとキリギリス」など）です。

ブッダ、孔子、ソクラテスは生まれた地域こそ違いますが、都市国家社会の時代、しかもほぼ同時代に登場しますが、イエス（キリスト）は少し時代が下ります。

イスラエル人は紀元前１４００年ころ、シリア南部のカナン（パレスチナ）に住んでいましたが、やがてエジプトに移住しました。紀元前１２００年ころ、エジプト新王国の圧力の中、唯一神ヤハウェの呼び声によるという、モーセの指導のもと、再びカナンに戻りました。モーセはヤハウェの神を信じない多くの同族を殺し、次いでヨショアは先住民のカナン人、アレマキ人のいる大地に侵入（神の名による侵略）します。

彼らは唯一神・ヤハウェを信じ、サウル、ダヴィデ、ソロモンと王制を敷きました。やがて、王国はイスラエルとユダに分かれ、イスラエルはアッシリアに（紀元前７２１年）、ユダは新バビロニア（紀元前５８６年）に滅ぼされました。彼らはどんな苦難にあっても、自分たちが「神の選民」だという信念のもと、団結を続け、その教えはユダヤ教となりました。この信念が二千五百年後に、パレスチナを奪い返すという、一人よがりの暴挙を行い、一方的に追い出されたパレスチナ人との憎しみの連鎖によって、二十世紀後半以降の中東に大混乱を引き起こします。この後の、人間の歴史には、信仰とは何か、信念とは何かを考える機会がたびたびあります。

ユダヤ教は他民族への不寛容の一方、ユダヤ教信者内での、人間の傲慢《ごうまん》、思い上がり、不信仰、王を含む権力の奢《おご》りに対し、預言者を通して、神の警告を伝え、それでも悔い改めない場合は懲罰《ちょうばつ》を与えました。唯一神への服従を、あらゆる階層に求めた、言い換えれば、神に対しては王も含め、平等という認識を示しました。

ユダヤ教はイスラエル人（ユダヤ人）の民族宗教と言えますが、形式化し、硬直化していきます。それを激しく非難したのが洗者ヨハネですが、権力を弄《もてあそ》ぶ二人の女性（ヘロジャデ、サロメ）に猟奇殺人され、その弟子だったイエスの出現に至ります。彼は（人間の）大工《だいく》ヨセフとマリアの子で、ローマ帝国からの独立を指導するメシア（救世主）の期待を受けますが、それを拒否し、十字刑に至りました。彼は、深い思索の結果、人は必ず罪を犯す存在であり、原罪を持っているのであり、これは神の許しを求めるしかないのだと考えます。人の弱さを認識し、それ故に他人を愛することを主張しました。「幸《さいわい》なるかな　心貧しき人　天国は彼等のものなればなり」（『新約聖書』）……、ここにはイエスの視点が込《こ》められています。それは差別を受けた「売春」婦や病人、きらわれている徴税人《ちょうぜいにん》にこそ注がれ、敵に対してまで広げられました。それは人間の魂のありようを示した「叡智」と言えます。

イエスの死後、パウロは、イエスは人類の罪を、人類に変わって償《つぐな》った神の子だと解釈し直し、イエスの教えはキリスト教になっていきます。キリスト教はローマ帝国の弾圧の後、同帝国の末期に国教とされ、やがてヨーロッパ世界に広がりました。

以上の広域哲学・広域宗教で、一点、確認しておくべきことがあります。孔子やギリシア哲学については、歴史的限界が明確です。前者は王朝君主や官吏《かんり》が対象だし、後者も奴隷制をもとにしたものです。と言っても儒教は道徳ですが、ギリシア哲学には魂の充実という質の違いがあります。

一方、ブッダやイエスの教えはあらゆる人々に通じる根底があります。「知性」だけではない、あらゆるものを見通し、超越する神を信仰する、あるいは深い思索の上でたどり着いた内面（魂）を見る、そこには時代や地域を越えた普遍性（叡智）があります。そこで、イエスは神として、ブッダも悟った完璧の人として、見られました。結局、それから二千年がたってＡＩの時代になっても、二人を越える思想がありません。

ブッダやイエスによって、私たちの深遠な目標が叡智であるらしいことはわかります。しかし、日々まちがいを起こし、学んでいく私たちがたどれる境地でないこともわかります。

その上でなお、歴史はどんな「すばらしい人」「まぶしいほど輝いた人」にあっても、人間として評価し、時間的限界、地域的限界を示さなければなりません。それはキリスト教や仏教の普及がときには侵略や戦争の理由に使われたということとは別に、創始者自身も歴史上の有限な存在だということ、どういう歴史環境の中で出現したのかという目が必要です。人間への無条件の帰依は慎まなければなりません。

(5) 広域思想と中核「文明」

圧倒的権力を持ち、多数の民を動員して栄華を誇った王による文化も、生産性だけから言うと、ごく微細な狩猟採集民の文化も、本書では人間の文化として同列だという視点で、歴史を進めることを確認してきました。しかし、ここで敢えて中核「文明」について、一言述べておきます。

「文明」は農耕や遊牧社会の出現に伴って、国家体制が成立し、そこから発するさまざまな現象を指します。当然、温帯地域を中心に、世界にはさまざまな地域の「文明」がありますが、その中に中核「文明」と呼ぶべきものが存在します。

そして、「中核」文明には、精神的支柱になるもの、政治的支柱になるもの、経済的支柱になるものがあって、それにぶら下がって、他の物質文明も付随して伝えられてきます。

南・東・東南アジアの精神的支柱としては仏教、ヨーロッパではキリスト教があります。さらに、中国の場合は、インドから北回りで伝わった北伝仏教の他に、儒教があります。こうしたものを発信し続ける文明が中核「文明」で、古代アジアでは、インドや中国がそれに当たります。なぜ、権力とは無関係な仏教やキリスト教が領域国家と結びつくのか。それは部族宗教、民族宗教にはない、人類普遍にわたる教えがあるからこそ、広大な領域支配に利用もできるのです。

領域国家と広域思想と中核「文明」の出現、これらが「ユーラシア文明圏」として相互につなげるもの、交流させるものになりました。この時期をもって、点としてのユーラシアの諸文明が「ユーラシア文明圏」となったと言えるでしょう。

4　古代後期（世界帝国と、その崩壊）

(1) 古代世界帝国の出現

「ユーラシア文明圏」では、都市国家と領域国家の相克《そうこく》か、都市国家から領域国家への変遷か、パターンは一つではなかったのですが、結果として、これらの国家が一つの巨大国家（世界帝国）に支配されていきます。もちろん、巨大国家は人類すべての共通のものではありません。ユーラシア文明圏のうち、ほぼ北緯15度～45度の農耕社会が国家の枠組みに入った中で、巨大国家に組み入れられていくことになったのです。

この範囲に入らない人々も多数います。さらには世界帝国の北には遊牧の民、冷帯、寒帯、熱帯、アメリカ大陸の、アフリカ大陸の大部分、全オーストラリア大陸には石器を主とする利器のもと、狩猟採集社会や直放農耕社会を続けていました。また、中央・南アメリカには都市国家が出現していました。

「ユーラシア文明圏」の巨大帝国は、アケメネス朝を滅ぼしたアレクサンドロス大王に始まり、ギリシア・エジプト・ペルシア・インダス川に至る空前の大帝国を作りますが、彼の死とともに瓦解《がかい》しました。

その後、三国に分立し、しばらくは統一の機運は生まれませんでしたが、ローマが紀元前２７２年、イタリア半島を統一、地中海の覇権をめぐり、北アフリカのカルタゴと対立しました。約１２０年間、「英雄」ハンニバルの戦いを含む、3回の戦いの中で、紀元前１４６年、ローマ共和国はカルタゴを滅ぼし（というより破壊）、地中海西部を手に入れました。ローマ共和国はカエサルがガリアに、その養子・オクタヴィアヌスがエジプトを占領し、巨大なローマ帝国となりました。美貌《びぼう》のクレオパトラに翻弄《ほんろう》されるカエサルとアントニウスという目で見たら、歴史は偶然の蓄積ですが、そこには共和制から帝政への、世界帝国への道が刻印されています。

インドの歴史は明確な年代を示す史料が少なく、いまひとつ明らかになりません。ただ、アレクサンドロス大王の侵攻後、チャンドラ＝グプタ（在位・紀元前３１７年ころ～紀元前２９３年ころ）がマガタ国を倒し、孫のアショーカ王が南部を除く全インドを統一しました（マウリヤ朝）。彼は王位をめぐる兄弟の争い、統一戦争でのむごたらしい死体の山を想い、仏教を興隆させ、結果、南アジア・東南アジアに広がっていきました（南伝仏教）。その後のインドは分裂時代を経て、ドラヴィダ人のサータヴァーハナ（アーンドラ）朝がデカン高原から北インドを統一、紀元前1世紀前半から紀元3世紀前半まで続きます。

中国では戦国時代の七つの王国に収れんされていきましたが、その中で西方にあった秦が強大化し、中国史上最初の巨大統一王朝になりました。秦の始皇帝は万里《ばんり》の長城を築いて、遊牧民に備え、度量衡《どりょうこう》（長さ・容積・重さをはかる「ものさし」「ます」「はかり」）や字体を統一し、法家の思想をもとに規範を強制し、それに反する思想書と思想者を抹殺し（焚書坑儒《ふんしょこうじゅ》）、強力に中央集権化を図ります。始皇帝に限らず専制国家ができると、やることは思想統制と弾圧です。権力は多かれ少なかれ、この傾向があるので、民主国家には、権力を批判する自由（思想・良心の自由、集会・結社・出版の自由など）を、重要な規準とします。

ただ、統一までの無理がたたったのでしょうか、アレクサンドロス大王の帝国と同様に、実質1代で滅びました。次の漢王朝は長期政権となり、紀元前3世紀終わりから、途中に短期間の新王朝を挟《はさ》みながら、紀元3世紀まで続きました。

中国の北方には、遊牧民の巨大帝国・匈奴《きょうど》が秦・漢王朝に対峙していました。しかし、紀元前2世紀には、漢王朝の圧力で、東西に分裂しました。

東に漢王朝、西にローマ帝国という世界帝国がガッチリ覇権を握っていた時代は古代国家の行きついた形と言えるでしょう。

ここで見ておきたいことは、王朝国家の最盛（「栄華」を極める）のことです。具体的には1代で世界帝国の覇者となった始皇帝の人生です。自分の出自（本当の父は誰なのか）をめぐる不信感の上、あらゆる権力を自分一人が持つことで、自分を見失い、人を疑い、忖度《そんたく》を強い、恐怖政治を行いました。煬帝、武則天、織田信長、スターリン、ヒトラー、プーチンに至る、権力者の悲しい末路ですが、彼らのエネルギーを及ぼす範囲の中で、どれほどの人たちの生命が無残に奪われたでしょうか。

私たちは、時間と空間という限られた枠の中でぶつかったり、調整したり、譲ったりして魂が練られていきます。それが権力を持つと、一時期、自分のエゴのみで時間と空間を我が物として独占し、すさまじい人数の人々の想いや肉体を圧殺できるのです。これは漢の高祖（劉邦《りゅうほう》）の後に権力を握った「正妻」の呂后《りょこう》の猟奇殺害と、それをだれも止められない状況を見ると納得できます。

一方、始皇帝とほぼ同じ立場のアレクサンドロス大王は、アリストテレス仕込みの教養のもと、ギリシア・ペルシアの東西文化の融合を進め（ヘレニズム文化）、その人の個性が一定の地位と権力を持つことで為しとげられることの存在を伝えます。「地位と権力を持つ」とは、それを自分のエゴのために使うことも、「人々の幸せ」に尽くすこともできるということです。前者は「ゆがんだ権力行使《こうし》」と言うことができます。

（2）古代帝国の崩壊

ユーラシア大陸の西にローマ帝国、東に漢王朝という古代の巨大帝国の時代、これらは農耕社会を基盤にしていました。ローマ帝国末期にはキリスト教、漢王朝では儒教を国教とします。そして、当時のユーラシア大陸の農耕地帯の大部分は、これらの帝国とその影響下の小さな王朝で占められていました。

やがてユーラシア大陸の両巨頭のローマ帝国と漢帝国には、陰《かげ》りが見え始め、それと同時に遊牧の民の波状的な侵入があって、ついには両巨大帝国が崩壊していきます。

中国では漢王朝の後、三国の鼎立《ていりつ》時代、短命の晋王朝を経て、分裂の時代に入ります。この三国の駆け引きを、蜀王朝を中心にしながら、劉備《りゅうび》を人格者に、孔明を天才軍師に描いた物語が『三国志演義』になります。

4世紀には、華北方面に匈奴・羯《けつ》・鮮卑《せんぴ》・氐《てい》・羌《きょう》などと言われる「五胡」が130年ほどの間に、16の国を相次いで作り、たちまち滅んでいきました。ここには、漢人の他に、トルコ系やチベット系の人々もいて、次々と国を建てていったのです。

ローマ帝国は約400年の間、地中海沿岸のヨーロッパ、北アフリカの広大な領域を支配しました。ほぼ2世紀全般に渡る「五賢帝」時代（96〜180年）に、ローマ帝国は全盛期を迎えます。しかし、その後は徐々に衰退期になっていきます。「五賢帝」の最後のマルクス＝アウレリウス＝アントニヌスは実子に元首を譲りますが、「暗愚《あんぐ》」で、以後の皇帝はたびたび軍人に殺害されます。何度も改革を試みますが、もはや落ち目を止めることはできません。改革も利《き》いているうちはいいが、よって立つ体制自体に腐敗や限界があれば、もはや崩壊を進めるしかなくなります。

ローマ帝国の歴史の中でも、暴君ネロの生涯は、陰謀・裏切り・不倫・できレース、でっち上げと、あらゆる人間不信で彩《いろど》られ、「孤独な権力者」に殺害されていく人々という、王朝国家の一つの形を見せてくれます。

ローマ帝国末期、ヨーロッパに民族大移動が起きました。後漢と南匈奴《きょうど》の連合軍に敗れた北匈奴が南ロシアに逃れ、フン族と呼ばれました。4世紀ころ、そのフン族が東ゴート族・西ゴート族の領域に侵出しました。西ゴート族はドミノ現象により、ローマ帝国に入りました（375年）。ローマ帝国は東西に分裂しますが、ゲルマン人の大移動は納まりません。東ローマ帝国は維持されましたが、西ローマ帝国は大混乱のもと、476年に滅亡しました。西ヨーロッパはさまざまな王国が作られては滅びました。

巨大な古代世界帝国の衰退期に、北方ユーラシアの遊牧の民が侵入し、ついには古代世界帝国の体制は消滅しました。本書ではこの大混乱の時点を、ユーラシア文明圏の古代体制の終焉《しゅうえん》と見ます。

なお、古代の終焉は地球の寒冷気候化と関係しているかもしれません。本書では大鉈を振るうように、人間の歴史の時代区分を示しましたが、将来、この1万年間の気候変動と地域ごとの気候の変化がわかれば、比較検討すべきでしょう。

5 ユーラシア大陸の「ユーラシア文明圏」以外の歴史

「北方ユーラシアの遊牧の民の侵入で、巨大古代帝国が終焉した」という結論は、実は温帯・農耕地域の歴史、つまり、部族連合〜都市国家〜領域国家〜巨大帝国〜巨大帝国の終焉というパターンを追った言い方です。

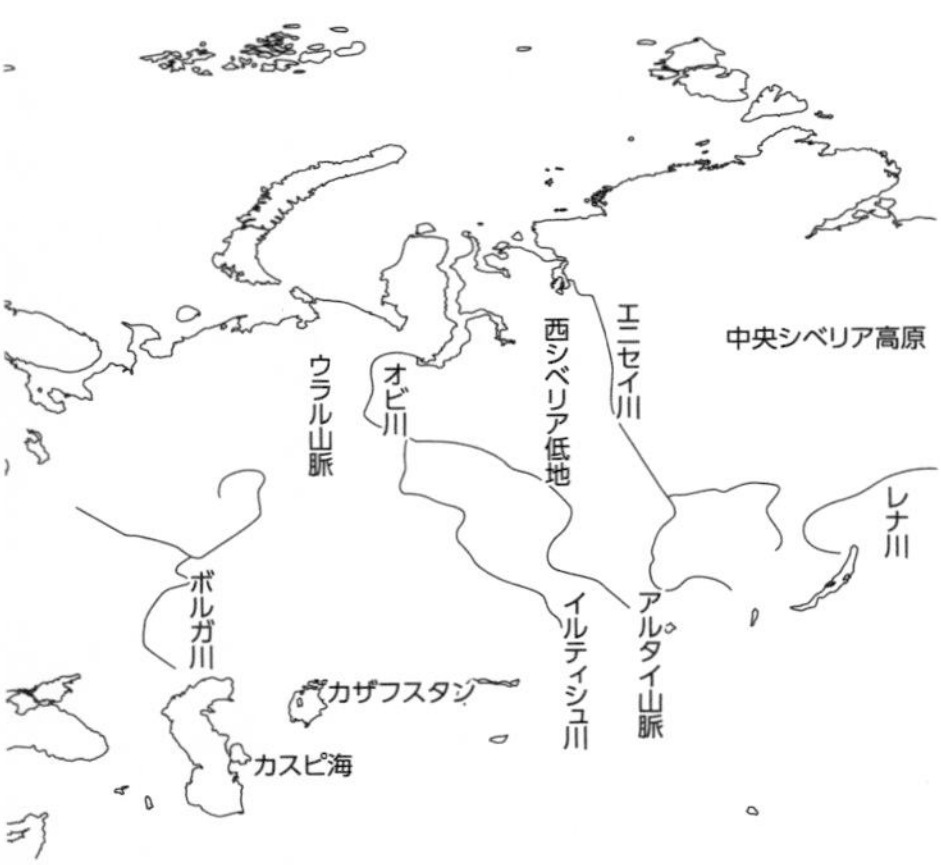

図2　北方ユーラシア

しかし、それは大局から見たものと言っても、しょせん、文字を残した温帯地域の農耕社会を中心とした、ユーラシア諸国の歴史を見たものにすぎません。つまり、北方ユーラシアの歴史を、主体として見ると、これはたちまち違った画像に見えます。

北方ユーラシアの民の歴史は文字史料としてはほとんど残っていないし、残っていても「ユーラシア文明圏」の諸国家のわずかの史料によります。しかし、考古学の遺物をたどって行けば、北方ユーラシアの民も、氷期の旧石器文化から新石器文化へ、その新石器文化のもとで、狩猟と漁労の非定住の生活だったことがわかります。

彼らは、紀元前3千年紀に青銅器時代を迎えます。南シベリア

〜アルタイにかけてのアファナシエヴァ文化ではヒツジによる牧畜が行われます。

紀元前2千年紀半ば、オビ川・イルティシュ川の間の森林・草原地帯では、鳥・蛇・クマのほかに馬の彫刻も残しています（クロトフ文化）。彼らの生業も、牧畜と見られています。

紀元前12世紀ころ、南シベリアの森林・草原地帯にはカザフスタンからアンドロノヴォ・フェドロヴォ族が侵入しました。彼らも牧畜の民で、石棺と環状列石の葬儀を行いました。

紀元前7世紀ころ、カスピ海岸に成立したスキタイ文化は、イラン系の遊牧民です。彼らは、紀元前6世紀には黒海北岸に王国をつくり、金属器の武具を所有し、騎馬による活動をしました。史上初の騎馬民族が登場です。このスキタイの影響を受けて、紀元前4世紀ころ、モンゴル高原に強大な匈奴《きょうど》帝国が成立します。


「ユーラシア文明圏」の古代史は、始源〜興隆〜衰退という流れにあって、あたかも人の一生をたどるような形に見えました。そして、結果、歴史はこの地域が主体であるかのように見られました。しかし、北方ユーラシアの民から見ると、遊牧の民は狩猟採集から半農半牧の生活へ、そして遊牧の民となり、金属器を武器とする騎馬民族となって、パワーが増大していく歴史になるのです。そのあおりを受けての古代巨大帝国の崩壊だったのです。歴史は何から見たのかで、見え方が全く変わります。つまり、ユーラシア大陸の古代の終焉（これは中世の始まりでもある）とは、「遊牧の民が農耕の古代帝国を圧倒した」現象と、とらえることもできるのです。

遊牧民の王朝の歴史は、古代国家として始まり、一度膨張し、しばらく安定する（中世前半期）が、その後、大膨張（中世後半期）し、衰退する過程をたどります。

6　アフリカ・アメリカ・太平洋の民の歴史

人間の歴史は、ユーラシア大陸だけのものではありません。

アフリカ大陸にも、アメリカ大陸にも、太平洋の島々にも、同じだけの時間が流れ、歴史を歩みます。ただし、「ユーラシア文明圏」との関わりが極めて弱いか、まったくないという歴史です。しかし、人がいる限り、歴史は存在する、彼ら自身の独立した歴史、それを明らかにすることも、人間の歴史作りの役目です。

前近代の「非文明地域」は大きく、①アフリカ、②最北ユーラシア、③北アメリカ、④南アメリカ、⑤オーストラリア・太平洋に分かれます。そのうち第一編では、①③⑤に注目してみます。

(1)アフリカの歴史

広大なアフリカ大陸。その中で、エジプトはメソポタミアに次いで早く、「古代文明」が始まりました。以後、地中海を挟《はさ》んだ北アフリカ地域は、「ユーラシア文明圏」の西域になりました。また、「ユーラシア文明圏」の影響で、エチオピアに王朝国家が出現しました。だが、アフリカ大陸の大部分が無文字社会であることは、「ユーラシア文明圏」と比較すると、細かな歴史を知ることを困難にします。

それでは、サハラ以南のアフリカは、数万年も変化がなかったのでしょうか。それとも、文字がないだけで、変化があったのでしょうか。

アフリカには現在、言語によって考えれば、1800もの民族がいます。それを一つに論じるなど、乱暴の誹《そし》りは免れませんし、おおざっぱのことしか、わかりません。

紀元前5000年ころまで、アフリカの人々は狩猟採集を生業としていました。紀元前3000年ころには、サハラ砂漠一帯、北アフリカにコブなしの畜牛が広がりました。半農半牧の生業が広がった、その中から、古代エジプト文明や、北アフリカの古代社会を作る原動力ができたのでしょう。

さらに、750年ころまでに、コブなし畜牛がインド洋沿岸地域、マダガスカル島、アフリカ北西部に広がり

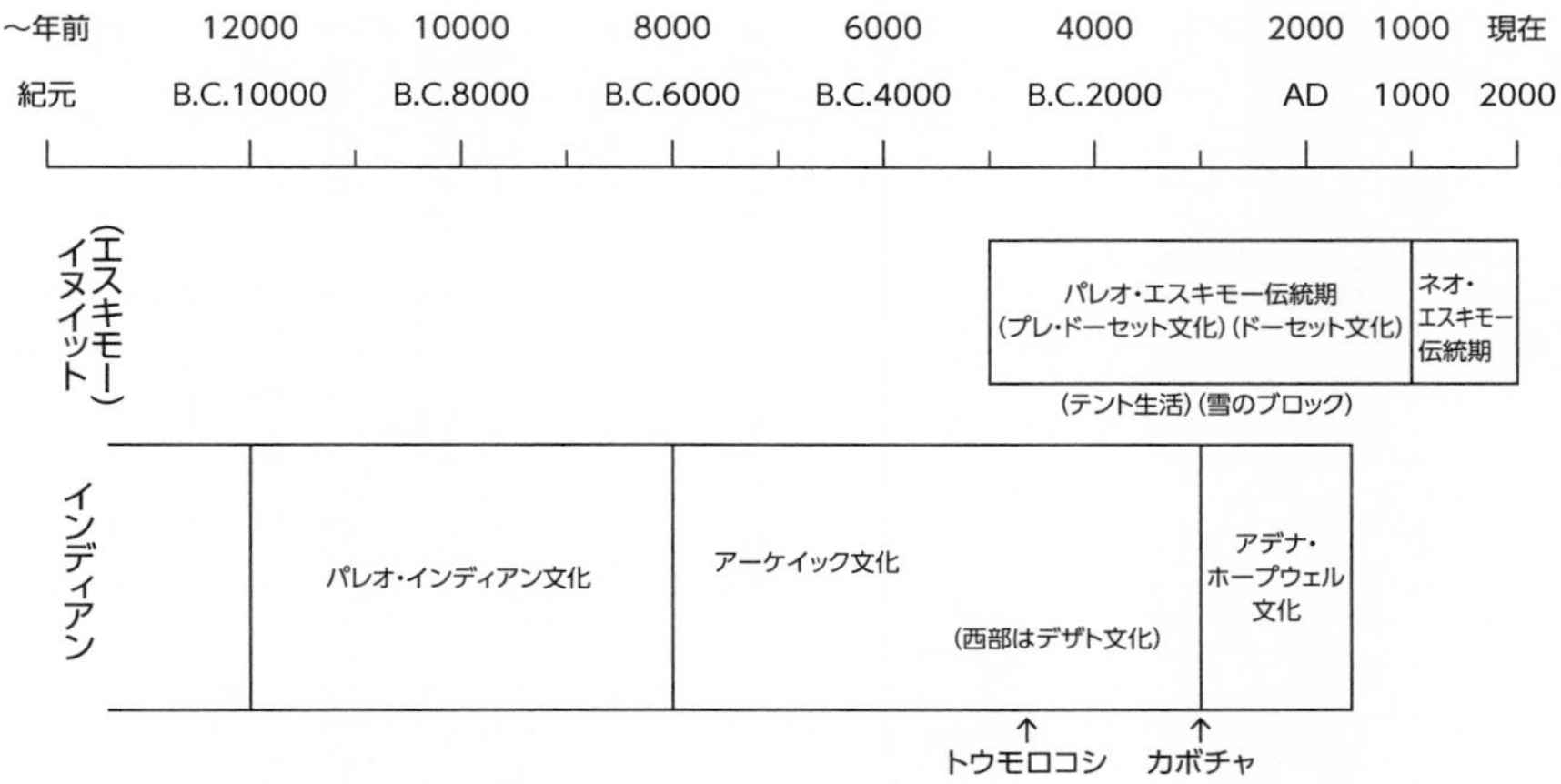

図３　北アメリカ大陸の文化

ました。その中から、エチオピア王朝とか、マリ王朝が出現し、アフリカの南西部を除く地域が、半農半牧を生業とするようになっていきました。ただし、赤道付近の熱帯林地域やそれより南西地域には伝わっていません。

それでは、「文明の利器」とされる鉄器はアフリカに伝わっていたのでしょうか。

エジプトのテーベ（紀元前６７０年）、エチオピア高原のアクスム（紀元前４００年）、アトラス山脈山麓（紀元前５００年）は、「ユーラシア文明圏」の西域に位置し、古くから伝来していました。そして、アフリカ南西部を除くほとんどの地域に、紀元後５００年までには伝播していることは強調していいでしょう。

(2) 北アメリカ大陸の石器文化

コロンブス以前の北アメリカの民の歴史は、環境の違いから、大きくインディアンの歴史とイヌイット（エスキモー）の歴史に分かれます。

インディアンの歴史は、亜寒帯（冷帯）より南の地域の人々の歴史です。

彼らの歴史は、１万２０００〜８０００年前のパレオ・インディアン文化から始まります。それ以前はいつ人類が渡ってきたかを含めて、いくつかの説があります。この文化の前半は、マンモスなどの大型動物の狩猟時代です。後半は大型動物が絶滅し、バイソン・ウマなどの猟の時代です。この文化は南アメリカ大陸には至っていません。

次は、アーケイック文化の時代で、８０００〜３０００年前で、植物採集と小型狩猟・漁労の時代になります。この時代に、打製石器から磨製石器へと変わりました。

アーケイック文化の西部をデザート文化とも言いますが、４０００年前にメキシコ方面からトウモロコシ栽培が、３０００年前にカボチャや豆栽培が伝わってきました。また、東部のアーケイック文化後半には大きな村が登場するようになりました。

紀元前１０００〜紀元後５００年ころをアデナ・ホープウェル文化と言います。ここに盛り土のマウンドの、巨大墳墓が登場します。長さ１５０ｍの、ピラミッドを思わせるものもあるようです。

一方、極北の地域には、イヌイットとか、エスキモーとか、呼ばれる人々が住んでいます。極北地域の「人の居住」の痕跡は、紀元前３０００年ころにさかのぼります。そして、紀元前２５００〜紀元後５００年ころは極北小型石器を使っていました。ここでは陸獣を中心とする狩猟文化を行っており、後世の海獣狩猟を行っていたイヌイットの生業とは違っています。

考古学では、極北の地域の時代を、紀元前３０００〜紀元後１０００年のパレオ・エスキモー伝統期と、紀元後１０００年以降のネオ・エスキモー伝統期に分けています。

パレオ・エスキモー伝統期のうち、５０００〜３０００年前のプレ・ドーセット文化では住居跡が出土しておらず、おそらくテント生活を行っていたようです。３０００年前以降のドーセット文化期には、たて穴住居や、雪のブロックを切り出すナイフが見つかっており、雪のブロックを作るようになったのかもしれません。

図4　太平洋の島々

（3）太平洋の先住民族・ポリネシア語族

「ユーラシア文明圏」の歴史を通して、狩猟採集の民が、農耕社会になることで、部族連合～都市国家～領域国家という流れになるというのが、歴史の法則のような扱いをしてきました。

しかし、必ずしもそうではない地域があります。例えば熱帯地域です。

その一つの形として、農耕と狩猟採集を織り交ぜながら、部族社会を形成するパターンがありました。

それは「オーストラリア・太平洋」地域に含まれる太平洋の島々です。太平洋の東側をポリネシア、西側をさらに南北に分け、北側をミクロネシア、南側をメラネシアと言っています。

ニュージーランドからイースター島、ハワイ諸島に至るまでは、ポリネシア諸語を話します。さらには、それはマダガスカル島からインド洋を越えて、広大なアウストロネシア語の一部でもあります。

彼らはイモ類（ヤムイモ・タロイモ・サツマイモ）を主体とする焼畑《やきはた》農業と狩猟採集の生活を送っていました。

アウストロネシア語族の太平洋進出は、ラピタ土器の分布から知ることができます。ラピタ土器がオセアニア西部に見えるのは紀元前１５００年ころ、その後、２・３００年間で、ビスマーク島やソロモン諸島に見え、紀元前１２００年ころ、東に広がり始め、ソロモン諸島のニューカレドニアや、フィージー、サモア、トンガに至りました。この時期に、現在のポリネシアの生活と文化が成立し、紀元前1〜2世紀にマルケサス諸島やタヒティに進出、東へは紀元３００年ころにイースター島、４００年ころにハワイ島、紀元１０００年ころにニュージーランドに達したようです。

以上、ユーラシア大陸の古代に並行する時期の、アフリカ大陸や、北アメリカ大陸や、太平洋の民の歴史の概略を見てみました。

彼らは、石器という利器をもとに、気候の変動に対応し、生活スタイルを変えていきました。そうしなければ、食料にありつけない、それが最大の理由でしょう。あるいは技術の伝播によって、現生人類の故郷、アフリカで暮らしていたときには考えられなかったさまざまな環境への対応が必要になり、それが独自の文化になりました。人間とは文化を持った動物なのです。一方で、「ユーラシア文明圏」では相手を脅《おど》す・殺害する利器の独占と、支配や戦闘に効率的な組織、権力者を敬《うやま》う思想の強制が強大な王朝国家（栄華）を生む原動力になりました。それは「発展」、「進歩」ではなく、人類史の特殊な部分が肥大していったと捉《とら》えられます。そして、多くの地域では、気候の変動こそが人間の歴史を変える転機になることを教えてくれます。

7　人間の歴史から見えるもの

前近代史とは何でしょうか。

従来の世界史では、人間の歴史を大局でみる歴史観にして、せいぜい、ユーラシア史を見ようというのが限界です。かつて、ヨーロッパ史を中心に世界史を組み立てていたのに、中東・インド・東アジア史を含めた歴史から見ようというのです。

本書はそれだけではない、人間の歴史を見たいのです。

となると、前近代の世界史は、「文明地域」と「非文明地域」があったことがわかります。従来、「非文明地域」は人間の歴史の対象から、ほとんど相手にされてきませんでした。しかし、前近代においては、世界の半分以上の領域を、非文明地域が占めていました。非文明地域の歴史は文献史料に欠けることが多く、細かな年代がわかりにくい傾向があります。しかし、非文明地域史を扱わないで、人間の歴史と言うことはできません。そして、「文明」「非文明」地域を含めての人間の歴史を見て、「人間とは何か」「これから人間はどう生きていくべきか」を考えることができるのです。

人間の歴史を通して、見ておきたいこと、それは「人間の残忍性」です。

殷王朝やマヤ文明の生贄《いけにえ》、ヨーロッパの魔女狩り、欧米人の先住民族・アフリカ系（「黒人」）奴隷へのいたぶり、奴隷同士に剣を持たせ戦わせ、観覧する人々、ヒトラーやスターリンなどの虐殺《ぎゃくさつ》、軍隊「慰安婦」、無差別空襲……、これらはいったい人間の何なのでしょうか。

人間の内面には、様々な種子が眠っています。その一つが、人を見下したり、不幸をあざ笑ったり、虐《いじ》められている人、殺害される人を面白がり、楽しんで見ていられるのです。それは、自分もやられるかもしれない、利害関係や同調圧力、立場だけではない、加害にいることを楽しんでいるのです。

ところが、そういう人間が変わることもあります。虐められる人、殺害される彼ら・彼女らの思いや感情に触れたとき、身分や立場、民族、国籍を無視して、「それは間違っている！」と声を上げることができます。そして、そういう社会意志を持つようになると、虐められている人を見て、笑うことはなくなります。「そんなこと認められるか！」という声が広がることが、その強い意志が歴史を真っ当な方向に動かすことなのです。

歴史を学ぶとは、決して知を増やすことではない、時代の流れ、サイクルを理解しながらも、その中でも変わらない、その時代への共感と、そこにいたらどうするかという、叡智を思いめぐらすことなのです。

（参考文献）

・謝世輝『新しい世界史の見方』（講談社現代新書４２０）　１９８２
・三井誠『人類進化の７００万年』（講談社現代新書１８０５）　２００５
・青柳正則『人類文明の黎明と暮れ方』（『公房の世界史』０）　２００９
・水野清一編集『中国文化の成立』（新人物往来社『東洋の歴史』１）　１９６６
・森鹿三編集『分裂の時代』（新人物往来社『東洋の歴史』４）　１９６７
・新保満『オーストラリアの原住民』（ＮＨＫブックス３７９）１９８０
・池上俊一『ヨーロッパ史入門（原形から近代への胎動）』（岩波ジュニア新書９４５）２０２１
・綾部恒雄『世界の民（光と影）下』（明石書店）１９９３
・加藤晋平編集『アルタイ・シベリア歴史民族資料集成』（拓殖書房）１９８９
・加藤九祚『世界の民族14（シベリア・モンゴル）』（平凡社）　１９７９
・福井勝義・赤阪賢・大塚和夫『アフリカの民族と社会』（中央公論社『世界の歴史』24）１９９９
・浜林正夫『世界史再入門』（地歴社）１９９３
・スチュアート・ヘンリ『北アメリカ大陸先住民族の謎』（光文社文庫）１９９１
・岸上伸啓『イヌイット』（中公新書）２００５
・松岡静雄『太平洋民族誌』（岩波書店）１９４４
・増田義郎訳『クック太平洋探検①』（岩波文庫　青４８５－１）２００５

第2章　東アジア列島の古代

私はどこにいるのか。

この私は、私だけのことではない。中国人のあなたも私、イスラム教徒のあなたも私、先住民族のあなたも私、それぞれの「私」が歴史上のどこにいるのか。

（筆者である）私は21世紀の日本の国の中にいます。

人間の歴史を明らかにしながら、「私はどこにいるのか」を明らかにする、これが「私」の見極めたいことです。そのためには、人間の歴史の中の、「日本の存在」を知らなければなりません。

そこで、「日本の歴史」が「人間の歴史」の中で、どう位置付けられるかを、示していくことにします。つまり、「日本の歴史」を「人間の歴史」から取り出してみることにします。

これは、「人間の歴史」を構築すれば中国人も、イスラム教徒も、先住民族も……、その中に位置付けることができるということ、世界中のすべての地域の歴史を「人間の歴史」の一部として位置付けることができるということ、本書の示す「日本の歴史」はそのモデルケースの一つだということになります。

歴史を通して、地域の中で、国の中で、世界の中で、私がどういう位置にいるか、確かめることにします。

一　中の文化圏（崇神系政権・応神系政権）

1　和人の始まりをどこに置くか

中の文化圏（和人）の成立をどこから説明すればよいでしょうか。

私は新石器文化の末期から説明したいと思います。これは現在、日本の考古学では縄文末期と呼んでいます。

本書では、できるだけ縄文文化とか、縄文人という言葉は使いません。と言うのは、縄文文化は日本の国策に合わせた言葉だからです。

日本列島が出現して以来、一貫して北は北海道、南は沖縄までの現在の領域に、縄文人という単一の人々が住んでいた、ここには単一民族史観の匂いが濃厚です。はたして、アイヌの祖先の文化も、和人の祖先の文化も「同じ縄文文化」なのでしょうか。実は、縄文文化にはせいぜい日本列島の新石器文化という意味しかありません。

小山修三が、いわゆる「縄文」時代の人たちの推定人口を求めています。「縄文」末期（3000年ほど前）の（北海道を除く）推定人口は次の通りです。

東北地方（39500人　人口密度　0.59人）
関東地方（　7700人　人口密度　0.24人）
北陸地方（　5100人　人口密度　0.20人）
中部地方（　6000人　人口密度　0.20人）
東海地方（　6600人　人口密度　0.47人）
近畿地方（　2100人　人口密度　0.07人）
中国地方（　2000人　人口密度　0.06人）

四国地方（　　５００人　人口密度　０．０３人）
九州地方（　６３００人　人口密度　０．１５人）

ここから３０００年前の本州・四国・九州地方の人口の粗密状況が一目瞭然となります。東北地方は他を圧倒しています。他のすべての地域を集めた人口よりも多いのです。ここには、後世、アイヌの人たちにつながる人も住んでいたと考えられます。次いで、関東・北陸・中部・東海地域が一定の人口を保っています。

近畿・中国・四国は人がまばらだったとしか言いようがありません。後世、ヤマト王権が始まる近畿地方も、３０００年前にはわずかしか人が住んでいなかったことになります。

和人の始まりの前提に、まず西日本は３０００年ほど前には人口が少なかったということを押さえてほしいのです。新石器文化がほとんど壊滅的状態になった地域にいた人たち、ここを和人の第一歩と考えてみます。

現代社会は地球環境を破壊し、経済「成長」路線自体が八方塞がりなのに、それでもどこかに経済「成長」への道はないかとギスギスした「効率化」に目を付けて突き進んでいます。本書では歴史上、否定されたり、壊滅状態になった地がどのように新たな道を見つけたかということも見ています。

２　稲作農耕・金属器使用の開始

かつて、稲作農耕と金属器を使用する弥生文化の成立は、紀元前３世紀ころとされてきました。

今では、九州北部に紀元前10世紀後半〜紀元前９世紀中ころに、水田稲作が開始したと言われるようになりました。はたして弥生文化が数百年さかのぼったのか、これは大問題だということです。

これは確かに今までの考えを変えなければならないほどの大きな問題であることは間違いありません。しかし、九州北部に水田稲作農耕が入ってから、本州北部に至るまでに、数百年かかっています。つまり、本州・四国・九州は数百年かけて、稲作農耕を生業とする文化に移行していったというのが正確なところです。

藤尾慎一郎『弥生時代の歴史』によると、紀元前10世紀後半〜紀元前9世紀中ころに、九州北部に稲作農耕が伝わって以来、約250年間は九州北部から広がることはなかったようです。これは日本の一部の九州北部と見るより、朝鮮半島南部・九州北部の文化圏と見た方がいいのかもしれません。その後、紆余曲折《うよきょくせつ》を経て、紀元前4・3世紀には、青森県田舎館村垂柳遺跡や弘前市砂沢遺跡から、水田稲作の痕跡が見つかっています。

金属器使用の歴史も見てみましょう。青銅器が九州に現れたのが紀元前8世紀末、紀元前4世紀中ころ、国産青銅器（工房は熊本市）が出現します。ただ、しばらくは石器が利器の中心で紀元前3世紀ころに鉄器の量が増えます。

九州・四国・本州はいつから、「縄文」から「弥生」になったのか、この問いにはいつから狩猟採集社会から稲作農耕社会になったか、あるいはいつから新石器文化から青銅器・鉄器文化になったかという問いになります。これは紀元前10世紀から数百年かけて、北九州から北上し、本州北端の青森県に至った、その間は移行期だったと言えます。

そして、なぜ西日本に比較的スムーズに稲作農耕が入ったかということは、ここの人口が新石器時代末期に少なかったということが一因にあったとも言えましょう。稲作農耕を頑強に抵抗するほどの大勢力もなく、他の集団ともめて対立することも少なかったのかもしれません。

それでは、九州・四国・本州にとっての稲作農耕社会の到来とは、世界史的にはどういう意味合いを持っているのでしょうか。

それは大局的に見たときに、コムギを食料とするユーラシア大陸西部、コメを食料とするユーラシア大陸東部、それらを統括する広い目で見れば、農耕社会と古代国家の流れ（いわゆる「文明」）が、ユーラシア大陸の温帯地域の東端・朝鮮半島を経て、東アジア列島の「中の文化圏」にも波及したということです。言い方を変えれば、「ユーラシア文明圏」が東アジア列島の「中の文化圏」にも広まったとも言えます。

この担い手をもって、和人の出現と呼ぶことにします。かれらは3世紀の『三国志』倭人伝を見ると、少なくともこのときまでに日本語を母語としていたと言えます。

3 「中の文化圏」に、古代国家出現

東アジア列島の「中の文化圏」が、狩猟採集社会から稲作農耕社会へ、新石器文化から金属器文化へと変わっていきました。それは、東アジア列島にもともといた在来の人々だけではない、朝鮮半島南部や中国江南地方から、渡来してきた人々も混じり、担い手になりながら、変わっていったのでしょう。

これは、世界史的に見ても、部族連合～都市国家～領域国家へと進展していく、古代国家の形に入ったわけです。そして、ユーラシア文明圏の歴史の中では、古代後期になって、「中の文化圏」がその東端に国を形成したと、位置付けられます。

紀元前3世紀には、中国に秦・漢という世界帝国が出現します。それに呼応して、周辺に国が出現しました。秦・漢がユーラシア大陸の東部分に巨大帝国を築いていたころ、ユーラシア北部には遊牧の民・匈奴《きょうど》が出現します。漢の高祖（劉邦《りゅうほう》）が匈奴に敗れてからは、漢帝国は彼らと争うことを避け、たびたびプレゼントを贈り、きげんを損ねないようにしました。ところが、この漢帝国が国家間の均衡を破り、大膨張を始めました。

紀元前１３３年から紀元前１１９年にかけて、漢の武帝は4度に渡り、匈奴《きょうど》に遠征し、ついに匈奴は北方に逃亡しました。当時、朝鮮半島北西部には、朝鮮王・衛満という人物がいました。中国からの亡命者を受け入れ、漢王朝への入朝を拒むようになりました。満の孫・右渠《ゆうきょ》の時代には、衛氏朝鮮は漢王朝の不満分子の巣になっ

ていました。

紀元前１０９年、漢の武帝は右渠を詰問し、朝鮮の副王を殺しました。そして、渤海《ぼっかい》湾を5万人の兵で渡らせ、遼東半島からも出兵させました。右渠も殺害され、王険城（今の平壌《ピョンヤン》あたりか）は陥落しました。ここに、衛氏朝鮮は滅ぼされ、漢の4郡（楽浪・真番・臨屯・玄兎）を置きました。

『漢書』地理誌によれば、高句麗《こうくり》郡は「玄兎郡」に所属されたと言います。『三国史記』によれば、伝説に包まれた高句麗王の始祖・朱蒙が22歳で即位したのが、紀元前37年だと言います。この年代がどこまで信用できるか疑問ですが、１世紀初頭の新王朝の王莽《おうもう》との確執を経て、『後漢書』高句麗伝によれば、高句麗の広さは二千里方（一辺が二千里の正方形を領域と見る）で、人々は大山・深谷に居住して、高句麗族は扶余《ふよ》の別種だと言います。高句麗と扶余の両族ともツングース系の人々（１６２ページ参照）だと見られています。

その後、高句麗はたびたび遼東に侵入し、西暦１２１年には、高句麗王の宮は、玄兎《げんと》郡・遼東郡を攻撃し、城郭を焼き払ったと言います。高句麗は紀元前１世紀ころ出現し、西暦2世紀初頭の宮の代には、確たる力を持つようになったのです。そして、これらの地域に、中国王朝の影響が強く入り込んでいたのがわかります。

東アジア列島の「中の文化圏」に古代国家が出現したのは、そういう流れの一環にありました。

九州北部には、吉野ケ里遺跡に代表される環濠《かんごう》集落（都市国家）ができました。彼らは、中国に倭人と呼ばれ、奴国王や帥升らが後漢王朝に使いを送りました。そして、3世紀前半、三国の一つ・魏王朝に使いを送ったのが、邪馬台国の卑弥呼《ひみこ》です。

朝鮮半島南部にまだ百済《くだら》・新羅《しらぎ》が出現しないこの時代（両国は4世紀に登場）、奴国《なのくに》や邪馬台国は、中国から見て、「未開の東夷」に咲く「東海の大国」に見えたことでしょう。

こうして東アジア列島の「中の文化圏」は、古代国家の領域に入ったのは間違いありません。

基本的に、「中の文化圏」は稲作農耕地帯にあり、そこに日本の古代国家が成立し、「北の文化圏」は狩猟採集地帯にあり、そこにアイヌ文化圏が出現した、「南の文化圏」は狩猟採集地帯であり、その中から琉球文化圏が成立したという押さえができます。

4　階層・戦争・クニの出現

稲作農耕社会に入った「中の文化圏」は、ただちに膨大な人口増加を始めます。すると、それに相応する社会が必要になります。

「稲作農耕社会」は、「狩猟採集社会」の基幹経済が変わったというだけではありません。多数の人々の生産を支配・管理する権力者が出現しました。その権力者の支配する領域をクニと呼びました。クニとクニの果てしのない戦争が始まりました。それらは佐賀県吉野ケ里遺跡を見れば、首のない人体、堀に囲まれたクニ……と、その証拠を見ることができます。また、『三国志』倭人伝の邪馬台国の記述（「倭国乱れ、相攻伐《あいこうばつ》すること歴年」）を見ても、その様子が窺われます。

すさまじい権力争い、衝突を避けるため、権力の匂《にお》いのしない人を立て、中和を図る……。その一つの手法として、女性を王にするのが、卑弥呼、台与《とよ》、推古天皇……の流れと言えます。

ただ、女王・卑弥呼は、神の意志と結び、政治と戦争を取り仕切り、身分が違えば、外で会っても、脇に寄り、卑弥呼が亡くなれば、生きた人たち・百余人が「径百余歩」（一歩50㎝とすると直径50ｍくらいの円墳か）の墓に穴埋めされました。同じ人間でも、身分により「命の重さ」が違う、人為的な理不尽が文献に登場しました。

「東アジア列島の文明の始まり」とは何か、東アジア列島の「中の文化圏」が「ユーラシア文明圏」の一部になったことの意味を、私たちはよくよく考えなければなりません。

5 「中の文化圏」における大王政権

古代日本の統一国家において、アマテラス神の直系子孫を名乗る王が天皇です。その宗教権威は、天皇から政治権力が失われても持ち続け、ついには伝統となって、21世紀の現在に至っても、「中の文化圏」の世俗・権力者が「正統」を求めるときの「承認者」にされました。

そこで、「中の文化圏」と天皇家の関係を見てみます。

「日本」の権力史は、天皇を介在して見た場合、大きく、

（1）天皇が、あるいはその周辺（公家）が政治を握った時代

（2）（天皇は存在するが）武家が政治を握った時代

（3）（天皇が存在し）憲法のもと、天皇に主権があった時代と、国民が主権を握った時代

の三つの時代に分けられます。

（1）のうち、4～6世紀の天皇、というよりも当時は大王《おおきみ》と呼んでいたのですが、水野祐の王朝交代説（崇神王朝、応神王朝、継体王朝の3王朝が交代したという説）をヒントにすると、三輪《みわ》（奈良県桜井市）地方に権力を持っていた時代の大王、河内《かわち》地方に巨大古墳を造った時代の大王、そして、そこから離れたのが6世紀の継体《けいたい》（大王）の時代となっていきます（以上、ヤマト政権）。こうした政権交代を踏まえて、少なくとも6世紀半ばの欽明《きんめい》（大王）の時代からは、同じ系統の一族が大王（やがて天皇）の位に就いたと言えましょう。

（1）崇神系政権の成立

3・4世紀の東アジア。朝鮮半島南西部（馬韓《ばかん》）では、56の小国があり、3世紀末の中国の統一王朝・晋王朝にたびたび使いを送っています。同じころ、南東部（辰韓《しんかん》）では12の国が存在していたようです（『晋書』馬韓伝・

辰韓伝)。4世紀には、馬韓からは百済《くだら》王朝が、辰韓からは新羅《しらぎ》王朝が出現します。

3世紀前半、纏向《まきむく》遺跡地に王権が出現します。これが同時代の文献に登場する邪馬台国の卑弥呼《ひみこ》、あるいは4世紀前半に同地域に出現したと見られる崇神《すじん》系政権と、どういうつながりがあるのかは、まだ霧の中です。

4世紀前半ころ、大和《やまと》盆地を支配したヤマト政権は西日本各地の豪族の首領となっていきます。ヤマト政権では、王の代ごとに都が変わりました。

しかし、大きく、崇神系政権の時代(伝説上の崇神《すじん》天皇を始祖とする)、応神《おうじん》系政権の時代(伝説上の応神《おうじん》天皇を始祖とする)が4・5世紀になります。崇神系政権時代と、応神系政権時代は『古事記』『日本書紀』の虚実かき混ぜた記事と中国や朝鮮の文献をつなぎ合わせ、かろうじて史実が浮かび上がる時代です。

『古事記』『日本書紀』など、ヤマト政権の初期の伝承・歴史を伝える書には、10代崇神・11代垂仁《すいにん》、12代景《けい》行《こう》、ヤマトタケル伝承で、崇神系政権の勢力が関東へ、出雲《いずも》(島根県)へ、九州へと拡大していく伝承を掲載し、また、崇神系政権が中心になって他地域と関わる考古学事実とも一致しています。

奈良県桜井市埋蔵文化財センターに行ったところ、纏向《まきむく》遺跡からは水田の跡が見つかっておらず、人が住むだけの地、つまり、ここにいきなり都市ができたと見られています。また、九州・山陰・東海の土器(搬入《はんにゅう》土器)が入ってきており、ここが物流の中心地だったこともわかります。

(2) 応神系政権

4世紀末~5世紀初頭ころの朝鮮半島・日本の情勢は、高句麗好太王《こうたいおう》碑文という直接史料から知ることができます。続いて、中国の江南政権の宋王朝に朝貢した記録があります。

高句麗好太王碑文からは、391年、倭が侵攻し、百済・新羅を「臣民」としたことがわかります。それに対し、396年、高句麗が百済を攻め、百済を従えますが、399年、百済は再び、倭に従いました。倭は今度は新羅に攻め入り、400年、好太王が5万の兵で新羅を救いました。404年、倭は帯方《たいほう》（ソウル付近）郡に迫り、407年、高句麗軍は倭を破ったというのです。倭が拠点にした朝鮮半島南部を加耶《かや》諸国（任那《みなま》）と言います。

416年からは百済王がたびたび中国江南の王朝に使いを送ります。百済の行動に感化されたか、倭王も使いを送り始めます。これらの倭王たちが応神系政権の王と見られます。

421年から478年にかけて、「倭の五王」と呼ばれる人々が、宋王朝に使いを送ります。私は「倭の五王」に名称不明の一王（430年の「倭国王」。したがって「倭の六王」になる）を付け加えることによって、『古事記』『日本書紀』の伝える16代仁徳《にんとく》～21代雄略《ゆうりゃく》に充てることができると考えます。（仁徳＝讃、履中《りちゅう》＝430年の倭国王、允恭《いんぎょう》＝珍、反正《はんぜい》＝斉、安康＝興、雄略＝武）

応神系政権が宋王朝に求めたものは、倭を百済・新羅・加耶諸国などの朝鮮半島南部諸国に影響力を持つ、大国と認めるお墨付きでした。彼らは、河内《かわち》平野に巨大な古墳群を残し、大阪湾から朝鮮半島南部出兵を命じ、さらには、中国江南の宋王朝とつながったのでしょう。

北東アジアの大混乱の中、高句麗が朝鮮半島北部に拡大し、ヤマト政権（崇神系政権・応神系政権）は朝鮮半島南部に力を伸ばします。高句麗・百済・応神系政権がたびたび江南の宋王朝に使いを送る中、新羅はまだ小国で、自立した政権として使いを使いを送る力はなかったようです。ヤマト政権では、南西の「従わない民」を熊襲《くまそ》（のち隼人《はやと》）、東の「従わない民」を東夷、その中でも屈強の民を蝦夷《えみし》と呼び、見下しました。それぞれ、国力によって、格式があって、国力に応じた権威を求める……、ここには国のありようがすでに見えています。

『古事記』『日本書紀』によれば、雄略（「倭王武」）の後、4代の短命在位の王（飯豊《いいとよ》女王を含めると5代）が即位しました。そして、おそらくは6世紀初頭に、この王権（応神系政権）は断絶したものと思われます。

（3）応神系政権の崩壊

応神系政権の後の倭は混乱の時代を迎えたようです。

その後の継体《けいたい》は、おそらくは応神系政権とはまったく違う勢力の王だったと見られます。彼の父は近江《おうみ》（滋賀県）から出現し、彼自身は長く越前（福井県）、山城《やましろ》（京都府）に拠点を持ちました。晩年になって、やっと大和の磐余《いわれ》に移りました。大和の周辺地域を押さえ、日本海を介して、大陸とも交流があった可能性があります。

また、530年ころ、九州の磐井《いわい》が肥前・肥後・豊前《ぶぜん》・豊後《ぶんご》（佐賀・熊本・大分県）を支配し、進捗《しんちょく》著しい新羅王朝と結び、独立戦争を起こしました。

磐井の独立戦争を何とか押さえた後、『日本書紀』に紹介する『百済本紀』には、

・また聞くところによると、日本の天皇および皇太子・皇子が皆死んでしまった。

という記事を残します。継体政権に政変があったということでしょう。

継体と、その子の安閑《あんかん》・宣化の時代がどういう時代だったか、次の代の欽明《きんめい》とどうつながるのか、あまりにも史料に欠けますが、内乱とクーデターによって、崩壊したのでしょう。

以上は日本語を母語とする人たちの文化圏が、ヤマト政権によって支配されていった歴史と言えます。崇神系政権・応仁系政権・継体政権・欽明系政権は、アマテラス神を祖とすることで、「正統」につながることを主張しました。

二　北の文化圏（原アイヌの成立）

1　アイヌの祖先の新石器文化

（1）「開拓」期以前のアイヌとは誰か

ここから、東アジア列島の「北の文化圏」のアイヌ史を取り上げます。

となると、アイヌ史の始まりをどこに置くかという、難題にいきなりぶつかります。

「アイヌとは誰か」を決めるのは、本来、アイヌ自身によるべきものです。ただ、あくまでも歴史的に、「アイヌの人たちとは誰か」ということをある程度決めておかなければ、この問題の解決ができません。

現在、アイヌ民族を名乗る人々は「開拓」期以前にアイヌだった人の子孫で、「開拓」期以降においてもアイヌ民族としてのアイデンティティを持っている人です。

しかし、この前提に、そもそも「開拓」期以前のアイヌとは何かという問いが必要になります。その場合、アイヌ語を母語とする人たちだということは核心になっていくでしょう。

つまり、「アイヌ史とは何か」と問われた場合、アイヌ語を話す人々がどういう歴史をたどったか、どういう文化を持ち、あるいは捨て、あるいは残したのか、その人々がどういう事件に遭遇し、どのように対応したのか、それがアイヌ史だと考えるのです。

１８６９年の北海道「開拓」（日本による植民地化）以来、アイヌ民族は①日本の国からは同化を強いられ、②多数者の和人からは差別され、③未だにヘイトたちの口汚い罵声が放置されています。それらは、歴史を学ぶことによって得られる知性が欠けていることで起きています。

さて、（アイヌが住んできた証拠となる）アイヌ語地名と、アイヌ語圏を見分けるのに便利な指標があります。アイヌ語地名には、多く使われる語があるのです。

北海道全域のアイヌ語地名・約六千を調査した永田方正『北海道蝦夷《えぞ》語地名解』（１８９１年）の全地名のうち、23％が語尾に～ナイ（沢）、11％が～ペッ（川）が付きます。これらは稚内《わっかない》、幌別など、現在の地名としても多数見つけることができます。

他には、サハリンにも、千島列島にアイヌ語地名があります。ただし、サハリンには12世紀ころまでオホーツク文化人という、アイヌの先祖とは別の人たちが住んでおり、それ以降にアイヌが住み始めたことがわかっています。アイヌ語地名は、北海道と東北地方北部の3県に多数ある、さらに東北地方南部の3県や新潟県にも存在します。いわば、これらの地域には、和人の政権がここに侵出する以前に、アイヌ語を母語とする人々が住んでいたらしいということがわかってきます。

そこで、アイヌ語を母語とする人たちの文化圏がどう成立していったかをたどっていくことにします。

(2) アイヌ語地名圏と円筒《えんとう》土器・北筒土器文化圏

アイヌの遠い祖先は、古アジア系の民で、ユーラシア大陸から流れ着いて、東アジア列島の北部に住み付いたと見られます。ここに、狩猟採集を生業とする新石器文化を築きます。

歴史上、北海道・東北地方北部3県を主な範囲（つまり、アイヌ語地名圏に重なる）とする土器文化が見えるのは、「縄文（日本列島の新石器文化のこと）」を代表する遺跡・三内《さんない》丸山遺跡を構成する円筒《えんとう》土器文化圏からでないでしょうか。三内丸山遺跡の担い手がどういう言葉を使っていたかわかりませんが、あるいはアイヌ語に近い語を話していた可能性もあるということです。そして、少なくとも、アイヌの歴史は北海道・東北地方の新石器文化の中で育まれていったということはできるでしょう。

円筒土器文化圏は、西は秋田県米代川流域、南は岩手県北部、北海道西部に広がり、円筒土器の影響を受けた北筒土器は北海道東部・南千島にまで広がりました。つまり、円筒土器・北筒土器の文化圏は、おおまかにアイヌ語地名圏に一致します。

２０２０年、津軽海峡をはさむ「縄文文化」群が世界文化遺産になりました。東北地方北部3県と北海道南部の遺跡です。これらは時代が下るほど、アイヌの祖先の文化の可能性を考えるべきなのに、なぜか皆、口をつぐんでいます。理由は「この日本のほこるべき遺跡」が「アイヌの祖先が担い手」になってしまうことへの困惑（＝差別意識）が深層にあるように思います。5千年～4千年も前の文化と、アイヌ文化を短絡的に結ぶことには慎重であるべきですが、一方で、両者が結びつくと見る可能性がもっとも高いことも事実でしょう。

(3) 巨大記念物の時代

4千年～3千年前、北海道西部には、狩猟採集社会では、あまり見られない遺物が造られます。

4千年ほど前、千歳市の丸子山遺跡で70m×60mの平面、苫小牧市の静川16遺跡で、60m×40mの平面の、大規模な環濠遺構が見えます。神への祈りを集団で行うための空間でしょうか。

環濠集落の次の時代は、ストーンサークルの時代になります。これは円形、あるいは楕円形に石を配列させたものですが、本州の中央高地に出現し、東北地方に伝わり、北海道にも広がりました。

3千年余り前になると、北海道中央部を中心に、土を盛り上げて造る周堤墓《しゅうていぼ》が出現します。千歳市のキウス周堤墓は直径75m、高さは5・4mあります。これは日本列島1万数千年の新石器文化で、最大級の建造物ではないかと言われています。

北海道の新石器文化は、北東アジアからの影響を受けつつも、円筒土器文化圏に象徴される東北地方北部の文化圏に含まれていきました。そして、その影響から抜け出した後は、周堤墓のような、北海道独自の巨大記念物の文化を生み出しました。

これほどの巨大記念物です。これを造るように指示した人、働かされた人がいたはずです。しかし、ここには権力者の痕跡がありません。集約農耕社会の巨大記念物には、ほぼ例外なく、権力者がいるのに、そうではないのです。人間には権力志向とは違う道もあり得たということでしょうか。

これほどの大規模の土木工事は、きっと、狩猟採集の生産力が上がり、人口増加の結果のものと思われるでしょう。しかし、この時代は寒冷化が進み、むしろ人口減少が進行していました。生産力減少＝人口減少＝巨大土木工事という、「文明」の常識では通じない世界があったということでしょう。これは権力者の力で造らせたのではない、死者の魂への祈りの力が造らせたと言えるのでしょう。

(4) 祈りの場の巨大化

祈りの場の巨大化、これはピラミッドや神殿など、相前後して、世界各地で見られます。もちろん、互いに連絡を取り合ったり、伝来したわけではないでしょう。

エジプトのピラミッドは紀元前3000年ころから造られていますし、前アステカのピラミッド（オルメカ文明）は紀元前1000年紀、前インカの巨大石造神殿（チャビン文化）も、紀元前1000年紀のものです。イギリス南部のストーンサークルは紀元前3000年ころ出現し、紀元前2500年ころに巨大なストーンヘンジが造られます。かれらの「あの世」観、「神への祈り」観が集団のエネルギーをもたらし、こうした巨大空間を生み出していったということでしょうか。

北海道の巨大記念物の場合も、気候が温暖化から寒冷化に向かい、今まで獲得できた食料が今後も獲得できるか、という不安もあったのでしょう。しかし、北海道の巨大記念物は他の「文明」地域と違って、狩猟採集社会の産物です。彼らは、約千年間、巨大な墓にこだわり続けました。ただし、ここに、収奪する側・収奪される側の階層はできなかったようだということは先述しました。

(5) 祈りのエネルギー

地球の寒冷化に伴い、生産性や人口から言えば、衰退していくこの時代。

人のエネルギーを、栄華・拡大・成長・効率、権力・階層・戦争ではなく、祈りに持って行く……。

これが、(恵庭市カリンバ遺跡を除く)北日本型・東日本型の新石器文化の特徴でした。

それは、土器や土偶の形になっても、表現されます。

東日本の新石器文化では、手のこんだ土器が「これでもか」と、創作されます。「縄文」前期の長野県・諸磯様式、「縄文」中期の新潟県の火炎土器様式、長野県曽利様式、北日本では、「縄文」後期の秋田県大湯遺跡の壺、「縄文」晩期の青森県是川遺跡の土瓶や壺など、呪術の精神文化の限りを尽くした土器が多数出土します。

土偶も、「縄文」前期・中期においては、かろうじて「人」をあらわしたものとわかるくらいでしたが、「縄文」後期の青森県八戸市の合掌土偶、長野県茅野市の仮面の女神、福島県福島市の腕組み土偶、北海道函館市の中空土偶、「縄文」晩期の青森県・岩手県・宮城県などに見える遮光器《しゃこうき》土偶は、おそらく誕生〜死への祈りを表現した、あるいは内面深く湧き出るパワーを表現したもの〜その中心に女性がいた〜と言えます。

東日本・北日本に、強大なエネルギーを発する新石器文化がありました。それは弥生系の和人文化とは明らかに一線を画するもの、そして、おそらくアイヌ文化に連なる文化として存在し続けました。弥生系の和人文化が、ユーラシア文明圏の暴力・権力・知・効率の東端に位置するのに対し、東日本・北日本型の新石器文化は最北ユーラシアの狩猟採集文化の呪術・祈りの系譜になります。「文明圏」では、神への信仰(信念)は宗教対立、宗教戦争へ、つまり神に名を借りた権力闘争や侵略へとつながるのに、東日本・北日本の新石器文化では、戦争の痕跡が見当たりません。将来、戦争を示す遺跡が仮に出土したとしても、今までみつからないのですから、その事例は至って少ないと言えましょう。

生活＝祈りの人たち(それは「正統」を信じ、他者を傷付ける人ではない)に、今、私たちが、そして「文明」が抱えている多くの問題がなかっただろうことを強調してよいと思います。

2　原アイヌ文化の成立

(1) 江別文化圏の拡大と原アイヌ文化

紀元前後、北海道は地方色の強い、四つの文化圏に分かれていました。

ここから、アイヌの歴史は、新たなステージに入ります。

隣接の倭国が、ユーラシア大陸・温帯地域の古代体制の影響を受けて、古代国家が成立しようとしています。その倭国との交流から、北の文化圏にも、鉄器が搬入されてきます。そのため、それまでの北海道の新石器文化にあった、石器・土器・竪穴住居の使用を長い時間かけて、やめていくことになります。かれらは冷帯地域に住んでいたため、狩猟採集社会を続けますが、この新石器文化を捨てていく千年余りを、モノから見た場合の、原アイヌ文化期と呼ぶことにします。原アイヌ文化～アイヌ文化は、「非文明圏」の最北ユーラシア地域の最南部に位置します。

北海道南部（道南）は恵山《えさん》文化、北海道中央部（道央）は江別《えべつ》文化、北海道北部（道北）は宇津内《うつない》文化、北海道東部（道東）は興津《おこつ》・下田ノ沢文化で、どれも狩猟採集文化です。このとき、道東の興津・下田ノ沢文化は中千島地域まで広がります。

道南の恵山文化と青森県の土器文化は同じ土器文化圏ですが、道南が狩猟採集社会なのに対し、青森県では一時期、稲作農耕を行っていました。

4世紀ころ、地球は寒冷気候になります。すると、稲作農耕ラインが南下を始めます。東北地方北部の「弥生文化・古墳文化」併行期の遺跡は少なく、ここの人口は減少したように見えます。

その中で、北海道の四つの文化圏の均衡状態を破ったのは、江別文化圏です。

3・4世紀ころ、江別文化圏（道央）が拡大し、恵山文化圏（道南）を吸収、その勢いを道東・道北にも勢力を拡大します（後北《こうほく》土器Ｃ）、さらに東北地方北部（後北土器Ｄ）にも広がりました。

北海道を発祥とする、アイヌ語地名圏をほぼ統合する文化圏ができたのです。「ほぼ」と言ったのは、アイヌ語地名圏は江別文化圏の範囲よりもさらに南部まで存在するからです。したがって、東北地方のアイヌ語地名圏は江別文化圏よりも、さらに古い時代の地名もあったと考えられます。それは先に述べた円筒《えんとう》土器文化圏にその可能性を見るし、紀元前１０００年紀ころの亀ヶ岡《かめがおか》文化圏（遮光器《しゃこうき》土偶で有名）もアイヌ語地名圏と重なっていました。もちろん、江別文化圏の勢力拡大の中で広がった地名もあったでしょう。

私はこの流れをもって、北海道・北東北の新石器文化とアイヌ文化をつなぐ、原アイヌ文化の成立と見たいです。

既に見たように、４世紀ころは地球全体が寒冷期で、これは遊牧の民の南下時期と重なります。つまり、気候変動が遊牧の民の南下を促し、漢王朝やローマ帝国などの古代帝国を瓦解させる民族大移動を引き起こした一因と見ることができます。ユーラシア大陸規模の、大変化の時代となったのです。

東北地方北部で稲作農耕を捨て、恵山文化が衰退したという事態が、隣接する江別文化の南下を促し、さらにその勢いは道東・道北にも及んだとなると、気候の変化が道央の狩猟採集社会（江別文化圏）に勢いをもたらしたということはできるでしょう。

江別文化の時代、北海道小樽市の手宮洞窟《どうくつ》と余市町フゴッペ洞窟に動物に仮装したと見られる人物が刻まれています。そうした文化は北東アジアに散見しており、その影響を受けたのではないかと言われています。原アイヌ文化は、北海道・東北地方の新石器文化を基盤にして、南の和文化、北の大陸文化を吸収しながら成立したと言えましょう。

（2）世界史から見た原アイヌ文化

漢王朝とローマ帝国という古代巨大帝国が、ユーラシア大陸の東西にガッチリ覇を唱えた時代が、遊牧の民の南下によって、瓦解しました。

中東の「肥沃な三角地帯」に都市国家が誕生して以来、数千年、農耕社会を中心にユーラシアの温帯地域を中心に拡大していった古代国家体制は、ここに終焉《しゅうえん》します。

中国の漢人勢力の中心も華北を離れ、江南地域に王朝を立てます。華北は遊牧の民と漢人の激しい争奪の地になったのです。

漢人王朝が持続的に支配する体制が消滅したこと、これが農耕社会で小国家を群立していた朝鮮半島南部や、関東～九州中部に及ぶ日本列島から重圧を取り除き、古代国家を生み出していったのでしょう。ここが、ユーラシア大陸の東端の国家になります。以後、19世紀半ばまで、若干の移動はあっても、この枠組みは変わりません。

原アイヌ社会には、日本から鉄器を移入してきたと見られます。鉄器の流入と、アイヌ語圏全域に広がる江別文化圏の拡大は、関係あるのかもしれません。もっと巨視的にみれば、イベリア半島から北東アジアに広がる古代国家の塊（「ユーラシア文明圏」）が、アイヌ語族圏とも接触を始めたということになります。

（参考文献）

・井上光貞『神話から歴史へ』（中央公論社『日本の歴史』1）　1966
・日比野丈夫編集『秦漢帝国』（新人物往来社『東洋の歴史』3）　1966
・井上英雄他訳注『東アジア民族史（正史東夷伝）1』（東洋文庫264）　平凡社　1980

・小山修三『縄文時代』（中公新書７３３）　１９８４
・水野祐『日本古代の国家形成』（講談社現代新書４８０）　１９８３
・宇治谷猛訳『日本書紀（上）』（講談社学術文庫８３３）１９８８
・吉村武彦『ヤマト王権』（シリーズ日本古代史②）（岩波新書１２７２）　２０１７
・山田康宏『縄文時代の歴史』（講談社現代新書）　２０１９
・藤尾慎一郎『弥生時代の歴史』（講談社現代新書）　２０１５
・平山裕人『地図で見るアイヌの歴史』（明石書店）２０１８
・小林達雄『縄文土器Ⅰ』（『日本の原始美術』１）（講談社）　１９７９
・佐原真『縄文土器Ⅱ』（『日本の原始美術』２）（講談社）　１９７９
・北海道開拓記念館『北の土偶』（北海道新聞社）　２０１２
・平山裕人『世界遺産　北海道・北東北の縄文遺跡群　消えた「アイヌ」の三文字』　２０２２

第二編　中世前半期と「非文明」社会

第1章　ユーラシア大陸の中世前半期

中世とは何でしょうか。

本書では、ユーラシア大陸において、農耕の民と遊牧の民が大騒乱を繰り返し、やがてそれらを統一した国家を作っていく時代と見ます。

農耕の民と遊牧の民は、二・三千年前から相互に関わっていたし、小さな興亡を繰り返していました。ここで「小さな興亡」と言っても、それは人間の歴史に与えたインパクトを言っているのであり、農耕の民と遊牧の民が衝突し、多くの民が傷つき、亡くなっていった事実は、当然、頭に描いておかなければなりません。

それでは、二・三千年繰り返してきた両者の衝突と、「中世」はどこが違うのでしょうか。それは規模が決定的に違います。両者の衝突がユーラシア文明圏全体に影響を与えたのです。人間の歴史とは、時代の経過とともに、国の力が増し、うねりが巨大になり、多くの人が巻き込まれ、理不尽に命を奪う歴史でもあります。

ユーラシア大陸全域の規模での、農耕の民と遊牧の民が騒乱～融合～分裂という波は大きく二度起こります。

一度目は、東西の古代巨大帝国（漢王朝・ローマ帝国）を解体させ、やがて東に隋・唐王朝、西にアラブ帝国・イスラム帝国、フランク王国を作る時代です。二度目は、遊牧の民・モンゴル人が大膨張し、ユーラシア世界を圧巻するが、やがて農耕の民が復権していく時代です。

前者を「中世」前半期、後者を「中世」後半期と捉えます。

古代も、近代も、時期を細分化するときに、前期・中期・後期という用語を用いています。前期・中期・後期を通して、それぞれ一つの時代のサイクルとなるからです。

しかし、中世はそうではありません。二度、遊牧民と農耕民の大きな相克があり、それぞれにサイクルがあるので、敢えて前半期・後半期という用語を使いました。

農耕の民と遊牧の民の相克が存在し、その試練を乗り越えたこと、ここにユーラシアの民の強靭《きょうじん》さを内蔵しました。

アメリカ大陸のアステカ・マヤ・インカ、アフリカ大陸のマリ王朝なども、古代国家を形成しました。それらの諸王国は近代に「ユーラシア文明圏」の西ヨーロッパ列強と遭遇しなければ、独自の歴史を作っていったことでしょう。きっと、古代国家の興亡を繰り返し、その周辺には独自の直放農耕文化や狩猟採集文化を持つ人々の「ゆるやかな変化」の歴史が存在したのでしょう。しかし、強靭さを備えた西ヨーロッパの列強が襲い掛かり、滅亡していくことになります。

第二編では「中世」前半期、第三編では「中世」後半期の説明をすることにします。

～ユーラシア大陸の中世～

ユーラシア大陸の遊牧民と農耕民が相克し、融合して、新たな国家体制をつくる時代

前半期	遊牧民と農耕民の争いから、ユーラシア大陸東部に隋・唐王朝、西部にアラブ・イスラム帝国が成立、そしてそれが衰退していく時代。
後半期	北方ユーラシアの民が南下を繰り返す中で、遊牧民によるモンゴル帝国がユーラシア大陸の大部分を支配し、それが衰退していく時代。

そのうち、ユーラシア大陸の中世前半期

	「ユーラシア文明圏」	東アジア列島		
		中の文化圏	北の文化圏	南の文化圏
前葉	東アジアでは「五胡十六国」の大混乱時代から南北朝時代、そして隋王朝による統一まで。 ヨーロッパはゲルマン族の移動で大混乱の時代から、フランク王国の拡大まで。	厩戸皇子の政治に始まり、中大兄皇子を経てつくる、天皇政権の確立。	オホーツク文化が北海道に南下する。	
中葉	ユーラシア大陸の東が隋・唐、西がアラブ帝国、イスラム帝国という、世界帝国が支配する。	天武・持統が国の体制を固め、聖武～桓武に至る天皇政権の全盛期。	北海道に擦文文化とオホーツク文化が並立する	
後葉	唐の滅亡、フランク王国の分裂、イスラム帝国の分裂など、世界帝国が崩壊する。	平将門や藤原純友らによる地方の動揺。摂関政治により王家権力支配の弱体化。	東アジアの混乱を受けて、北海道アイヌがオホーツク文化を圧倒する。	

1　中世前半期（前葉）～大混乱時代からの脱却

（1）大混乱時代からの脱却（東アジア）

中国の華北が大混乱時代に入ったのは、４世紀初頭です。匈奴《きょうど》は東西に分裂した後、漢と同盟した東匈奴が西匈奴を滅ぼします。それがさらに１世紀には南北に分裂します。東アジア・世界帝国（漢王朝）の力が匈奴を圧したと言えます。

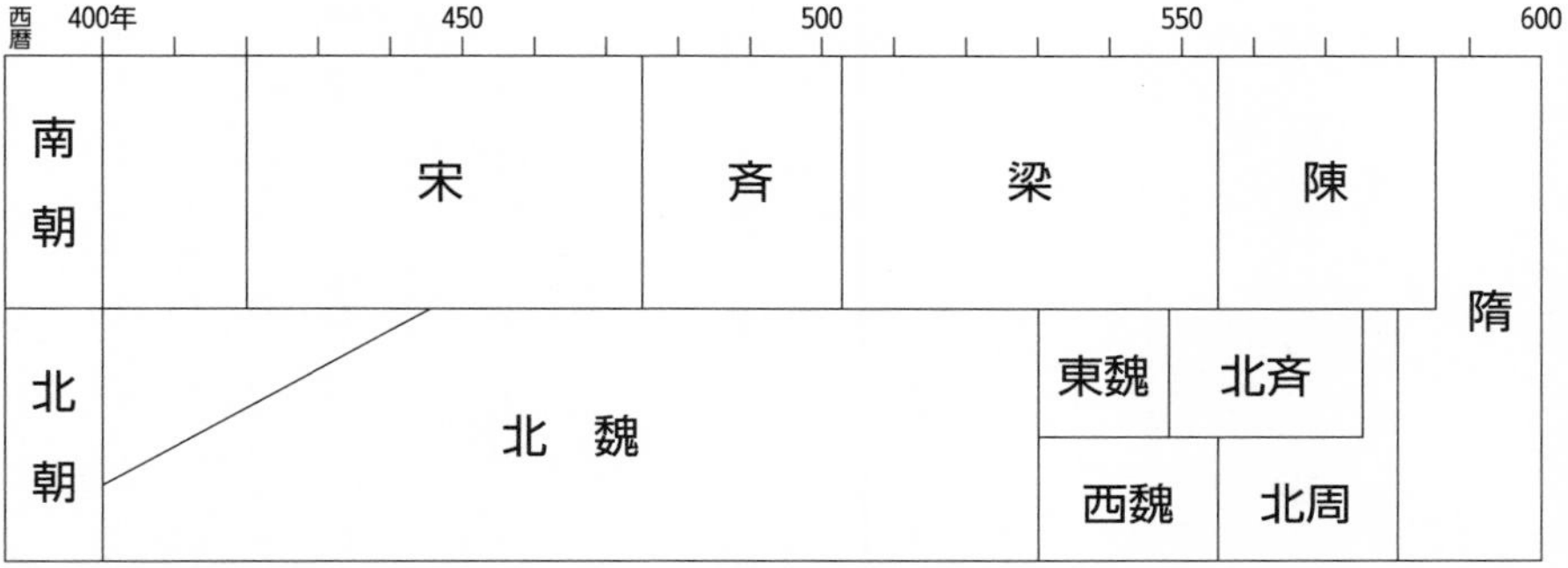

図1　中国の南北朝

ところが、中国の統一王朝（『三国志』の3国を統一した王朝）だった晋王朝の屋台骨が揺らぎ、各王が争いを始め（八王の乱）、317年に南匈奴の劉淵《りゅうえん》が独立し、その子、劉聡《りゅうそう》が洛陽《らくよう》に侵入（永嘉の乱）、晋王朝を滅ぼしました。永嘉の乱で、晋の一族が皆殺しされる中で、司馬睿《しばえい》だけが逃れ（反転エネルギー）、江南に王朝を立てました（東晋王朝）。

華北ではトルコ系、チベット系などさまざまな民族が侵入しては、分裂と統一を繰り返しますが、その統一は長続きしません。439年に北魏が華北を統一して、五胡十六国の時代が終わりました。

一方、江南地方は漢人による宋王朝が登場し（420年）、中国は南北朝時代に入りしました。

華北では北魏王朝が約100年続いた後、東魏～北斉、西魏～北周と分裂します（北朝）。江南では、皇帝が軍事政権、支配階級は貴族という形で、宋王朝が約60年、その後、斉～梁《りょう》王朝となります（南朝）。南北の力関係が拮抗《きっこう》していたのは、ここまでです。

554年、江南の梁は西魏に大敗し、南北の力関係が明らかに北優位になりました。そういう中、北周が北斉を滅ぼし（577年）、華北を統一します。そして、北周の外戚・楊堅《ようけん》（後の隋の文帝）が権力を奪い、隋《ずい》王朝を建国（581年）、589年には江南の陳《ちん》王朝も滅ぼし、中国を統一、ここに漢王朝滅亡から370年ほど、晋王朝滅亡から260年余り続いた分裂の時代にピリオドを打ちました。

東アジアの「中世」の始まりは、統一の芽が見え始めた時点、つまり北魏の華北統一とし、そこから150年間は騒乱と統一の過度期、隋王朝の中国統一をもって、「中世」前半期の到達と見ることにします。北周・隋、それから長期統一王朝の唐は女系を通じてつながっています。トルコ系の鮮卑《せんぴ》族の獨狐信の長女は北周の明帝の妻、七女は隋の文帝の妻、四女は唐の李淵《りえん》（高祖）の祖母なのです。中国の統一王朝には北方の民の流れが濃厚に入っていて、江南の漢人文化と融合していったことがわかります。

(2) 大混乱時代からの脱却（西ヨーロッパ）

現在のフランス・ドイツの辺りには、ゲルマン族がいました。社会の状態は部族連合でした。カエサルの『ガリア戦記』、タキトゥスの『ゲルマーニア』は西ゲルマン系の人々を描いたものと言います。紀元前後は半農半牧で、移動生活はキヴィタスという50名ほどの集団を単位に行ったようです。それが4世紀には、部族国家となっていきました。

一方、北方ユーラシアでは、匈奴が東西に分裂した後、一時的に東匈奴が匈奴を統一しますが、1世紀に再度、南北に分裂しました。1世紀末に、南匈奴は後漢・北匈奴に破られ、その一派は西方に逃れます。この人たちが、キルギス高原から西に移動し、ヨーロッパ史に現れるフン族ではないかと考えられています。

4世紀ころ、フン族が南ロシアに侵入し、ゲルマン族を追います。東ゴート族の地に侵入し、西ゴート族の地にも入ります。玉突き現象で、西ゴート族はローマ帝国に侵入しました（375年）。ゲルマン族の大移動のせいで、ほぼヨーロッパ全体を領域にしていたローマ帝国は東西に分裂し、次々と新たな国が建てられました。西ローマ帝国領では、イタリアに東ゴート王国（493～555年）、イベリア半島に西ゴート王国（415～711年）、北アフリカにヴァンダル王国（429～534年）、北イタリアにランゴバルト王国（568～774年）、ガリア北部にフランク王国（486～843年。以後、分裂）、さらに移動の波はイギリスに渡って、アングロ・サクソン王国（449〜829年）を建てました。

6世紀には、ビザンツ帝国（東ローマ帝国）がユスティニアヌス帝のもと、一時的に、イタリア、北アフリカを含む地中海世界を統一し、大帝国をつくりました。

しかし、ヨーロッパはローマ帝国滅亡以後、現在に至るまで長期間、統一されることはありませんでした。そこが東アジアの中国とは違います。ゲルマン族移動後に、比較的長期間、勢力を持ったのはフランク王国です。フランク王国（メロヴィング朝）はクローヴィスの時代に拡張し、アタナシウス派のローマ・カトリック教になり（496年）、ローマ・カトリック教会に近づきます。そして、アタナシウス派を「正統」と決め、「異端」を倒す「聖戦」として、ゲルマン族を討つ大義名分としました。

フランク王国の宮宰《きゅうさい》（取り締まり役）のカール＝マルテル（689〜741年）の、たびたびの戦いでの活躍、その子・ピピンがクーデターでカロリング朝を開き（751年）、ローマ教皇に土地を寄進し（ローマ教皇領の成立）、その子・カール大帝はローマ教皇からローマ皇帝の地位を授けられました（800年）。こうして、西ヨーロッパのゲルマン族移動の混乱がやっとおさまったということになります。ちなみに取り締まり役が政権を乗っ取る形は、王朝国家ではよく見られることで、日本史では藤原氏の摂関《せっかん》政治、北条氏の執権《しっけん》政治、戦国時代の守護代による下克上《げこくじょう》（長尾氏、朝倉氏、信長は守護（斯波《しば》氏）を倒した守護代（清洲《きよす》織田氏）をさらに倒す）、中国史の「禅譲《ぜんじょう》」というのは、時代と地域こそ違っても前王朝の乗っ取りです。

ここに、ビザンツ（東ローマ）帝国と並立する、中世ヨーロッパの体制（ローマ・カトリック教会が西ヨーロッパのローマ皇帝を任ずる形）が登場しました。

（3）キリスト教の流れ

ここで、キリスト教について、簡単に触れておきます。

私たちは、ローマ・カトリック教や、16世紀以降に誕生するプロテスタントのみをキリスト教と見がちです。人間の歴史（特に近代史）に与えた影響が圧倒的に強いからです。

３２５年、ローマ帝国のコンスタンティヌス帝は、ニケーアの公会議で、神（父）・イエス（子）・聖霊を同一とする三位一体説を教義としました。そして、アタナシウス（アレクサンドリアの司教）が三位一体説のみを「正統」としました。テオドシウス帝はこのキリスト教のみを国教としました（３９２年）。しかし、これはイエスが言った言葉ではありません。イエスが亡くなって、３００年もたって、後世の人間が考えた一つの理屈に過ぎません。当然、他の理屈を考えた一派もあります。

神とイエスを別の者とするアリウス派の考え（ゲルマン族に広がります）、マリアを神の母とよぶことに異を唱えたネストリウス派の考えは真っ当な見方です。たまたま、西ヨーロッパが15世紀以降、世界に覇を広げたから、ローマ・カトリックの考えが歴史に大きな影響を与えたに過ぎません。三位一体説は、権力が「正統（イエスを神格化）」を強引に決めた考えだと言えます。

キリスト教では、もともと偶像（信仰するための像《ぞう》）崇拝を禁止していました。しかし、ローマ・カトリック教会がゲルマン族を教化するために、聖像を用いました。コンスタンティノープルの教会は「それはおかしい」と批判します。実際、７２６年、ビザンツ帝国（東ローマ帝国）皇帝レオ3世が「聖像禁止令」を出します。そして、違反者には刑を執行しました。しかし、そもそも皇帝が教会の首長であることはどうなのかとも思います。この結果、キリスト教会はローマ・カトリック教会とギリシア正教《せいきょう》会の、東西に二分されていきます。

イエスが突き詰めて純な教えを説いたのに対し、それを広げる時点でさまざまな政治的・経済的な思惑があって、ねじ曲がって行きます。そして、欲望や権勢や見栄が渦巻いている文明社会では、そのねじ曲がりは世俗化し、硬直化することとは、普通に起きることです。宗教は大衆心理に迎合しなければ広がらなかった、あるいは政治権力においしい所を提供しなければ広がらなかったのです。さらに言えば、人間である創始者を神格化することで、その宗教を偉大に見せることも、宗教拡大のためには、普通にあることとです。しかし、だからと言って、後世、最も歴史に影響を与えた一派（例えば、アタナシウス派）が教義においても、「正統」とか「本流」ということにはならないのです。世俗上、「正統」「本流」だったに過ぎません。

（4）ムハンマド（マホメット）

アラビア半島中・北部には、ラクダ・馬・ヒツジ・ヤギを飼い、狩猟も行う、遊牧の民が生活していました。多数の部族からなり、互いに略奪と闘争の歴史を繰り返していたようです。この地域は、部族社会で、選挙で首長を決めていました。

一方、アラビア半島の南部では農耕社会を営んでいました。紀元前13世紀には「シバの女王」で知られるサバ王朝がありました。こちらの地域では、王権が確立していたのです。

ギリシアの都市国家では争いがあっても、4年に一度、オリンピアが開かれているときには、戦いを止め、オリンピア競技に集中しました。アラビアの遊牧の民にも、メッカの近くのウカーズで、毎年、部族代表の詩人たちが競争し合う式がありました。この詩のスタイルを通して、6世紀にはアラビア人としての言葉、そして大きな意味での同族意識が芽生えていきました。

6世紀後半、ササン朝ペルシアとビザンツ帝国（東ローマ帝国）が争い、イラクからペルシア湾に至る通商路が危険になると、アラビア半島の西部が通商路とされ、メッカやメディナが交通の要として栄えました。アジアとヨーロッパとアフリカの接点の中東が危険になったり、一つの王朝が交易路を独占すると、その反動でユーラシア文明圏に大変動をもたらすことは、その後何度も経験します。ここはそういう地勢なのです。

さて、アラビア半島の諸部族の信仰の地としては、メッカのカーバ（黒い石）の神殿がありました。カーバの寺院では、偶像崇拝を強制し、寄付を強要する行為がまかり通っていました。その中でクライシュ族の大商人、特にウマイヤ家のみが富んでいく状態でした。ムハンマドは貧しく苦しむ民衆、宗教に名を借りて暴利を貪る人々を見て、その矛盾に憤《いきどお》りを持っていました。そして、「唯一神・アッラーの前には、金持ちも貧乏人もない、皆平等だ。偶像など必要がないのではないか」という思いを持って、ヒラー山の洞窟にこもると、「アッラーの使いの声」がしたと言います。このあたりは一凡人として歴史評価を試みる私には、計り知れない部分です。私はそれをそのまま信じることも、無視することもしません。ただ少なくとも、それを信じる人々が、ここから歴史を大きく変えていくことだけは確認できます。彼は自分がアダム・ノア・・・イエスに連なる預言者（神のことばを預かり、伝える人）だという自覚を持ち始めます。そして、教えを説こうとしますが、メッカでは全く受け入れられません。しかも、平等思想とカーバの神殿の否定は、権力者から迫害されるに十分な社会変革をもたらすものでした。権力者のウマイヤ家からは迫害され、それに媚びる大衆からも拒否されました。大衆は風次第で世の中を変えるうねりを引き起こすこともありますが、大方は強い方、今、得をする方になびくものです。

６２０年ころ、ムハンマドは、メディナの町のハズラジ族とアウス族の仲裁を求められ、この地に向かいます（６２２年）。そこで部族間の対立を収め、政治・経済・軍事の指導者になりました。身分・貧富・偶像崇拝という社会・文化の形を抜本的に壊し、新たな社会を作ろうというムハンマドに対し、メッカの支配者が潰《つぶ》しにかかります。激しい闘いの末、勝利したムハンマドは６２８年、逆襲に転じ、メッカを占領、６３０年ころにはアラビア半島を統一しました。

マルクス史観の影響か、革命が社会の大変革を起こすという常識があります。しかし、社会意志による変革が社会を変えるのです。その社会意志は、一人の傑出した天才が生み出すことも、大混乱や革命という経験を経て、自分たちのものにすることもあります。本書では、これほどの大変革を「歴史の大画期」と呼ぶことにします。そして、フランス革命やアメリカ独立戦争も「歴史上の大画期」の一つだと解釈します。

ムハンマドは死期が迫っているとき、「私にぶたれた者があったら、今のうちに私をぶってくれ。私に金を貸している者があったら、私のものをあげよう」と言いました。功成り名を遂げたパイオニア・ムハンマドの、全く神格化を許さない人間性、長所も短所もある、一人の人間の熱さ、実直さが伝わります。

「ユーラシア文明圏」の古代では、仏教と儒教が、中核「文明」の精神的支柱であること、その発信地域のインド・中国が中核「文明」の拠点であることを述べました。

中世においては、それに加えて、ヨーロッパのキリスト教、中東のイスラム教が、中核「文明」の精神的支柱となります。

これらの地域が拠点になり、精神的支柱の宗教だけでなく、最新の技術や学問、思想が広がっていきました。精神的支柱の拠点地は、さまざまな民族が集まる地であり、流通の交差する場にもなります。

2　中世前半期（中葉）～ユーラシアの巨大帝国～

(1) 東アジアの場合（隋・唐初期）

中国では華北の隋王朝が全土を統一しました（589年）。

隋が三十年ほど、その後の唐王朝が三百年近く中国を支配しました。隋は実質、2代で滅びます。

統一王朝が短命で、その後を継いだ王朝が長期政権になるパターンは法則とまでは言えなくても、歴史上よくあります。秦と漢、平氏政権と鎌倉政権、豊臣政権と江戸政権というように。

隋の統一者は文帝。2代目煬帝《ようだい》は父・文帝を殺害することを始め、暴君として名高いが、大運河作りという途方もない土木工事を行い、その後の中国の経済のためにどれほどの力になったことでしょうか。もちろん、そこには強制的に動員された民衆の声を聞く耳も必要です。

煬帝の度重なる高句麗《こうくり》遠征の失敗もあって、「禅譲《ぜんじょう》」という形で唐王の李淵《りえん》（高祖）が後を継ぎます。この段階では地方政権に過ぎなかった唐王朝は高祖と、その息子の李世民（太宗）の力で統一王朝になります。

太宗は家臣の苦言を積極的に求め、敵だった者も家臣にする器量を持ち、君主の鏡として、後世の尊敬を受けます。ただ、血統で決まる王朝国家の君主に、こうした人格を求めるのは、偶然以外の何物でもありません。

太宗の後、則天武后《そくてんぶこう》（武則天）が権力を奪うために、漢王朝の呂后《りょこう》ばりのおどろおどろしい殺害を続けますが、時代の勢いは唐（武則天の時代は「周」を名乗る）の興隆期をつくりました。

隋・唐初期は、巨大・中央集権国家が勃興・成立する時期で、隋の滅亡、唐成立の混乱はあっても、大勢としては中国の力が周辺を圧し、周辺地域はその威光の下にいることしかできなかったのです。

唐の王都・長安では、ペルシアのゾロアスター教、キリスト教のネストリウス派（景教）などが伝えられ、『西遊記』のモデル・玄奘《げんじょう》（三蔵法師）は仏教の原典を求め、インドまで旅をしました。

（2）アラブ帝国からイスラム帝国へ

東アジアで唐王朝が圧倒的な力を持っていたころ、中東・北アフリカ地域は、イスラム教勢力が覇を唱えました。

預言者ムハンマドの後には、「神の声を伝える」預言者は出現しませんでした。しかし、ムハンマドの伝えた言葉の実現を広める首領が必要です。そこで登場したのが、カリフ（ムハンマドの後継者と称する）と呼ばれる指導者です。

カリフは遊牧の民の掟《おきて》によって、当初、選挙によって選ばれました。初代のカリフはムハンマドの信頼厚かったアブー・バクルになりましたが、ムハンマドのカリスマ性に惹《ひ》かれていた人々が離反します。バクルは11の軍団を派遣し、半年の間で、アラビア半島を再統一しました。

バクルは633年、シリアに大遠征軍を送りました。アラビア半島からの拡張政策の開始ですが、イラク・イラン地域はササン朝（ペルシア）が、小アジア（トルコ西部）・シリア・エジプトはビザンツ（東ローマ）帝国が支配していました。バクルとウマルの2代のカリフの時代に、ビザンツ帝国領のシリア・エジプトを奪い、642年にはササン朝を滅ぼしました。

644年にウマルがキリスト教の奴隷に暗殺されると、3代目のカリフにウマイヤ家のウスマーンが選ばれました。しかし、ウマイヤ家ばかりが優遇されたため、ハーシム家のアリー、クライシュ族の有力者の間で内部対立が起き、第4代のアリーの時代にも部族対立が続いたため、ついに選挙によるカリフ（「正統」カリフ）は途絶えました。

代わって登場したのは、ムハンマドのハーシム家と対立していた、ウマイヤ家のムアーウィアがカリフの位に就きました。ムアーウィアはクーファからダマスカス（現在、シリアの首都）に都を移し、以後カリフはウマイヤ家の世襲となりました（ウマイヤ朝）。この領域のイスラム教徒をスンナ派と呼びます。一方、ムハンマドのいとこ・アリーの子孫こそが「正統」なカリフだと唱える人々がイランを中心に抵抗を続け、シーア派となっていきました。ここまで、「こうなったから、こうなった……」と述べていきましたが、ウマイヤ朝も、次の時代のアッバース朝も、スンナ派もシーア派もムハンマドの考えたことではないということ、「正統」をめぐる争いに過ぎないということです。

もう一つ、選挙の結果、話し合いの結果を受け入れるということには、その結果を「正統」と信任する集団のパワーが必要だということです。それを認めたくない勢力が大勢を占めたり、乱立して混乱を起こすようなら、王朝体制や独裁体制をつくった方が、政情は安定します。ローマの共和制が帝政になった事象も、現在、増加している民主主義を受け入れたくない軍事独裁国家も、この理屈を基盤にします。

さて、ウマイヤ朝はイランからアフガニスタン、さらにインダス川流域にまで侵攻しました。さらにビザンツ帝国のコンスタンティノーブル（現在のイスタンブール）を攻撃しますが、ムアーウィアが亡くなると（680年）、内乱が起きました。アブドゥル・マリク（在位685～705年）のときに、ウマイヤ朝の帝国は再び統一され、ワリード1世（在位705～715年）のときに、インドの西北部、チュニス・アルジェリア・モロッコなどの北アフリカ、さらにジブラルタ海峡を渡り、ヨーロッパのイベリア半島にまで侵入し、フランク王国と戦いました。ムハンマドから百年かけて大膨張したこの帝国をアラブ帝国と言い、続くアッバース朝も含めて、ヨーロッパ人はサラセン帝国と言いました。

ウマイヤ朝のアラブ帝国は、イスラム教のアラビア人が特権を持ち、他のイスラム教徒を差別していました。その上、シーア派も抵抗を続けました。

そういう中、750年、ムハンマドの叔父アッバースの子孫がアッバース朝を立てました（イスラム帝国～東カリフ国）。イスラム帝国は王都をバクダードにし、アラビア人と他の地域のイスラム教徒を平等にしました。

751年には、中央アジアをめぐって、唐王朝と戦闘になり（タラス河畔の戦い）、イスラム帝国が勝利しました。このとき、中国から紙作りの技術が伝わっています。イスラム帝国は5代ハールーン＝アッラシード（在位786～809年）のときに最盛期を迎えます。

一方、ウマイヤ朝の一族はイベリア半島（現在のスペイン・ポルトガル地域）に逃れ（反転エネルギー）、王都コルドバを中心に栄えました（後ウマイヤ朝～西カリフ国）。

イスラム圏では、ギリシア哲学・自然科学、インドの数学・天文学・医学、イランの文学などが交流され、国際色豊かなイスラム文化が繁栄しました。インドの数学の影響を受け、0の考えを取り入れたアラビア数字（0～9までの数を十進法位取りを使うことで、小さな数も大きな数も表すことができる）を後世に残しています。

3　中世前半期（後葉）～巨大帝国の分裂～

（1）フランク王国の分裂からノルマン人の侵攻へ

9世紀のフランク王国は長子相続にはなっていません。カール大帝の孫の時代になると、子孫の間に相続争いが起き、ベルダン条約（843年）、メルセン条約（870年）を経て、東フランク、西フランク、中部フランクに分割されました。西フランクのカロリング朝（987年断絶）、イタリアのカロリング朝（875年断絶）、東フランクのカロリング朝（911年断絶）に分裂しますが、それぞれフランス・イタリア・ドイツの原形の国になっていきました。東フランクの後には、ハインリヒ1世によるザクセン朝が成立し、その子・オットー1世（王としての在位936～962年、皇帝としては962～973年）は、962年にローマ教皇・ヨハネス12世から神聖ローマ帝国の皇帝の帝冠を授けられました。

西ヨーロッパが分裂しかかった8世紀末、ヨーロッパの沿岸に、第二の民族大移動が起きます。ノルマン人の移動です。スカンディナヴィア半島やユトランド（ユーラン）半島（デンマーク）に住むノルマン人はヴァイキングとも呼ばれ、西ヨーロッパに相次いで、新しい国家を作っていきました。

9世紀半ば、ノルマン人はフランス西北部に侵入し始め、やがてノルマンディー公国が成立（911年）、地中海ではシチリア島（イスラム教勢力）や南イタリア（ビザンツ帝国領）を占領し、両シチリア王国が成立（1130年）、ノルマン人の一派ルーシ族はスラブ人を征服しました。かれらは、ノヴゴロド公国を成立させ（862年）、その一族がキーウ（キエフ）公国を建て（現在のウクライナ、及び東ヨーロッパ平原を領域）、これがロシアにもつながり、また、ノルウェー、スウェーデン、デンマークなどの国もできました。

イギリスは先住民・ケルト人を支配したアングロ・サクソン人が、部族連合を経て、七つの王国にまとめられ、829年にイングランド王国に統一されました。これは、多くの農耕の民に見える、古代国家成立の流れにあります。そこに、ノルマン人が再三に渡って侵入し、200年もの興亡の結果、1066年、ノルマンディー公ウィリアムがイギリスに侵攻します。彼が王位に就き、ノルマン王朝が成立しました。

ノルマン人はさらにアイスランド、グリーンランド、そして北アメリカ大陸にも向かいました。

ヴァイキングと言えば、海賊のイメージが付きまといますが、北海貿易と地中海貿易を結び付け、ヨーロッパの交易圏を一つにまとめていった事実を忘れてはいけません。

(2) イスラム帝国の分裂

9世紀末からは、イスラム帝国が分裂を始めます。そして、10世紀には、さまざまな国に分かれました。

イベリア半島は、755年以来の後ウマイヤ朝(西カリフ)が続いています。

ほかに、北アフリカ(現在のモロッコ・アルジェリア・リビア・エジプト)はカイロ・カリフ国(ムハンマドの娘ファーティマの子孫をカリフとするファーティマ朝)、アラビア半島は東カリフ国(アッバース朝)の、いわば三カリフが鼎立《ていりつ》します。そして、アッバース朝の権威のもと、エジプトはファーティマ朝からアイユーブ朝、東部イランはサーマーン朝、西部イランはブワイフ朝、さらにアフガニスタンではサーマーン朝からガズナ朝が独立し、インドに侵入していきました。

(3) 唐王朝の滅亡

唐王朝の衰退は8世紀の玄宗の時代に始まります。租庸調《そようちょう》(租は稲、庸は麻《あさ》の布、調は地方の特産物)の収奪体制に陰りが見える中、打開策を打つことなく、息子(寿《じゅ》王)の妻、美貌《びぼう》の(しかし、軽薄な)楊貴妃《ようきひ》をゆずらせて寵愛し、その一族のみを取り立てます。酒・賭博《とばく》を得意とし、言動軽率な楊国忠を宰相に取り立て、胸に一物《いちもつ》を持つ安禄山を採用します。まもなく、楊国忠と安禄山が対立し、安禄山らは謀反を起こしました(安史の乱)。

都・長安も陥落し、玄宗は逃亡、その最中に楊貴妃が殺されました。

王朝と宮廷女性の関係も、歴史を見る大切な視点です。唐の太宗と（才女）文徳皇后、高宗と則天武后、玄宗と武恵妃……、日本史でも、天皇家と藤原氏、足利市と日野氏と言うように。

安史の乱の後も、唐王朝は１５０年近く続きます。安史の乱から、唐を守ったのは、突厥《とっけつ》の支配下から自立した、トルコ系遊牧民の回紇《かいこつ》（ウイグル）でした。また、吐蕃《とばん》（チベット）が再三侵入し、唐の領域内では「賊」軍が暴れ回ります。結果、力を持つ外来民族には、適当に要求を受け入れ、なだめる。領域内の「賊」軍にはその存在を認め、節度使として遇しました。

大量の文字史料を残した唐王朝を視点にすると、「唐に関係する回紇、吐蕃」という見方に陥りやすいですが、ユーラシア大陸を俯瞰《ふかん》する見方を持つと、9世紀前半の東アジアは唐・回紇・吐蕃の三帝国が拮抗した時代と見られます。ただ、吐蕃は早々と内部分裂し、回紇はキルギスに攻められ、崩壊していきました（８４０年）。結果、三勢力の鼎立時代は長くはありません。

唐王朝の末期、国家財政は塩の専売制が支えになっていました。科挙《かきょ》（官吏登用試験）に落第続きだった黄巣《こうそう》は価格が上がる塩の闇《やみ》取り引きに目を付けます。黄巣の農民蜂起が起きたのが８７５年。黄巣が敗れ、自殺したのが８８４年。唐王朝の命運は黄巣の乱への対策で使い果たしました。唐の滅亡は９０７年のことです。

(4) 唐王朝の周辺国家の興亡

隋・唐王朝は6世紀末から10世紀初頭にかけて、東アジアに巨大な重《おも》しになって存在していました。

そして、隋・唐王朝の影響で、周辺の東アジアの国々の興亡も起きました。

先に隋の文帝・煬帝《ようだい》、唐の太宗が朝鮮半島北部・南満州にあった高句麗に侵攻した話題を出しました。高句麗は約70年耐えた後、６６８年に滅亡しました。６６０年には百済が滅亡しており、4世紀から続いた朝鮮半島の三国時代は終わります。その後、朝鮮半島では、唐が旧高句麗・旧百済領を支配し、新羅と対峙します。新羅は旧百済領と旧高句麗領の一部を取り戻し、朝鮮半島南部と中部を得ました(676年)。

旧高句麗領でも、新たな建国を求める声が高まり、南満州地域も含めた渤海《ぼっかい》王朝が成立しました。渤海を建国した人物は大祚栄と言います。高句麗人と靺鞨《まっかつ》人を合わせた国家を作りました。

唐の成立とともにできた統一新羅と渤海、それから日本は、独立を保ちながらも、唐の影響を受けつつ、貴族政治の栄華を誇ります。

それから二百年。唐の滅亡と相前後して、朝鮮半島では900年に後百済、901年に後高句麗ができ、地方政権になった新羅ともども後三国時代の戦乱時代になります。また、渤海も15代続いて、926年に滅亡しました。

現在、韓国と中国が、高句麗と渤海は朝鮮だったのか、中国だったのかで論戦しています。むき出しの国家意識丸出しの論戦としか言いようがありませんが、歴史を語る者は国を背負い、政権のスポークスマンや、機を見るに敏《びん》な風見鶏《かざみどり》(御用学者)に落ちぶれてはなりません。

4 「ユーラシア文明圏」以外の地域

ユーラシア大陸の温帯地域(一部、熱帯・乾燥帯地域)以外は、中世前半期ではありません。つまり、この時代区分は、当時の地球でおそらくは最も人口の多かった地域だった、この地域にのみにあてはまる時代区分なのです。

アメリカ大陸・アフリカ大陸・オーストラリア大陸、ユーラシア大陸の熱帯・冷帯・寒帯地域にも、人は住んでいました。彼らは、古代国家の体制か、狩猟採集や直放農耕の民として生きていました。温帯地域中心にできた「文明」圏は、周辺の冷帯地域の直放農耕民や狩猟採集民とは一定の交流を持つこともありましたが、そこを占領する意味も必要もありませんでした。まして、寒帯・熱帯地域の大部分は「文明圏」に必要はなく、接触もない地域が多かったと言えます。

(1) 北方ユーラシアの遊牧民

(ア) 北方ユーラシア東部

ユーラシア大陸の温帯地域で巨大王朝が成立するという状況は、北方ユーラシアの遊牧の民にとっては、逆風を意味していました。

ユーラシア大陸の温帯地域の農耕王朝と、砂漠・草原地域の遊牧の民は、前者に巨大国家ができれば、後者は分裂させられ、前者が分裂すれば、後者が侵入するという、冷徹なパターンがありました。

中国の分裂時代、北方ユーラシアでは突厥《とっけつ》というトルコ系の遊牧の民が、大勢力を築き始めました。もともとはアルタイ山脈の南に住み、モンゴル系の人々の配下にあったのが、鉄を制作し、勢力を一挙に拡大したのです。

6世紀初めには、北方ユーラシアでは、モンゴル系と見られる蠕蠕《ぜんぜん》(柔然)がバルハシ湖東岸から内モンゴリアまで、エフタルが西トルキスタン、イラン高原東部、南は北西インドまで、フン族が南ロシア草原を支配していました。この中で、トルコ系の突厥が蠕蠕を破り、北アジア・中央アジアを支配していったのです。

ところが、東アジアに隋・唐王朝が成立しました。隋は突厥を東西に分裂させました。そして、東突厥を討ち、吐谷渾《とよくこん》という鮮卑人の国(被支配者はチベット人)を討つと、高昌や伊吾などの西域27国の使いが煬帝に拝謁《はいえつ》に来ました。敵対者を分裂させ、勢いを裂《さ》き、その片方を滅ぼす、政略が好きな「文明」のリーダーがやりそうなことです。

隋が滅び、唐の時代になると、東突厥や吐谷渾らの勢力が復活してきました。唐の太宗は東突厥の内紛を利用し、630年ころ、滅ぼしました。しかし、突厥の残党勢力はその後もたびたび侵入してきました。太宗はさらに吐谷渾や高昌国も滅ぼし、西域のシルクロードを支配しました。657年には、唐の高宗により、西突厥も滅ぼしました。

(イ) 北方ユーラシア西部

南ロシアの遊牧民は、たびたび中東やヨーロッパへ侵入して、農耕国家を打ち砕《くだ》いてきました。今までも、スキタイ人、フン族などの活動を紹介しました。

6世紀には、アヴァールという遊牧の民が登場し、560年にはドナウ川流域まで侵入してきました。中央アジア・東ヨーロッパでは、西突厥・ビザンツ(東ローマ)帝国・アヴァールが勢力争いをしていました。アヴァールに大打撃を与えたのは、フランク王国カール大帝で、791年、ハンガリーまで遠征しました。その後、アヴァールは崩壊しますが、トルコ系のブルガール人(ブルガリア)、ウラル語系のマジャール人(ハンガリー)が活動します。マジャール人は西ヨーロッパまで侵入しましたが、955年、(のちの神聖ローマ帝国皇帝)オットー1世に敗れました。

中世前半期の遊牧の民の歴史とは、北方ユーラシアの遊牧の民の南下を、温帯地域の農耕国家が一応押さえていたものの、農耕国家が弱体化すると、たちまち侵入してきました。

隋の煬帝《ようだい》、唐の太宗、カール大帝、オットー1世など、農耕国家を代表する領主(皇帝)たちは、遊牧の民に大打撃を与えた人々でもあったのです。

(2) アメリカの古代国家

農耕社会が登場し、そこに貧富差・身分差、そしてそれが階級となって行くと、古代国家が出現します。もちろんこれはユーラシア大陸だけでなく、アメリカ大陸にも成立しました。具体的には、マヤ、アステカ（メソアメリカ文明）、インカ（アンデス文明）と呼ばれている文明です。

中央アメリカ地域では、紀元前後から8世紀ころまでを、古典期文明という言い方をしています。紀元前300年ころ、オルメカの祭祀センターに代表される文明が衰退し、テオティワカンという大神殿文化が出現、8世紀まで続きます。ここには、太陽と月のピラミッドがあり、都市国家が存在しました。テオティワカンには、軍事的要素が少なく、人口も10万人はいただろうと見られています。ところが、北方の狩猟民・トルテカが侵入し、10世紀終わりまで混乱時代を迎えます。

グアテマラではマヤ文明が続いていました。マヤは各部族が主権を持つ都市国家の集まりで、チラムという神官による神権政治を行っていました。天文学と数学のみが鋭く発達し、1年を365．2420日（実際には365．2422日）と計算し、金星の公転周期も583．94日だと知っていました。一方、神への信仰が、生贄《いけにえ》としての犠牲者（はっきり言えば、神の名のもとの人殺し）を絶えず要求します。

テオティワカンとマヤは互いに交易し、テオティワカンからは食塩・カカオ豆（通貨）・綿布・はちみつなど、マヤからは黒曜石・トウモロコシを挽く臼の石などを交換していました。ところが、マヤにも、好戦的なトルテカ族の一派が侵入してきました。そして、ユカタン半島に移動し、トルテカ・マヤ文明を作っていきました。

この8～10世紀というのは、ユーラシア大陸だけではない、アメリカ大陸中部においても、北方の異民族が侵入し、在来の文明を破壊していったことになります。

南アメリカのペルー（アンデス文明）では、北海岸のモチーカ文化と、南海岸のパラカス・ナスカ文化、ボリビアのティアワナコ文化が成立しました。モチーカ文化では、王国があり、ピラミッド神殿があり、特権階級の狩猟スポーツがあったようです。パラカス・ナスカ文化では、パラカスから1000体以上の特権階級と見られる男性ばかりのミイラが出土し、ナスカでは有名な地上絵が描かれました。ティアワナコ文化は、上限は400年ころ、下限は1000年ころと推定されます。500〜600年ころには、海抜4000mのチチカカ湖に限定した文化でしたが、「幻のワリ帝国」の大神殿遺跡、中部海岸・パチャカマの神殿都市が登場し、アンデス地帯全域に広がったのです。

「古代」とは、「ユーラシア文明圏」では時代区分にも使われましたが、あらゆる地域で、一定の条件を経たならば、起こりうる事象なのです。アメリカ大陸には、遊牧の民は存在せず、中央アメリカとアンデス地域に、古代国家の興亡が続いていました。

(3) 狩猟採集の民

(ア) アフリカの狩猟採集民

アフリカの狩猟の民が、どういう歴史をたどったか、体系だった概説書を見たことがありません。しかし、二つの有名な狩猟の民が知られています。ブッシュマンとホッテントット、ピグミー系狩猟民と呼ばれる、熱帯地域の人々です。

ブッシュマンとホッテントットはコイサン人の一派で、約8000年前の旧石器時代から、東アフリカから南アフリカの広い範囲で生活していました。ブッシュマンは徹底的な平等主義者で、狩猟で得たものも皆で平等に分けます。ただ、狩猟は偶然によって手に入れるものなので、食料の多くは植物です。絶えず移動を繰り返しますが、家財道具も、自分が運べるだけの量しか持ちません。

ピグミー系狩猟民は、中央アフリカの熱帯雨林地域に住む、小柄な人々です。彼らも移動を繰り返し、平等に分配し、人の上に立つ者や、他人より多くのものを得ようという人はいません。

彼等や、オーストラリアのアボリジニーの歴史が、わかりにくいのは、基本的に「停滞」の文化だったからです。東アジア列島の新石器文化では、土器が1万数千前には出現し、その土器の形によって、それに付随する文化圏の時期・範囲を知ることが可能です。その土器に付随して出土するものから、その時代の社会を想像することもできます。しかし、土器を持たなかった人々、いや、モノを持とうとしなかった人々の歴史をたどることは、非常に難しいのです。彼らは、自然を生き抜く「知恵」と「体感」をきたえました。

首長もなく、物資の余剰もない社会。こうなると、富と身分・権力によって作られた文明の問題自体がなく、ブッダとかイエスとか、孔子の教えも、改めて説く必要はなくなります。彼らは、文明社会という条件下で、「その生き方でいいのか」と説いた人間だったのです。

ピグミー系狩猟民の社会には、２０００〜１０００年前、西・東・南部からバントゥー系の焼畑農民が、北部からスーダン系の農耕民が侵入してきました。

彼らの生活を含めて人類とは何かを考えてみましょう。競争心、向上心、物質欲とか、富の獲得欲というものは、本来の人間のすべてに備わっていたものではないように思えます。先に、マヤ文明が他の古代文明に比較して、数学と天文学のみが「発達」していたということを述べました。すべての人間に備わっていると思われた物質欲も、「文明」が引き起こし「発達」させた意識、そして資本制社会のもと、それを先鋭化させた意識ではないかと思われてきます。現在、人類が直面する問題は、本来の人類すべてに与えられた問題ではなく、「文明」を、さらには「資本制社会」を選んでしまった人類に突きつけられた問題と考えます。

(イ)南アメリカのナンビクワラ族

南アメリカの狩猟採集民の歴史書は、「名もなき市井《しせい》のアナログおじさん」には、とても手に入りません。その中の一部族のみを取り上げ、南アメリカ大陸全域の、狩猟採集民の歴史がどのようなものだったかは、これについての一般書が出版されることを期待します。

ナンビクワラ族は、南アメリカのブラジルの北西部・アマゾン川とトカンチンス川の間に居住する人々です。彼らは、周囲の先住民族（インディオ）とは孤立した集団を形成し、近隣のインディオの大集団・トゥピからは「耳の長い連中（耳たぶにかつて栓をはめていた）」とか、地面に裸で眠ることから「地べたに眠る連中」と呼ばれていました。住居を構成する材料名称はどれも近隣のインディオからの借用語で、もともとは家を造らなかったのではないかと見られています。裸で生活し、もともとは家を持たなかったようだと言うのが、彼らの本来の生活と見られます。

（ア）（イ）の狩猟採集民の歴史は、あまり変化が認められない、いわば「緩やかな変化」の歴史です。歴史を「変革のプロセスを明らかにし、その意味を考察すること」と捉えるならば、彼らの歴史は歴史ではなくなります。しかし、彼らはそこに生活をしていたのです。私たちは「停滞や緩やかな変化の歴史」も紹介しなければなりません。そうしなければ、「人間の歴史」にはならないからです。

（ウ）北アメリカ・極北のイヌイット

一方、イヌイットの歴史は決して「停滞」の歴史ではありません。カナダの極北地域には、4000年前に人類が移住してきました。私たちが抱《いだ》くイヌイット文化とは、雪の家・生肉を食べる、カリブーやアザラシの毛皮を着る、石ランプでアザラシの脂を燃やす、イヌゾリによる氷原の移動、海氷上でのアザラシ猟などですが、これらは古来営々と続いた文化ではないということです。

つまり、10世紀ころ、アラスカで発生し、その後、200～300年間のうちに、西は（ユーラシア大陸最東端の）チュコト半島、東はグリーンランド（北欧とカナダの間の島）まで広がった、捕鯨《ほげい》を生業とした文化で、チューレ文化と呼んでいます。低温低湿の寒冷気候に適応し、形成された文化だと言っています。

ここには、狩猟文化であり、「文明」社会との付き合いがないと言っても、気候に合わせた変化がありました。

こう見ると、狩猟採集民の歴史には、三つの類型のあることがわかってきます。

一つ目は、熱帯地域を中心に、いわゆる「文明」圏と接することなしに、続いた文化です。その中には、衣もなし、住もなし、土器もない、という民もいました。長期間、大きな変化はなく、「停滞」「緩やかな変化」の中で生きてきたのでしょう。当たり前ですが、かれらに言語もあるし、神話も伝承し、祖先から子孫に伝える文化は存在します。

二つ目は、いわゆる「文明」圏との接触がなくても、気候の変化に合わせ、生活を変えていったというものです。熱帯地域以外では、衣服や住居を必要とし、その日暮らしというわけには行きません。そこでは、季節の変化、そして気候に変動があれば、その気候に合わせ、生活スタイルを創っていかなければなりません。この変化をもとにした時代区分が必要になります。

三つ目は、第二章「東アジア列島の中世前半期」で取り上げますが、アイヌの歴史のように、いわゆる「文明」圏と接し、「文明」圏と頻繁《ひんぱん》に交流を行う地域です。これは、季節の他にも、「文明」圏から必要なモノを手にいれ、「文明」圏が欲しがるモノを売ることで、生活の変化を起こしました。ここには戦いが頻発し、貧富差が広がるようになりました。ここでは、文明圏の時代区分をあてはめることが可能になります。

そして、どの狩猟採集民にも言えることは、彼らは刻々と変わる自然現象にいかに合致して生きるかという、「知恵」の人々だということです。

（参考文献）

・森鹿三編集『分裂の時代』（新人物往来社『東洋の歴史』４）　１９６７
・外山軍治『隋唐世界帝国』（新人物往来社『東洋の歴史』５）　１９６７
・岩村忍責任編集『西域とイスラム』（中央公論社『世界の歴史』５）　１９６８
・カエサル『ガリア戦記』（岩波文庫　青４０７－１）　１９９１
・タキトゥス『ゲルマーニア』（岩波文庫　青４０８－１）　１９８８
・森本哲郎『埋もれた古代都市２（アンデスの黄金郷）』（ＮＨＫ文化シリーズ『歴史と文明』）１９７８
・『インカ帝国・三千年展』（読売新聞社）　１９７８
・江上波夫・松本清張編『古代の東アジア世界』（読売新聞）所収（佐々木高明『東・南アジアの民族と歴史』）　１９７５
・綾部恒雄監修『世界の民（光と影）（下）』（明石書店）（ブッシュマン、ピグミー系狩猟採集民、ナンビクワラ族、モトゥ族）　１９９３
・本多勝一『ニューギニア高地人』（朝日文庫　３８０）　１９８６
・岸上伸啓『イヌイット』（中公新書）　２００５

第2章　東アジア列島の中世前半期

一　中の文化圏（天皇政権の盛衰）

1　天皇政権の誕生

6世紀の日本（倭《わ》）の範囲は、ヤマト地方を中心にして、関東～九州中部でした。

6世紀初めに、応神系政権が崩壊し、それを継いだ継体《けいたい》（大王）政権も混乱の渦中にあったようです。その後が欽明《きんめい》系の政権になります。欽明は前代の応神系政権と婚姻を通じてはつながっていたものの、彼こそが、現在の令和《れいわ》の天皇につながる王統の、最初の天皇と言えます。当時は天皇の号はなく、大王《おおきみ》と呼んでいましたが、（確実にたどれるという意味での）欽明を天皇政権の始祖と見ます。と言っても、大伴《おおとも》・物部《もののべ》・蘇我《そが》などの豪族勢力が強く、欽明～崇峻《すしゅん》の4代は政権基盤が弱かったようです。

もちろん、欽明に始まる天皇が、それから1500年間、権力の中枢にいたわけではありません。12世紀には、過渡期の平氏政権を経て、武家政権が日本を支配します。

それでは、6～12・3世紀の、天皇政権の流れをどう見ますか。

6世紀の王都は代ごとに代わりますが、ほぼ、奈良県桜井市にありました。

7世紀は勃興期です。7世紀前半は飛鳥に王都があり、後半は王都がたびたび変わりますが、天智《てんじ》（中大兄皇子《なかのおおえ》）・天武《てんむ》・持統《じとう》の3代のリレーで王権を確たるものにしました。

8世紀はほぼ奈良（平城京）に王都があり、8世紀末に京都（平安京）に遷都しました。天皇政権は、8・9世紀に栄華を迎えました。

10・11世紀には地方に騒乱が起き、実権は貴族の藤原氏に握られていきます。そして、11世紀末には王家による権力奪取（院政）もあって、日本の権力が液状化し、12世紀に保元《ほうげん》・平治の乱という王都での内乱を経て、平氏政権へと移っていきます。ただ、これらは天皇政権（宮廷）内の実力者の移り変わりです。

2　中世前半期（前葉）

（1）7世紀は古代ではない、中世の始まりでないか

欽明・敏達《びたつ》・用明・崇峻《すしゅん》の4代（2世代）を経て、登場するのが聖徳太子（厩戸皇子《うまやど》）です。ここで世界基準の時代区分として、新たな主張をするので、聖徳太子について、立ち止まって考えてみます。長い間、聖徳太子は神格化され、超人のベールに覆われていました。20世紀の末からは、そのベールを剥がそうという流れにあります。

確かに、天才・聖徳太子が一人で政治を行ったのではない、人間・厩戸皇子が蘇我馬子と共同で政治を行ったのは事実でしょう。

豪族の力が強力な中、最大の豪族で、しかも親せき（大叔父《おおおじ》）でもある蘇我馬子《そがのうまこ》の力・理解がなければ、何一つ政治活動は難しかったでしょう。また、宗教的な王の権威があって、王権が保たれているのですから、推古（女帝）の承認も必要だったことでしょう。

しかし、遣隋使の派遣者は、『隋書』ではタリシヒコになっています。男性名です。歴代の大王では、神話上の大王に、足彦《たらしひこ》を名乗る人物がいます（6代孝安《こうあん》、12代景行《けいこう》、13代成務《せいむ》）。当たり前ですが、当時、王位にあった推《すい》

古《こ》は女性です。となると、隋王朝を騙《だま》したかという話になりますが、騙したのでしょう。隋の使者・裴世清《はいせいせい》は日本まで来て、タリシヒコの後宮《こうきゅう》(妃《きさき》やそれを取り巻く女官が住む奥御殿《おくごてん》)の話、妻の話、皇太子の話まで、『隋書』に載せています。ひかえ目に見ると、伝統的な祭司は推古、世俗の政治・外交は厩戸皇子の分業かと言えます(3世紀の女王・卑弥呼と弟の形です)が、それにしても推古が全く出てきません。むしろ、「日出《ひい》ずる処《ところ》の天子」を自称する、壮大な虚構(はったり)を隋の使節に見せつけたと言ってよいでしょう。それを女帝・推古が認めた、そこには推古の器の大きさと厩戸皇子の政治力があったと見ます。大帝国・中華帝国の使者が、日本の王都にやってくる、空前絶後のこの意味を、私たちはかみしめる必要があります。

隋王朝が中世国家になっていく。つまり、法による体制(律令体制《りつりょうたいせい》)、科挙《かきょ》による役人制度、仏教による国家支柱を作るという方向性を示す中で、日本の国の形もそれに向けて抜本的に変えて行こうというのは、一豪族の蘇我氏が率先して行うものではないでしょう。厩戸皇子に引っ張られて、あるいは協力を求められて、開明的な豪族として、蘇我氏がお手伝いをしたということでしょう。

彼は、十七条憲法に律令(刑法と行政法を規定して中央集権体制を敷いた、前近代の東アジアの政治の仕組み)まで求めていませんし、冠位十二階も科挙(官吏登用試験)によるものではありません。しかし、方向性として王を中心とする中央集権体制、しかも血統ではなく、能力による役人を選ぶのだという方向に向いています。律令政治に視野を持ちながら、現実的に今何ができるかを、それには誰の協力が必要かを見ています。

さて、厩戸皇子、中大兄皇子、聖武天皇……、と言えば、日本古代史の常連です。しかし、本書はユーラシア文明圏の東端の国家となった、「中の文化(日本)」を取り上げているのです。世界史的に見れば、ユーラシア大陸において、遊牧の民が農耕の「文明」地域に侵入し、それらが融合し、あるいは一段落し、新たな統一国家ができる状況を以《もっ》て、中世の開始とみなしました。その中で、東アジア部分に当たる中国や朝鮮では、律令の全国実施の隋・唐王朝や、統一新羅からを中世前半期の確立と見ました。

それなのに、なぜ日本に限って、ここが古代国家の成立になっていくのでしょうか。日本もユーラシア大陸の東端の島々として、中世世界の出現の真っただ中にいるのではないでしょうか。そして、政治体制や社会の仕組みについて、厩戸皇子の時代からは東アジア文明の中国（隋・唐王朝）から積極的に学び、それを日本式に消化しようとします。まさしく、「ユーラシア文明圏」の中世前半期の、東アジア文明の一員として存立しているのです。

そうそうたる大学者が積み重ねてきた、日本史（実際は「中の文化圏」）という一国史の時代区分までを、私ごときが否定しようというのではありません。その地域・その地域のみに通じる時代区分というのはあるはずです。しかし、世界基準から見たら、どういう時代区分に含まれるのかという見方をしているのです。

本来、その地域の王朝が、始源～興隆～衰退のパターンを示すのに、外圧によって、無理やりそれを阻止されるということがあります。厩戸皇子の政治には日本の国を積極的に作りかえ、中世国家に導こうという評価が与えられるのです。本書で言う、「歴史上の大画期」というものです。

彼が政治改革にまい進するのは、６００年に新羅《しらぎ》遠征と遣隋使を試みたときに始まり、そこからほぼ10年間のことです。仏教を国教にしようとしただろう厩戸皇子は、その後の人生を仏教の深さを探求する人物として過ごします。「世間《せけん》は虚仮《こけ》、唯《ただ》仏のみ是《こ》れ真《まこと》なり」（『上宮《じょうぐう》聖徳法王帝説』）というように、「この世はすべて仮の世界、仏のみが真実だ」という世界観を持ちます。となれば、彼は政治から一線を画し、完全に仏の道に入ったかというと、最晩年の年代に「国記」「天皇記」（この時代に天皇号はあり得ないからその名称が正しいとは思えない）の編集があったことは、王家の正当性を文化面から示そうとしたのではないかと思われます。それは隠《いん》遁《とん》生活ではありません。文化を深め、しかも国の形に文化をどう反映させるか、王家の「正統性」をどう示すかということでしょう。

日本（倭）が外交面でも古代の社会意志を脱するのは、白村江《はくすきのえ》の戦い（663年）が大きいでしょう。日本は4世紀以来、朝鮮半島南部で覇権を握っているという意識があり、6世紀半ばにその実態がなくなっても、その意識は消えませんでした。しかし、白村江の戦いで大敗し、前後して百済・高句麗が相次いで滅びる中、その意識は消さざるを得なくなりました。外交面での古代回帰はもはや許されない、ユーラシア文明圏の一員として、中世社会の道に進みます。このとき、倭が唐王朝と対立した王朝であったことを隠すためか、「倭とは別の王朝ですよ」と思わせる手段として、「日本」の国号が登場したようです（『旧唐書《くとうじょ》』）。

（2）個の無念

歴史上、理不尽な死、宗教権威による生贄《いけにえ》、権力による圧殺、「知」を使った謀略による失脚、暗殺、特に民衆は草刈りのように、大量に殺害される姿をたびたび見ます。

「非文明」社会では、餓死・自然災害などによる死が多いのでしょうが、文明社会になると、これらの小賢《こざか》しい「知」による死が増加します。

日本史上（中の文化圏）で、初めて、その生涯をたどれるのは、厩戸皇子からでしょう。彼も、妻（膳部《かしわで》夫人）とほぼ同日に亡くなる不審な死、そしてその子孫はことごとく、豪族・蘇我入鹿《いるか》に滅ぼされました。ただし、「尊敬される」一族（「聖徳」太子の子孫）が、「憎まれる」べき入鹿のみに滅ぼされたという物語は、あまりに短絡的です。軽《かる》王（後の孝徳天皇）らも、からんでいたのではないか、何よりも『日本書紀』の話の持っていき方を信用しすぎないことが重要です。

ところで、人々の一生をたどれるようになると、人間の一生の形とは何か、ということが見えてきます。

崇峻《すしゅん》天皇、山背大兄皇子《やましろのおおえのおうじ》、孝徳天皇、有間《ありま》皇子、大友皇子、大津皇子、長屋王、早良《さわら》親王……。

彼らはたまたま、その地位にいたために、その存在自体を邪魔《じゃま》に思う権力者によって、謀略、多くは無実の罪で殺害されました。

また、遣唐使と言えば、最澄《さいちょう》と空海が有名です。彼らの乗船した2船こそは無事に唐に着きましたが、他の2船は遭難しています。その2船にも、優れた僧や官僚がいただろうに、その人生は絶たれます。

大部分の人たちが、それこそ権力を使い、謀略を使い、要領よくお上手に生きた人も含め、自らの思惑《おもわく》と違い、無念の人生で終えています。

誰もが無念の死を遂げる、まして歴史に名を残さない圧倒的多数の民衆は、無念を語る場さえなく、野垂《のた》れ死にしていったのでしょう。そうした人々を含めての人生は何なのかということです。

逆に言えば、皆、無念の死を迎えていいのだと思います。時間と空間という枠にひしめき合って生きる私たちには、思惑《おもわく》とまったく違う事態が生じます。権力者個人や、支配者層の手前勝手な仕組みや社会意志、そして自然現象などの不可抗力などに左右され、誰もの人生にも完結はないと言えます。思い通りにならないからこそ、人生に「学び」があるのです。せいぜい、自分に与えられた限られた生命が歴史の中でどこに位置し、何に使うかということを歴史から学びたいものです。

3　中世前半期（中葉）

東アジアの覇権国家・唐王朝は7世紀後半〜8世紀前半に、興隆期を迎えました。玄宗の時代に起きた、安史の乱を境に、下降期に入ります。

隋・唐王朝から学んだ日本は、隋・唐王朝よりも、興隆期・下降期にずれがあります。その期間は数十年から1世紀ということでしょうか。

8世紀初頭の10年間に、日本は大宝律令《たいほう》を作り、和同開珎《わどうかいちん》を作り、平城京を作ります。そして、次の10年間で、天皇が日本を統治する正統を示すために、『古事記』『日本書紀』『風土記《ふどき》』などの編纂を進めます。大宝律令の規定が、能力のみの「厳然たる役人選び」ではなく、有力貴族が有利になるように仕組まれていたとか、和同開珎の前に富本銭《ふほんせん》があったとか、和同開珎自体も流通の貨幣よりも褒美として与えたとか、平城京には城郭としての機能がなかったなど、唐王朝と比較すると、日本のルーズさが目に付きます。外来のものを日本風に消化し直したのです。しかし、細かな点は、その時代の詳細な歴史研究者に任せることにして、大まかに見たら、日本は天皇を核とする中央集権体制が確立していったと言えるでしょう。

その結果、天皇の指令のもと、日本中の富や人民をかき集め、大規模な事業が可能になります。国ごとの国《こく》分寺《ぶんじ》・国分尼寺《こくぶんにじ》づくり、東大寺の大仏作り、（藤原道長・平清盛・足利義満・豊臣秀吉と並ぶ「栄華」を極めた）聖武天皇の気まぐれとしか思えない、数年間に王都を何度も変えるなどという事態は、この体制にあったがために可能だったのです。ただ、聖武は王朝国家の「栄華」の頂点にいたのに、天然痘でバタバタ死んでいく人々、人の力では抗《あがら》えないものを見ます。彼には権力闘争を勝ち抜いて、権力を奪い取ったのではない、天武・持統夫婦の直系が王位を継ぐように、歴代の女帝たち（元明・元正）がお膳立《ぜんだ》てをしてくれて王位に就いた故《ゆえ》の、ひ弱さがあります。ただ、この女帝たちは、決して中継ぎのお飾りだったのではない、彼女たちの時代に、奈良の都が作られ、養老《ようろう》律令がつくられ、天皇政権が確たるものになりました。

8世紀末の桓武《かんむ》は前代から受け継いだ律令体制のもと、長岡京、そして平安京遷都を行い、さらには10万に及ぶ大軍でエミシの居住圏に遠征するなど、強大な権力のもと、やりたい放題です。だが、天皇政権の絶頂期の桓武にして、無実の罪を押し付けて、死に追いやった弟・早良《さわら》親王の祟《たた》りに怯《おび》え、死んでいきました。ここには、始皇帝・煬帝などから連なる最終勝者の、権力の虚《むな》しさしかありません。

そして、8世紀末には、中央軍を縮小します。軍事力は地方の健児《こんでい》、王都・平安京の治安活動を扱う検非違使《けびいし》だけになってしまいます。新羅・唐などの対外戦争の可能性はない、エミシへの侵略戦争もやめてしまったなら、大軍の常備軍は経費の無駄と考えたのでしょう。

日本から侵略行為を起こさない限り、外からの攻撃にさらされることは、ほとんどない、したがって、対外的な常備軍は無駄だという、日本の地勢条件に気づいたのです。これは19世紀に蒸気船が発明されるまでの常識になりました。

そういうことから、8世紀初頭から、9世紀初頭にかけて、日本の中世前半期の体制は唐の衰退を横目に見ながら、全盛期を迎えたと見ます。

4　中世前半期（後葉）

(1) 天皇政権の衰退

日本の「中世」前半期の下降は、いつから始まったのでしょうか。

天皇政権のもとで、何度か、権力闘争があります。

①薬子の変（８１０年）、②承和《じょうわ》の変（８４２年）、③応天門の変（８６６年）、④安和《あんな》の変（９６９年）などの事件がそうです。

このうち、①の後は、平城京（奈良の都）への回帰は否定され、嵯峨《さが》系と淳和《じゅんな》系（ともに桓武の子ども）の王位迭立《てつりつ》（賛わる賛わりに位に就くこと）時代という安定時代を迎えます。②は天皇家と婚姻関係を結ぶことで、権力の座を登りつめようという藤原北家（藤原房前《ふささき》の子孫）の争いであり、②・③を踏まえて、藤原良房《よしふさ》の発言権が増大（臣下初の太政大臣・摂政《せっしょう》となる）していきます。藤原良房こそは、王家の権威を骨までしゃぶり、権力を獲得した人物です。良房、（その養子）基経《もとつね》が天皇の政治を肩代わりし、摂政・関白（天皇より先に奉状を一覧し、天皇を補佐する）の位に就きました（藤原摂関家《せっかんけ》）。王家内の相続争いを防ぐ知恵として、直系相続（文徳・清和・陽成）にしたのが、結果、幼王が出現して、臣下に実権を奪われる道を開いてしまいました。

こう見ていくと、9世紀後半というあたりが、天皇権力の下降期に向かう時期に入り、興隆期は過ぎたかという雰囲気があります。

日本が中央集権国家になった時点で開始した官選史書は『日本書紀』から6書ありますが、その最後の『日本三代実録』は光孝の代（887年）でおしまいになります。和同開珎以来、鋳造《ちゅうぞう》してきた貨幣（皇朝十二銭）は958年の乾元通宝でおしまいになります。これらの事象は、天皇が圧倒的に権力を持っていた時代、日本の富と人民を支配していた時代がゆるやかに下降期に入ったということです。

10世紀初め、宮廷内では藤原時平（左大臣）が、菅原道真《みちざね》（右大臣）を無実の罪で陥《おとし》れ、左遷《させん》し、道真はその地（太宰府《だざいふ》）で亡くなりました。その後の時平側の相次《あいつ》ぐ病死、宮廷への落雷は、道真の祟《たた》りとされ、宮廷内は異様な空気になります。陥れたものによる祟りという想いは、それ以前からありましたが、天皇政権の下降期にさしかかり、それが重くのしかかるようになりました。

（2）平将門と藤原純友の決起

唐王朝は、8世紀の安史の乱から、衰退期に入っていきました。

唐王朝の滅亡は、周辺国家の滅亡にも直ちに影響を与えたことは、第2編で述べました。具体的には、新羅・渤海《ぼっかい》の滅亡です。

日本はどうでしょうか。

935年、関東で、在地領主化した平氏一門の中で、勢力争いが起きます。当初は、平将門《まさかど》と、叔父たちの争いでしたが、叔父たちに勝利した将門は関東独立を目指します。939年には関東の各国府を襲撃し、自ら「新《しん》皇《のう》」を名乗り、坂東《ばんどう》8ケ国（関東）を領し、左右大臣や国司《こくし》（国の長官）を置きました。結局、平将門の独立戦争は、平貞盛、源経基《つねもと》、藤原秀郷《ひでさと》によって、鎮圧されました。平貞盛は平清盛の、源経基は源頼朝の、藤原秀郷は（奥州）藤原清衡《きよひら》の祖先に当たり、「中世」後半期を作っていく立役者の祖となりました。

藤原純友《すみとも》は、伊予《いよ》国（愛媛県）の上級役人でした。もともとは瀬戸内海に出没する海賊を鎮圧する側にいました。海賊は海上交通を支配していましたが、純友は彼らを手なずけていたようです。しかし、海賊を徹底して滅ぼそうとする藤原子高《さねたか》が備前《びぜん》介（地方の国の長官が守《かみ》、次官が介《すけ》。備前は岡山県）に任ぜられると、いきなり兵を率いて海賊になりました（939年）。政府は、同時期に起きた将門対策を優先し、純友に官位を与えて、東西同時戦争を防ごうとします。しかし、将門が敗れると、将門に勝利した平貞盛・源経基を純友戦に向けて出陣させました。純友は海賊軍で縦横無尽、940年8月伊予・讃岐《さぬき》（香川県）を襲ったかと思うと、10月には安《あ》芸《き》（広島県）・周防《すおう》（山口県）、11月には土佐（高知県）へ、941年5月には太宰府《だざいふ》（福岡県）を襲いました。しかし、ここから政府軍の反撃が始まり、6月、純友と子の重太丸が討たれました。

東西にわたって、独立圏を作ろうという試みは結局、失敗に終わりました。しかし、その勢力を滅ぼしたのは中央の政府軍ではありません。そもそも、桓武期の大遠征を境に、中央の政府軍はありませんでしたから、新たに登場した武士によるものでした。また、後の平氏が瀬戸内の交易権を握り、源氏が関東に政府（幕府）を開くという基礎が、この東西の決起に見られたとも言えます。

(3) 保元《ほうげん》・平治《へいじ》の乱

11世紀は藤原摂関家の全盛期、11世紀末には王家側の逆襲・院政が行われます。いずれも王を幼王にする方法を取ります。王を幼王にすることには思惑がありました。子どもが小さいうちに王の跡継ぎに指名し、自分の子孫に王家を継がせたいという思惑です。ただ、宮廷内に武力闘争は起きません。貴族の時代を通じた怨霊《おんりょう》信仰こそは、日本国内に平和をもたらす一因になりました。「政敵」を武力で葬ることをしない、そのための社会意志になりました。人はいかに生きるか、何を怖れるか、そういう社会意志こそが世の中のありようをつくるのです。

だが、王家内では白皇上皇《じょうこう》（上皇とは元・天皇）の野放図な淫乱（何と、孫の鳥羽天皇の妻・璋子《たまこ》に白河の子、崇徳《すとく》を生ませる）が、対立を起こしました。

ただ、彼らは政治の実権を握っていても、武力がありませんが、この時代には武士勢力が成長していました。唐が安史の乱でウイグル族を活用したように、天皇政権内の争いもやがて、武士による決着を付けることにしました。12世紀半ばの保元の乱・平治の乱がそれに当たります。

武士という職種は、開拓農耕地・経営の自衛のために生まれたもの、あるいは平安京の治安維持のために生まれたのと、二つの流れがありました。平氏と源氏はそれらを合体し、地方の組織を基盤にし、天皇政権の治安維持活動をしていました。この農耕地とガッチリ結びついた武士を前期武士とします。政権内の内部対立に決着を付け、彼ら武士の実力を見せつけたのが、保元《ほうげん》の乱・平治の乱だったと言えましょう。

ここで、6世紀半ばの欽明以来続いた天皇政権、そして厩戸皇子が始めた中世前半期からの一つのサイクルが終わりに近づき、武家政権による中世後半期に変わっていったと見られます。

日本の場合、王家の系譜は続きます。保元・平治の乱を経ても、王一族は滅ぼされるわけではなく、一気に勢力が衰えるわけでもなく、少しずつ衰退し、しかし、権威だけは持ち続けます。その後、勢力回復を目指す活動も起きます（建武《けんむ》の新政）が、時間を巻き戻すことはできません。つまり、世界基準から見たら、日本の覇者は平氏政権という過渡期を経て、12世紀末をもって、宮廷勢力から武家勢力に交代したと見てよいでしょう。

二　北の文化圏（原アイヌ）

原アイヌ文化の展開

（1）オホーツク文化の出現

ユーラシア大陸の古代末期は、遊牧民を中心に、北方の民が南下し、温帯地域の古代諸国に侵入する時代でした。それは、温帯地域だけではありません。その渦中の周辺地域にも、影響を与えたようです。東アジア列島の「北の文化圏」の担い手は狩猟採集の民であり、かつ、ユーラシア大陸の東端という地理にあったため、ユーラシア文明圏の古代末期の影響を受けます。

5世紀ころ、サハリンのオホーツク文化が南下してきました（中世前半期前葉）。遊牧民の南下に影響されたのか、北方勢力のオホーツク文化は、道北・北海道オホーツク海岸、さらには南千島まで広がっていきました。オホーツク文化は、明らかにアイヌ文化とは違います。海獣狩猟、ブタを養う、クマを宗教的に重要視するという生業や文化を持っていました。クマを宗教的に重要視するとなると、アイヌ文化のイヨマンテ（クマの霊送り）を思い浮かべますが、この時代の原アイヌ文化（擦文《さつもん》文化）にはそういう風習はまだなかったようです。原アイヌとオホーツク文化人との戦いは阿倍比羅夫《あべのひらふ》の遠征（658～660年）の、渡島《わたりしま》蝦夷《エミシ》と粛慎《ミシハセ》の戦い（『日本書紀』）を示したものと見られています。東アジア列島の最北域は、オホーツク文化の領域になりました。オホーツク文化の首長は、640年、唐王朝と接し、「流鬼」と呼ばれました。

（2）原アイヌ文化の拡大

北海道・東北地方北部の新石器文化圏から、アイヌ文化が生まれます。

紀元前後に金属器が日本から伝わり始め、石器、そして土器の使用もなくなるのは、12・3世紀ころの話です。この12・3世紀以降の人々をアイヌと言っています。そして、北日本型の新石器文化期からアイヌ文化期の間の時代の人を、原アイヌと呼んできました。

狩猟採集の民でありながら、新石器を捨て、鉄器社会になる、それは単なる流行の変化ではなく、利器の変革ですが、緩やかな変革と言えます。

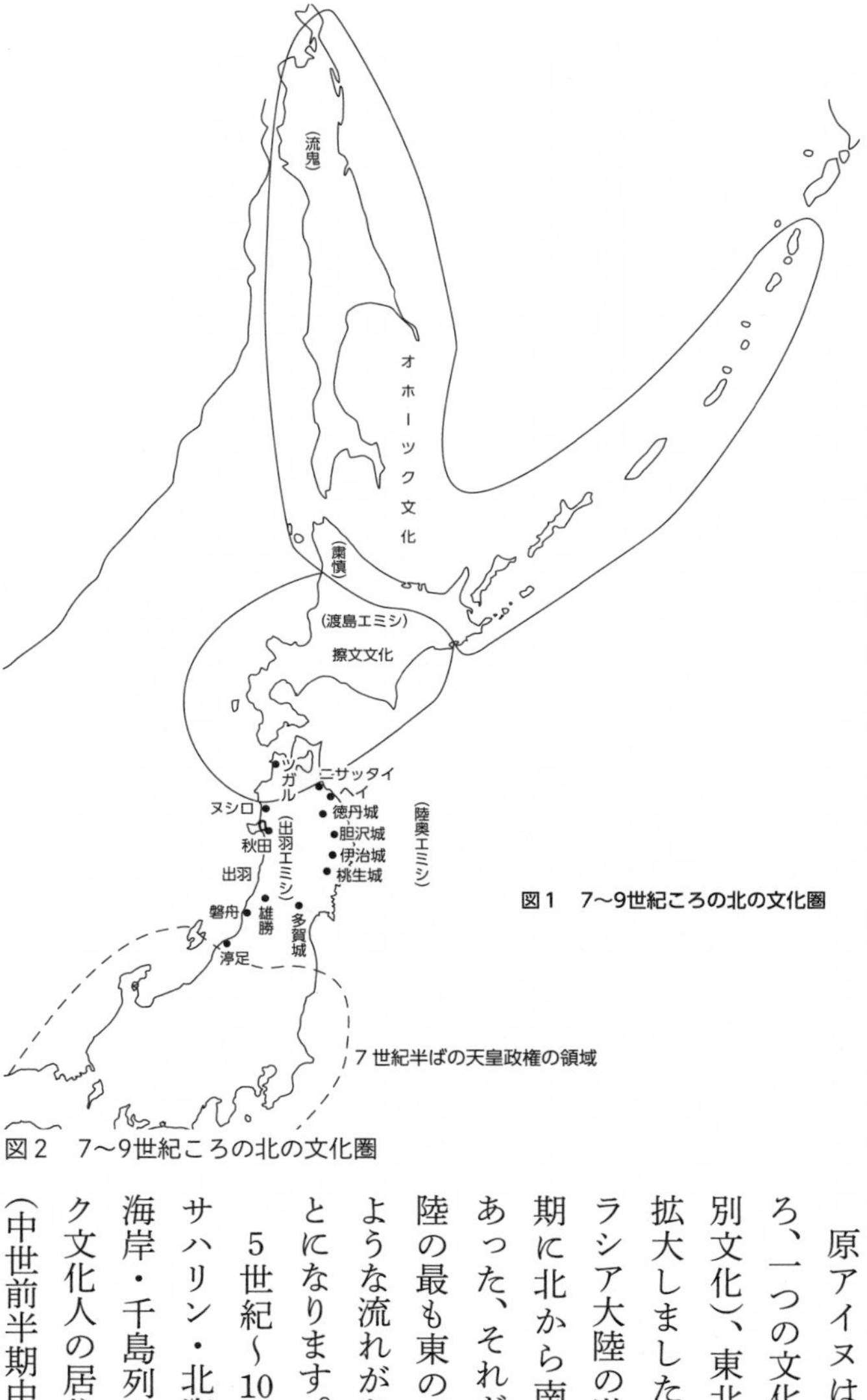

図2　7～9世紀ころの北の文化圏

原アイヌは、4・5世紀ころ、一つの文化にまとまり(江別文化)、東北地方北部にも拡大しました。これも、ユーラシア大陸の遊牧民が古代末期に北から南への大移動があった、それがユーラシア大陸の最も東の部分にも、同じような流れがあったということになります。

5世紀～10世紀にかけて、サハリン・北海道オホーツク海岸・千島列島は、オホーツク文化人の居住圏になります(中世前半期中葉)。

しかし、原アイヌ（擦文《さつもん》文化人）は、10世紀辺りから北海道北部、そして北海道東部に領域を広げ、それは北海道のオホーツク文化の消滅と関係します。北海道のオホーツク文化は原アイヌの領域拡大によって、順次、吸収されていったのです（中世前半期後葉）。

（3）アテルイの戦い

そのころ東北地方では……。8世紀末～9世紀初頭にかけて、胆沢《いさわ》（岩手県奥州《おうしゅう》市）首長のアテルイが中心になって、天皇政権（桓武天皇）の蝦夷《エミシ》（東方・北方で天皇政権に従わない民）侵略に、徹底抗戦をします。この戦いは8世紀～9世紀初頭の、天皇政権の北方侵攻史から見ていかなければなりません。いわば、天皇政権が興隆期を迎え、その有り余る力を以《もっ》て、東北地方のエミシの大地を侵略したというものです。

日本史書に登場する蝦夷《エミシ》が原アイヌか否かは、一律に言い切れません。おそらく、エミシの中に、原アイヌもいたというところが事実なのだと思います。

7世紀末～8世紀初頭、天皇政権は越後《えちご》（新潟県）地方のエミシ首長に位階を与えつつ、磐舟柵《いわふねのき》を修理します（700年）。北陸地方にエミシ遠征のために造船を命じます（709年）。出羽柵《でわのき》（733年までは山形県西田川郡）に兵器を運び、東国の兵を使い、派兵したようです。まもなく、侵攻地域に、東国の人々を移し、開墾させました。同時に、東北地方のエミシを、九州・四国を含む全国に分散させ、強制移住させました。東北地方を農耕地帯にし、天皇政権の収益を上げようという国策でしょうが、開拓民にされた和人、強制移住させられるエミシにとっては、とてつもない迷惑な話（人生設計を狂わせる）です。

天皇政権は東国出身の防人《さきもり》（北九州守備兵）を停止し、東国の住民を陸奥《むつ》国（東北地方太平洋岸）に向けました。東北地方の侵攻の拠点であり、政治の中心地でもある多賀《たが》城（宮城県多賀城市）と出羽国府《こくふ》（山形県酒田市）から、さらに北方に桃生《ものう》城と雄勝《おかつ》城を築城し、開拓民を移住させました。767年には伊治《これはる》城を築き、移民を勧めました。

しかし、ここで潮目が変わります。エミシの反転攻勢が始まったのです。769年、ウカメ君ウクハウらが一族を率い、出身地に戻り、天皇政権の城柵に侵入すると言い放ちます。774年に、エミシは桃生城に侵攻、シワ地方のエミシによって、出羽軍は敗れました（777年）。780年には、天皇政権の一大拠点・多賀城に、伊治首長呰麻呂《あざまろ》が侵入し、多賀城は陥落しました。拠点を失った天皇政権に、イサセコ、ショコウ、ヤソシマ、オトシロなどのエミシがゲリラ戦を繰り広げました。

これに対し、桓武天皇は天皇政権の威信をかけた、「北の文化圏」への、特大の軍事行動を行います。桓武は789年、紀古佐美《こさみ》を征東大将軍にして、5万の兵で第1回遠征を行います。しかし、胆沢のアテルイの巧妙な作戦にはまり、撤退します。

794年、大伴弟麿《おとまろ》を征夷《せいい》大将軍（最初の「征夷大将軍」。文字通り「夷《エミシ》を征する」将軍の意味）にし、10万の兵で第2回遠征を行います。彼らは無残にも、457人のエミシの首を討ちとり、75か所を焼き払いました。

801年には坂上田村麻呂《さかのうえのたむらまろ》を征夷大将軍にして、4万の兵で第3回遠征を行います。田村麻呂は戦闘よりも戦略を重視し、胆沢エミシの近隣に、胆沢城を築きました。じり貧を恐れたアテルイ・モレなどの首長は、降伏を申し出ました。天皇政府はアテルイ・モレを河内《かわち》国杜山で殺害させました（802年）。

エミシの主たる抵抗地域が敗れたため、天皇政権はさらに北上し、志波《しわ》城（803年）、徳丹《とくたん》城（814年）を築城させますが、ここ（岩手県）までが天皇政権の北上限界地となり、それ以上の侵攻はやめました。

天皇政権が欲しかったのは、稲作可能な温帯地域で、稲作に適さない冷涼な地域は必要としませんでした。ここに、稲作農耕国家・日本の原形を見て取れます。しかも、さらに北上すれば、ツガル（青森県）エミシという強大な勢力との戦いにもなります。ツガルエミシがどれほどの勢力なのか、把握できないままの、勢力拡張は、天皇政権から見て無謀です。

この天皇政権の東北戦争は世界基準から見たら、どう映るでしょうか。それは、東アジアで、唐の太宗らが対外戦争を行い、領域を拡大したように、あるいはイスラム帝国が領域を広げたように、天皇政権はそれよりははるかに規模の小さな王朝ではありますが、中世前半期の王朝の興隆期の事象と見ることができます。

しかし、東北地方のエミシの地に、勝手に侵攻し、そこを稲作地帯に開墾し、その人々を日本中に移住させ、抵抗すれば、数万の大軍で押し寄せ、集落を焼かれ、首を刎《は》ねられ、馬を殺される・・・。王朝の興隆とは何なのか、それは輝かしい時代だったのか、桓武は「英雄」なのか、現代に生きる一人の人間として、よくよく考えたいものです。

(4)アキタエミシの戦い

天皇政権の強引なエミシ侵攻は、同政権の興隆期に対応するものでした。

9世紀になると、天皇政権は緩やかな下降期に入ります。その前の時代に、エミシ居住圏にすさまじい侵攻をしましたが、今度はエミシ側がジワジワとした反転攻勢に出ます。そして、それが一気に大きな決起になったのが、アキタエミシの戦いです。

878年、天皇政権の北方・日本海岸の拠点・秋田城がエミシの襲撃を受けました。アキタエミシ勢は出羽《でわ》国軍を破ったため、出羽国は上野《こうずけ》国(群馬県)・下野《しもつけ》国(栃木県)にも援軍を求めます。ここでアキタエミシは「アキタ川(雄物《おもの》川)より北をエミシの領域にするように」という、境界線の確定を要求しました。さらに、アキタエミシは陸奥《むつ》国軍も破りました。

ここで注目することは、天皇政権側には、もはや中央から派兵することさえできなくなったということです。天皇は若くして、問題行動を引き起こす陽成《ようぜい》で、政治は摂関家の藤原基経《もとつね》が握っています。しかし、彼らに権威や経済力があっても、それを外に向ける力は皆無です。北方で事件が起きても、現地に任せ、当事者能力などなくなっていたようです。それは藤原摂関家の社会意志と言っていいもので、かれらが多少でもいい、外交なり、軍を派兵することなど考えられません。

結局、天皇政権は、話し合いを行います。藤原保則《やすのり》を起用し、保則はエミシ語（アイヌ語か？）を話せる小野春風を交渉に当たらせました。そして、国司の非を認め、高圧的な接触を行わないことを約束しました。和人の権力者が北方の民に政治の非を認めたのは、21世紀の現在に至るまで、これが唯一のことです。

ただし、保則は人格者ゆえに謝罪したというよりも、なかなかのやり手です。渡島《わたりしま》エミシ（原アイヌ）やツガルエミシが、アキタエミシ軍に加わることを恐れ、分断工作を行っていました。こうして、孤立したアキタエミシと、天皇政権の役人の間で、和平が成立し、アキタエミシの戦いは終わりました。

(5)「北の文化圏」と中世前半期

「北の文化圏」における、中世前半期について考えます。

いや、そもそも、狩猟採集社会に、「中世」という時代区分を使うことが妥当なのかどうか。

本書は、日本列島の歴史を「北の文化圏」「中の文化圏」「南の文化圏」と分けたわけではありません。ユーラシア大陸の東の列島を東アジア列島と名付け、それはサハリン・千島列島・北海道・本州・四国・九州・南西諸島・台湾を指しました。そして、その東アジア列島の歴史を、世界史基準で見てみたいと考えたのです。

そういう視点で、東アジア列島の「北の文化圏」を見たら、どうなるでしょうか。

ユーラシア大陸東部では、10世紀初頭に唐王朝が滅び、新羅、渤海も相次いで滅びました。この段階が中世前半期のピリオドと考えました。実は、この時期に、北海道でも、オホーツク文化が原アイヌの擦文《さつもん》文化と融合し（トビニタイ文化）、やがて擦文文化（原アイヌ）に吸収されていったのです。これは、原アイヌ文化圏に和人から鉄器が流入し、北方での立場が優位になったことも考えられますが、オホーツク文化がユーラシア大陸の変動を受け、弱体化していったという見方もできるのです。

これは、大陸の影響を直接に受けまいとして、大陸との正式の国交を絶った（遣唐使廃止《けんとうし》）日本（中の文化圏）よりは、はるかに強い影響を受けたということでしょう。そのため、東アジア列島の「北の文化圏」では、10世紀ころに、唐王朝の滅亡に関連する東アジアの激動（新羅や渤海の滅亡など）を受けたものと見られ、新たなステージに入る移行期になります。したがって、「北の文化圏」も、「中の文化圏（日本）」と同様に、中世前半期の社会に入っていたと言えるでしょう。

三　南の文化圏（台湾・南西諸島の新石器文化）南の文化圏の形作り

1　台湾

東アジア列島の、南の文化圏は地理的に台湾・南西諸島を指します。ここは世界の「非文明圏」の「オーストラリア・太平洋」地域に含まれます。

日本において、台湾の歴史を記した一般書は、ほとんどありません。

そして、何とか見つけても、17世紀にオランダが台湾島北部の一端に、侵略拠点をつくったところから始めることが多いです。いわゆる「文明」史観と言えます。このとき、台湾の先住民族についても記載する書があっても、17～20世紀に「観察」した文化人類学の成果を示すのみです。つまり、台湾島に人が渡ってから、16世紀までに、どういう歴史をたどったか、知ることはほとんどできないと言えます。

（数え方によって違いますが）十数民族が台湾島で千年も、二千年も、同じ生活を行っていたのでしょうか。

私の手元には、国分直一『台湾考古民族誌』という研究書があります。論文集・調査集であり、台湾史の基礎知識のない私には、大変読解しにくい書ですが、ここから理解できる史実を示していきましょう。

台湾の「先土器」文化としては、長浜文化と呼ばれる石器・骨角器《こっかくき》を用具とする文化がありました。乾元洞が１万５０００年前、潮音洞が５４２０±２６０Ｂ．Ｐ、あるいは５３２０±２６０Ｂ．Ｐという年代が与えられています。

台湾は、20世紀まで石器時代です。17世紀以降、海岸部を中心に、いわゆる「文明」国の争奪の歴史がありますが、台湾島の大部分を占める山岳部では石器を使う諸民族が生活していました。したがって、台湾の歴史は、人類が渡来してからずっと石器時代ということになります。

その一方で、ある時期から土器を使うようになりました。その土器の変容を利用した時代区分が可能になります。国分氏は日本の学者・台湾の学者・中国の学者による時代区分をそれぞれ説明していますが、統一した見方をどうしたらよいか、判断に苦しみます。とりあえず、国分氏の紹介した論文から、こういうことは言えるだろうと言うことを抽出していきます。

台湾の「縄文」文化は粗縄文土器の時代と、細縄文土器の時代に分けることができるそうです。実は「縄文土器」という用語自体に「日本国」の土器というニュアンスがあり、日本の植民地政策を肯定するようで、この用語を否定したいのですが、今はそれを修正するだけの知識を持ち合わせていません。従って、最新の知識・最新の用語がわかれば、いつでも修正します。

このうち、前者は紀元前３０００年以前という年代を与えられています。また、中国の韓起氏は東南アジアのタイ北部や、ベトナム、あるいは中国東南沿岸の文化の影響を受けたのではないかと言っています。後者は紀元前２５００〜２０００年の年代が考えられています。

次は龍山形成期と呼ぶ時代で、大丘園相と営埔相の時代に分けています。土器の性質によって、前者は素面紅陶期（紀元前２０００〜１５００年）、後者は素面灰黒期（紀元前１５００〜Ａ．Ｄ．７００年）とも言っています。

台湾の先住民族の言語は、大きくアウストロネシア諸言語（南方諸言語）に含まれます。アウストロネシア諸言語は、インドネシア諸言語・メラネシア諸言語・ポリネシア諸言語に分かれます。台湾の先住民族の言語、アミ族・パイワン族・アタヤル族の言語は、インドネシア語（マライ語）、タガログ語（フィリピンの先住民族）などとともに、インドネシア諸語に含まれます（安本美典・本多正久『日本語の誕生』）。

台湾の先住民族の文化は、東南アジアの文化圏に入ると言えるでしょう。

2　南西諸島

(1) 南西諸島の三文化圏

九州より南部、台湾との国境までの島々を南西諸島と言います。

ここに人間の足跡（遺骨）が見つかったのは、那覇市山下洞人が3万2千年前、港川人が1万8千年前とされています。特に、港川人はほぼ全身の、完全な姿の遺骨です。ただ、この港川人は、現在の沖縄民とは、つながらない可能性があります。

その後、南西諸島に、人が住み始めるのは６６００年ほど前、爪形文《つめがたもん》土器からと言われています。続いて、４８００年ほど前の曽畑式土器が見つかりますが、その後、数百年間、空白の時代になります。結局、南西諸島に、現在につながる人が住み始めたのは、３０００〜４０００年前からと見られています。

さて、南西諸島には、さらに三つの文化圏に分かれます。日本の「本土」文化圏に属する種子島《たねがしま》・屋久島などの北部文化圏、日本本土の新石器人が南下して、独自の文化を形成した沖縄諸島を中心とした中部文化圏、フィリピンやインドネシアの影響を受けた先島《さきしま》諸島（宮古《みやこ》・八重山《やえやま》諸島）の南部文化圏です。

先島諸島には、３６００年ほど前に下田原《しもだばる》式土器の文化が誕生します。しかし、紀元前後には土器が消滅し、土器を持たない南方系の文化が成立しました。

(2) 沖縄語の成立

日本列島の言語は、大きく、アイヌ語・日本語・沖縄語が存在します。もちろん、それぞれの言語には方言が存在し、例えば、薩摩《さつま》（鹿児島県）方言と津軽《つがる》（青森県）方言とは、大きく離れていて、両者の会話は難しいと考えたほうがいいくらいです。

このうち、アイヌ語は日本語とは明らかに違う言語です。しかし、沖縄語はそうではありません。一見、日本語とずいぶん違うように見えても、基本的な文法が一致し、単語も古い時代の日本語が含まれています。遠い時代、日本語が南下して、沖縄語になったと言えます。それでは、沖縄語は日本語の方言なのでしょうか。

服部《はっとり》四郎の仮説をもとにすると、沖縄語は2・3世紀〜6・7世紀ころに出現し、「方言化」の傾斜を11・12世紀と見ます。つまり、2・3世紀から6・7世紀にかけて、日本語祖語から本土に広がっていく日本語と、九州を経て南の島々に渡っていく沖縄語に分岐したと見ています。その場合、沖縄語が流入する前にも、人が住んでおり、何らかの言語を使っていたことになります。それがどういう言葉か判断できません。

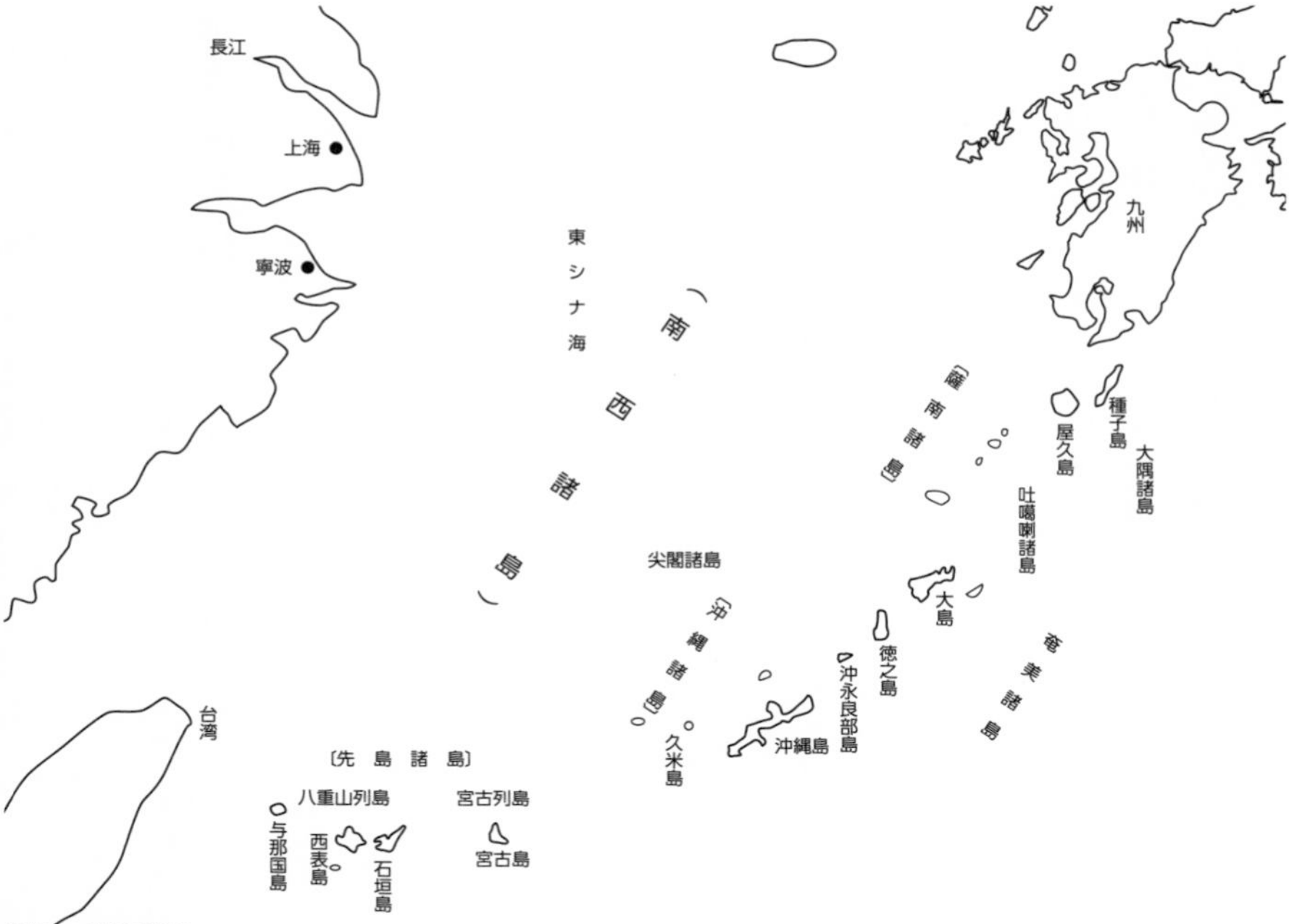

図3　南西諸島

(3) いわゆる「文明圏」との接触をどう見るか

「南の文化圏」は、ユーラシア大陸の古代・中世前半期の影響をあまり受けないまま、新石器時代を続けていきました。しかし、そうは言っても、中国や日本からのアプローチは何度かあり、記録に残っています。

『隋書』には、今の台湾か沖縄か判然としませんが、「流求国」に関する記録が残っています。そこには、「流求国」人の風習が20数項目、載っています。

６１０年、隋の煬帝は兵１万を琉求に差し向けました。流求（台湾にしても、沖縄にしても）は新石器時代で、ポラタントンという人物を臨時の総首長にしますが、ポラタントンが敗れると、バラバラの対応になりました。しかし、亜熱帯の石器文化圏を奪っても、そこから税を収奪できるわけでもない、「王化」を慕って貢物を持ってくる「王」がいるわけでもありません。「文明」化した物質に関心を持たない人々にとって、「権力のまばゆさ」など、どうでもよかったのでしょう。以後、隋・

唐王朝が「流求国」に遠征する記録はありません。

『日本書紀』には、616年に屋久《やく》島の人が「帰化」したという記録が見えます。620年には屋久島の人が伊《い》豆《ず》(静岡県)に漂着したと言います。

699(文武3)年には、種子島《たねがしま》・屋久島・奄美・度感(徳之島か)などが産物を献上しました(『続日本紀《しょくにほんぎ》』)。

714(和銅7)年には、日本の役人が奄美・信覚(石垣)、球美(久米《くめ》)などの島民52人を率いて、平城京に戻ってきました。

しかし、一過性として、台湾・南西諸島に、中国や日本からのアプローチがあっても、この時代の「南の文化圏」は総体として、どこの国にも属さない、石器文化を続けていたというのが、本質的な見方になるでしょう。したがって、「南の文化圏」については無理に「中世」前半期という時代区分には当てはめはできません。

(参考文献)

・舎人《とねり》親王編・宇治谷孟訳『日本書紀』(上・下)(講談社学術文庫833・834)　1988・1990
・菅野真道編・宇治谷孟訳『続日本紀』(上・中・下)(講談社学術文庫1030・1031・1032)　1992・1992・1995
・直木孝次郎『古代国家の成立』(中央公論社『日本の歴史』2)　1967
・金富車武著・金思火華訳『三国史記』(上)(六興出版)　1980
・金富車武著・井上秀雄訳『三国史記』(2)(平凡社『東洋文庫』425)　1987
・吉川真司『飛鳥の都』(岩波新書『日本古代史』③)　2017
・坂上康俊『平城京の時代』(岩波新書『日本古代史』④)　2016

・川尻秋生『平安京遷都』（岩波新書『日本古代史』⑤）　２０１６
・古瀬奈津子『摂関政治』（岩波新書『日本古代史』⑥）　２０１７
・吉田孝『飛鳥・奈良時代』（岩波ジュニア新書『日本の歴史』②）　２０１６
・保立道久『平安時代』（岩波ジュニア新書『日本の歴史』③）　２０１６
・平山裕人『地図でみるアイヌの歴史』（明石書店）　２０１８
・国分直一『台湾考古民族誌』（慶友社『考古民俗叢書』18）　１９８１
・安本美典・本多正久『日本語の誕生』（大修館書店）　１９７８
・高宮広士『島の先史学』（株式会社近代美術）　２００５
・新城敏昭『高等学校・琉球・沖縄史』（東洋企画）　１９９８
・外間守善『沖縄の歴史と文化』（中公新書７９９）　１９８８

第三編　中世後半期と「非文明」社会

第1章　ユーラシア大陸の中世後半期

約千年前の人類の生業とそれに基づく社会には、大きく三つの形がありました。

（1）狩猟採集、（直放）農耕社会　（2）（集約）農耕社会　（3）遊牧社会

このうち、古代国家を出現させたのは、（2）と（3）でした。

農耕社会と遊牧社会の関わりでできた国家の時代、それを中世と言いました。

第二編で、ユーラシア大陸の中世として、前半期と後半期を示しました。北方ユーラシアの民が南下する波が二波あったからです。

前半期は、アジアの五胡十六国、ヨーロッパのゲルマン族大移動に始まり、隋・唐王朝、イスラム帝国の興隆を経て、やがてこれらの国家が衰退していく時代でした。

後半期は、これから述べるモンゴル族がユーラシア大陸を圧巻する時代を頂点にして、「北方ユーラシア圏」の勃興から衰退までを示したものです。このとき、前半期を支えてきた勢力が衰えると、たたみかけるようにして、後半期の新勢力が勃興します。第三編では、中世後半期の、遊牧民の大膨張の時代と、同時代の他の地域を取り上げます。

古代・中世は王朝国家の時代です。大小さまざまな王朝国家が始源期に「英雄」が活躍し、やがて「栄華」を極め、ついには衰退、滅亡していきました。その王朝国家の行き着いた先、ユーラシア大陸の大部分を支配したのがモンゴル帝国だったのです。

なお、荒川秀俊『お天気日本史』は何とも面白い統計を示しました。和人の上層身分の文化

表1　世紀別桜の開花日の変化（荒川秀俊『お天気日本史』から引用）

世紀	9	10	11	12	13	14	15	16	17
平均開花日	11.3	11.8	18.4	17.5	15.4	17.4	13.1	17.0	12.4

※平均開化日は４月の日にち
※現在のソメイヨシノの京都の開花日は４月７日（1917〜53年の平均）

に、お花見がありますが、それがいつ行われたか、日本の古記録から見つけだし、その平均日を出しました。結果、11～14世紀はお花見の日が遅い、つまり寒冷な時代だったこと、言い換えれば北方の民が南下する環境にあったことが窺われます。

ユーラシア大陸の中世後半期
北方ユーラシアの民が台頭し、ユーラシア大陸全域に領域を拡大し、やがて衰亡する時代

<table>
<tr><th rowspan="2"></th><th rowspan="2">「ユーラシア文明圏」</th><th colspan="3">東アジア列島</th></tr>
<tr><th>中の文化圏</th><th>北の文化圏</th><th>南の文化圏</th></tr>
<tr><td>前葉</td><td>北の遼・金王朝が宋王朝に迫り、中東にセルジューク朝が力を蓄える。</td><td>安倍・清原・奥州藤原氏などの北の武人勢力が成立し、全国規模で武人勢力が争う。</td><td>原アイヌが千島・サハリン南部に居住圏を広げる。</td><td rowspan="2"></td></tr>
<tr><td>中葉</td><td>モンゴル帝国がユーラシア大陸全域に侵攻する。</td><td>東の武人勢力・鎌倉政権が「中の文化圏」を制する。</td><td rowspan="2">アイヌは北で元・明王朝と、南で津軽安藤氏と交流しながら、交易を活発化していく（アイヌ文化前期）。</td></tr>
<tr><td>後葉</td><td>モンゴル帝国が衰退し、農耕国家が勢力を取り戻していく。</td><td>足利政権が京都に拠点を持ち、「中の文化圏」を支配する。</td><td>部族連合を経て、琉球王朝が成立する。</td></tr>
</table>

1　中世後半期（前葉）～北方ユーラシア民の台頭

（1）キタイ族～遼王朝の成立

北方ユーラシアの草原地域には、遊牧の民がいます。

彼らの多くがアルタイ語族です。アルタイ語族には、大きく三つの語族があります。それは西方部のチュルク語（トルコ）系諸言語、中央部のモンゴル語系諸言語、東方部のツングース語系諸言語を母語とする人々です。

東アジアで唐王朝が倒れると、中国は五代十国の混乱時代に入ります。そこに侵入してきたのは、モンゴル系のキタイ（契丹《きったん》）族です。耶律阿保機《やりつあぼき》（太祖）がキタイ諸部族を統一し、中国北部を占領し、渤海国も滅ぼしました。この国は遼河の上流に起こったので、国号を遼《りょう》としました。10世紀末には、中国風の中央集権国家をつくり、東は高麗、西はチベット系のタングート族、東トルキスタンのウイグル族まで服属させました。

中国の、黄河を中心とした中原《ちゅうげん》では、梁・唐・晋・漢・周の五代の短命政権が続きました。他地域には、南漢・門・呉・呉越・楚・前蜀・後蜀・南唐・北漢などの国々が成立しました。これらを合わせて、五代十国と言いました。

このころ、（後）唐では、明宗の養子・李従珂と、明宗の婿・石敬瑭が対立しました。石敬瑭は契丹（遼）王朝の援助を受けて、李従珂を倒そうとし、

①領土の割譲《かつじょう》　②毎年、絹30万匹の贈与　③契丹に臣従する

という条件で援助を取り付けました。

契丹は遠征し、結果、石敬瑭は晋の皇帝・高祖になりました。割譲した地域は、燕雲（今の北京・大同を含む16州）です。石敬瑭からは目の前の勝利しか見えていませんでしたが、これは北方ユーラシアの勢力が、農耕地帯に侵攻を始める、つまり中世後半期の第一歩となりました。

(2) 中国は宋王朝が統一

唐王朝の滅亡後、中国は分裂と乱世の時代を迎えますが、それほど時間を経ずに、統一へと進みました。

統一の立役者は、（後）周の世宗です。彼は北漢と契丹、南唐を激しく攻撃しました。また、寺にある仏像をつぶし、銅銭に変え、領域内の寺院の9割も破棄し、僧侶の四分の三をやめさせました。仏教の大弾圧です。

世宗は勝利への目的意識を明確に持ち、何もかも自身で決める独裁者です。しかし、統一戦争の最中に病死しました。

世宗の後は、7歳の恭帝が即位しましたが、家臣たちは従いません。その中で、世宗の家臣の一人、趙匡胤《ちょうきょういん》がのし上がり、宋王朝を立て（960年）、太祖となりました。太祖は在位17年で死亡し、弟の太宗が帝位に就き、979年、中国を統一しました。あたかも、日本の信長～秀吉～家康の天下統一リレーを見ている感があります。

中国では、北方を遼（契丹）、中央・南方を宋王朝（漢人）が支配する体制ができあがりました。

（3）和平を金で買う

宋王朝の太祖・太宗は、芽を出し始めた武人の芽を摘むことにしました。武によって「天下を取った」者は、武によって滅ぼされる可能性があります。そのため、皇帝に権力を集中させ、文人による政治を行いました。

これは、王朝維持のための国内向けには成功であっても、外交・軍事面では、武力が弱い分、遼王朝の脅威を絶えず受けることになります。979年に、太宗によって、北漢王朝を滅ぼし、中国が統一されると、統一の余勢で、遼の勢力を燕雲地方から追い出そうとしますが、二度の遠征とも敗北に終わりました。

それどころか、遼王朝の6代聖宗は中央集権的な専制体制を作り、1004年、国境を越え、華北に侵入、ここで和睦が成立しました（澶淵《せんえん》の盟《めい》）。

一　毎年、宋から遼に、絹20万匹、銀10万両を贈る

二　宋は兄、遼は弟の関係を保つ

三　国境は現状のままとする。

宋王朝は西夏王朝とも、毎年絹15万匹、銀7万2千両、茶3万斤を贈ると約束しました。中国の統一王朝、それも勃興期の勢いをもってしても、北方ユーラシアの勢力を跳ね返すことができなかったのです。

自ら「中華」を名乗る宋王朝にとって、これは屈辱的な条約だったのでしょう。しかし、多大な贈り物と引き換えに、平和がもたされました。武人政権ではできない離れ業と言えます。

ただし、自分たちの何が「中華」か！　漢・隋・唐といった歴代王朝との、あまりの違い、情けないという思いがあったのでしょう。文人たちは、弱さを見せかけの強さでカバーします。『五代史』『新五代史』『新唐書』『資治通鑑《しじつがん》』などの歴史書を示し、国家意識を高めようとします。人々に、自国の政権が正しいという社会意志を持たせるには、自国万歳の歴史物語を創作するのが、現在に至る、いや国家が続く限り、一番の近道なのです。

このとき、宋王朝の官吏（科挙に合格）となった文人たちは、貴族ではなく、新興の地主出身でした。

（4）セルジューク朝の成立

中東では9世紀中ころ、アッバース朝のイスラム帝国が衰退していきます。

多数の小王朝の興亡の中で、ペルシア人のサマン朝が栄え、サマン朝から自立したアフガニスタン～西トルキスタンのガズニ朝（トルコ人）が成立しました。さらに、北方からはトルコの一部族のセルジューク族（イスラム教スンナ派）が11世紀前半にペルシア全土を支配しました。

セルジューク族の族長・トゥグリル・ベク（在位１０３７～63年）は１０５５年、バクダードに入城します。バグダードのイスラム帝国はすっかり衰えていましたが、カリフという宗教的権威のもと、スルタン（世俗君主）という地位を与えました。セルジューク朝はさらにシリア・イラクを支配し、小アジアからビザンツ帝国の勢力を追い出しました。こうして中央アジア・中東地域に圧倒的な力を誇示しました。

イスラム勢力の興亡は続きますが、ムスリム（イスラム）商人の活動は広がります。8～16世紀にかけてのお話がまとめられ、ペルシアの大臣の娘・シェラザードが王に毎夜語る形の『アラビアン・ナイト』がつくられますが、「船乗りシンドバッドの物語」などは、ムスリム商人の海外進出の目で見ることができます。

(5) 西ヨーロッパの封建制度と十字軍

インドから中東・中央アジア・ヨーロッパの塊とする文明地域の中心は、イスラム教のアラブ帝国〜イスラム帝国〜セルジューク（トルコ）朝であって、西ヨーロッパはその塊の端っこに過ぎませんでした。

その西ヨーロッパでは、フランク王国の分裂以降、ノルマン人の侵攻もあり、中世前半期における王権は弱まりました。地方の領主は自力で自分の土地を守るしかなくなっていました。

ノルマン人の移動、あるいはヴァイキングの移動、彼らの破壊・略奪に住民を守ったのは、国王ではなく、地方の小領主でした。ここで登場するのが、土地を仲立ちとした主従関係＝封建制度です。

西ヨーロッパでは、領主と騎士の関係は、契約関係です。騎士は何人の領主とも契約を結びました。中には、40人もの主君から知行《ちぎょう》をもらった騎士もいたと言います。要は、領主と騎士とも、契約に「誠実」であることが大事であり、江戸政権の日本のように、主君への「忠誠」が大事なのではありません。

さて、封建制度によって確立した安定的な経済力。北イタリアの東方貿易拡大の想い、これを使って、一気に勢力を伸ばす「大義名分」はどこかにないのでしょうか。

このころ、キリスト教会は、東西に分かれていました。ローマ教皇はビザンツ帝国との関係を切り、ローマ・カトリック教会の長として勢力を広げ、コンスタンティノープルのギリシア正教会《せいきょうかい》ではビザンツ皇帝が首長となりました。

キリスト教がヨーロッパで盛んになると、イエス（キリスト）の墓のあるエルサレムへ巡礼に行こうとする人々が増えました。ところが、ここはセルジューク朝の支配地になっていて、妨害されました。また、セルジューク朝の勢力はビザンツ帝国に圧迫をかけ続けました。ビザンツ帝国皇帝は、それまで対立していたローマ教皇に助けを求め、ウルバヌス2世・教皇は「聖地」奪還を呼びかけました（実はここはユダヤ教でも「聖地」

（ダヴィデ王が王都とした）、さらにイスラム教でも「聖地」なのです）。翌年から、西ヨーロッパの国王・諸侯・騎士たちによる十字軍が起きました（1096年）。以後200年近く、十字軍は続きます。もちろん、「聖地」奪還と言うのは、カトリック側の言い分で、攻撃される中東地域からは「侵略だ」ということであり、その抵抗は「聖戦（ジハード）となります。ギドギドした物欲だらけの権力者が使う「聖」という文字の怪しさです。十字軍は数え方によって、7～9回派遣されたと言っていますが、エルサレム攻撃に集中したのは、最初の3回目までです。それ以降はコンスタンティノープルに行ったり、エジプトに行ったり、チュニス（現・チュニジアの首都。古代のカルタゴ）に行ったりで、経済利益が先にありました。阿部謹也氏は、『ハーメルンの笛吹き男』は子ども十字軍などを背景にした物語だと指摘しています。

十字軍の「失敗」は（イスラム側から見たら「勝利」です）、封建勢力を没落させ、教会や教皇の権力も弱めました。そして、それまで農業が生産の大部分を占めていた西ヨーロッパは、イスラム文化の華やかさに目を見張ります。また、イタリアの諸都市の市民が地中海貿易に莫大な利益を手に入れます。ヨーロッパには、アジアとの巨大貿易への飽くなき欲求と、それを押しとどめるイスラム勢力という壁の時代が、しばらく続きました。

このカトリックによる外国侵攻の大義名分とその実態は、現在の国際紛争に通じる現象と言えます。

（6）宗教権威と世俗権力

サラセン帝国～イスラム帝国の元首はカリフです。彼らは専制君主でしたが、世俗権力を失っても、セルジューク朝の首長に、世俗の首長位・スルタンの位を与えるなど、宗教的な権威を持ち続けました。それは、ムハンマドの本来の教えとはかけ離れた存在ですが、人々はその宗教権威自体をありがたがりました。

西ヨーロッパでは、ローマ・カトリック教会が権威を持ちました。ローマ教皇はフランク王国のカロリング朝のカールに皇帝位を授けました。また、東フランク王国のサクソニア朝と結び、オットー1世にローマ皇帝位を授ける（以後、神聖ローマ帝国になる）など、世俗権力に皇帝位を与えることで、宗教的な権威を持ち続けました。それも、イエスの本来の教えとはかけ離れた存在ですが、人々はその宗教権威をありがたがりました。

「中世」後半期の世俗権力は、前代の貴族から見たら、当然「成り上がり者」になりますが、こうした古来の宗教権威に「正統性」を保証してもらいました。それは持ちつ持たれつの関係で、宗教は、本来の創始者には、全然思ってもいない形の、宗教権威を持つことで、ずっと後世まで生き続けました。

これは、日本の場合は、宗教権威＝天皇、世俗権威＝武家政権（征夷大将軍）という形になります。

（7）女真族・金王朝の成立

北方ユーラシアには、西からトルコ族、モンゴル族、ツングース族がいます。

10世紀までは、この中で、トルコ族が他を圧倒していました。紀元前後の匈奴《きょうど》、6〜9世紀のチュルク（突厥）、ウイグル（回紇）は、おそらくトルコ族でした。

しかし、ここにモンゴル系のキタイ（契丹）が勃興します。このキタイ族の国家が遼王朝になります。中国では、宋と遼の並立時代が１６０年間続きました。

遼王朝（満州・蒙古地域）は、ウイグル族と通交し、ウイグル族は西域諸国と通交し、金の取引を行いました。

このときの黄金の産地は、北満州のアムール川（黒竜江）流域です。ここにはツングース系の女真族がいますが、その地を商人が開発します。遼王朝に従属的で、農耕を生業とする熟女真族が戸籍にも登録されるようになりました。熟女真族は、砂金の他に、馬・真珠・ニンジン・テン皮・鷹《たか》などを輸出していました。

ところが、森林地帯に住み、半猟半農の生女真がいます。彼らは完顔・阿骨打（ワンヤン・アクダ）の兄の時代に統一されました。アクダは遼王朝の前線基地（寧江州）を攻撃しました。１１１５年、アクダは皇帝を名乗り、国号を大金、収国という元号を使いました。これが金王朝の太祖になります。

遼王朝の天祚帝は70万の大軍を送りますが、大敗北を喫しました。南満州・北朝鮮にいた渤海人に、援軍を求めますが、新興の金王朝は遼も渤海人も撃破し、遼東半島（北朝鮮に臨接する半島）も手に入れました。

こうなると、宋王朝にとって、宿敵・遼を追い出すチャンスです。宋の徽宗《きそう》は、宋と金で遼を挟み撃ちにして、燕雲十六州を奪回しようと、宋金同盟を結びました（１１２０年）。宋は遼に贈っていた銀20万両、絹30万疋を金王朝に渡す、金王朝は西京（今の大同）を、宋王朝は燕京（今の北京）を攻め、燕雲16州の攻撃は宋が行うというものでした。

ところが、宋は金と同盟し、かつ落ち目だった遼にさえ、勝つことはできません。宋の進軍ははかどらず、そのうちに遼の領土の大部分は金王朝が占領してしまいました。

遼の天祚帝は、内モンゴルに逃げ、西夏王朝と結びますが、金軍は内モンゴル諸族も打ち破り、西夏王朝も撃破しました。このとき、金の太祖は病没しますが（１１２３年）、金の勢いは止まりません。弟の呉乞買（ウキマイ）が帝位に就き、西夏と金が同盟し、１１２５年、遼を滅ぼしました。

ここで、宋は勢いを増す金の国境と接することになりました。そこで、燕京を宋に譲る代わりに多大な賠償金を支払う約束をします。しかし、宋は姑息《こそく》にも、領土はもらうが、賠償金を支払おうとはしません。

金王朝はたちまち、宋国内に侵入し、王都・開封《かいほう》に迫ります。やむを得ず、和平を結ぼうとしますが、その最中に、突如、金軍の陣営を襲いました。結果、宋はより高い賠償を支払います。

金軍が去ると、宋は領域下にいた契丹《きったん》人に蜂起を促します。毎度の宋の背信行為に、金は宋に侵入し、道楽皇帝・８代徽宗と息子の９代欽宗《きんそう》を平民にし、ここに宋は一度滅びました（靖康《せいこう》の変〜１１２６年）。

（8）南宋と西遼

一度滅んだ宋と遼が復興します（反転エネルギー）。

宋王朝は欽宗の弟、康王が騒乱を逃れ、皇帝位に就きました（高宗）。金王朝はこれを追撃しますが、高宗ははるか江南の地まで逃れました。この王朝を南宋王朝と呼び、靖康の変までの宋王朝とは区別しておきます。

江南地方までは、歴史上、北方の民が侵入したことはありません。１１４１年、両国に和平が成立し、南宋は金に毎年、銀25万両、絹25万疋を贈り、何と臣下の礼を取ることを約束させられました。このとき、欽宗は金に捕らえられたまま生きていましたが、兄に戻られると、高宗の「正統性」自体が問題になります。結局、欽宗はほったらかしにされ、23年後、金国で亡くなります。

（9）朱子学

国の成立の内実など、隠謀、大量殺人など、血ぬられた中でつくられたものだけに、外づらはやたら「正統性」にこだわります。

弱まる一方の中華王朝も、自信回復を理論立てます。

南宋王朝では、孔子以来の儒学が大きく変えられました。そこでは、もともとあった「中華」思想、つまり漢人を「中華」とし、他民族を「夷」とする思想がいっそう強調されるようになりました。

儒学は、そもそも、儒教経典の意味を解釈するもの（訓詁学《くんこがく》）で、それをもとに、歴代中国の高級官吏試験（科挙）を行っていました。それが朱子（朱熹《しゅき》）によって大きく変えられたのです。北方の民の侵攻に悩む中、「正統」な中華の王朝として、本来どういう社会意志を目指すべきかという理想を示す朱子学となりました。それは中国王朝だけではない、後世の東アジア諸国にも影響を与えます。

そこでは、歴史の見方と、そこに与えた王朝の「正統性」や君臣の分を明確にし、大義名分で行動する政治規範になっていきました。これは、契丹人、女真人などに圧倒される漢人勢力の現実に、「本当は自分たちが上なのだ」という、漢人の「正統性」を主張する拠り所になっていきました。

朱子学は後世、日本の江戸政権が利用し、徳川光圀《みつくに》（水戸黄門）らにより、日本式につくりかえます。日本史を、天皇を「正統」として、悪人・善人を決めたのです（日本型朱子学）。これが明治維新の社会意志となり（皇《こう》国《こく》史観）、アジア・太平洋戦争に至る国威発揚《こくいはつよう》、現在のヘイトスピーチに受け継がれます。

(10) 民族と文字

遼の太祖は少数民族の契丹族が漢人を支配したので、契丹族が漢化しないように、漢人政策とは別の法で支配しました。そして、太祖は契丹大文字、王子の迭剌《てつらつ》は契丹小文字を作らせました。

チベット系のタングート族の西夏王朝では、元昊《げんこう》が「毛皮を着て、牧畜を行うのが我らの固有の生活」として、ナショナリズムを鼓舞《こぶ》し、西夏文字を作り、独自の元号を作りました。

日本の平仮名と元号、朝鮮のハングル、スコータイ王朝のタイ文字、パガン王朝のミャンマー文字、ベトナムのチェノムは圧倒的なパワーを示した中華王朝からの、各民族の文化的自立の一過程を示します。元号は「この空間と時間を支配しているのは自分（たいてい男性なので「俺」）」と主張するもので、日本の場合、島国というガラパゴス現象として、王朝国家が続々となくなる中、「令和」の現在まで残っています。

なお、日本語の心の機微《きび》を伝えるには、平仮名の出現は必要不可欠で、光源氏《ひかるげんじ》と天皇家の不倫も含めた人間模様を取り上げた仮想小説『源氏物語』、思ったこと感じたことを鋭い感性でズバズバ切り込む『枕草子』、強烈な恋愛日記の『和泉《いずみ》式部日記』などが11世紀の宮廷女性社会で現れました。

「聖地」「大義名分」「正統性」「自国万歳の歴史物語」……。今も私たちを惑わす社会意志の誕生です。

2　中世後半期（中葉）～モンゴル帝国の時代～

東アジアでは、北方ユーラシア勢力の南下を受け、（1）宋王朝と遼王朝　（2）南宋王朝と金王朝　という時代を経て、いよいよ北方に、モンゴル帝国が出現します。その本家・元王朝は江南地方の漢人勢力（南宋王朝）も呑み込みました。

（1）モンゴル帝国の出現

モンゴル帝国の始祖・チンギス＝ハンは、大皇帝になるべくしてなった人物ではありません。例えば、秦の始皇帝は、戦国の中国の、最強の秦王国の王でしたが、チンギス＝ハンはそうではありません。

テムジン（チンギス＝ハンの幼名）には、もはや死か、というような絶体絶命の危機が何度もありました。それを必死の機転や、不撓不屈《ふとうふくつ》の意思・行動、結果としての逆転、援助してくれる人物との出会い等々、さまざまな運を引き寄せ、大きな勢力になっていきました。

大モンゴル帝国の出現は、歴史の必然か。チンギス＝ハンの一生を見ると、とてもそんな気にはなれません。しかし、宋王朝と遼王朝、南宋王朝と金王朝という北方民族が中国本土に侵入する10世紀以来の歴史を見ていくと、モンゴル帝国が大きな勢力を占めたのは、歴史の流れであることがわかります。さらに言えば、北アジアの一遊牧民勢力が北方ユーラシアの草原地域を統一し、東アジア、中東・東ヨーロッパまで侵入し、モンゴル帝国という空前絶後の大帝国を打ち立てる時点をもって、中世後半期の中葉とします。

チンギス＝ハン以前、モンゴリアにはモンゴル語を話すいくつもの部族はありましたが、その指導者をハンと言っていたに過ぎません。モンゴリアには、タタール族、ケレイト族、トルコ系のナイマン族などの有力な集団があって、モンゴル族は弱小の集団でした。当然、彼らの大地をモンゴリア、彼ら全体をモンゴル人と呼ぶのは、チンギス＝ハンがここを統一したからです。

彼の指導者としてのたぐいまれな才能から、草原の数部族によって、1189年、チンギス＝ハンの称号が与えられました。こうなると、モンゴル族の中で、盟友・ジャムカと対立せざるを得なくなりました。ジャムカはチンギス＝ハンの勢力が格下のときこそ、支えてやったが、今やそうではなくなりました。かつての恩人のケレイト族のワンカンも同様で、チンギス＝ハンとジャムカ、ワンカンの血みどろの戦いの結果、チンギス＝ハンが勝利しました。1202年にタタール族、タングート族が従属し、ケレイト族を破り、1205年にナイマン族を滅ぼし、1206年、モンゴリア諸族の大王・チンギス＝ハンとして即位しました。それは、ツングース系、モンゴル系、トルコ系、チベット系を含む、北方ユーラシア全域にわたる大帝国の出現となりました。

（2）モンゴル帝国の拡大

チンギス＝ハンは、功臣を千戸長にし、その下に百戸、十戸の組織を置きました。部族社会を変容させ、チンギス＝ハンを頂点とする軍団をつくったのです。また、今までの遊牧民の風習を、チンギス＝ハンによる法の支配に作り直しました。

農耕民が、部族連合～都市国家～領域国家の古代体制の後、貴族制国家～地主制国家（いわゆる封建制もその一つ）という流れを踏まえる中、遊牧民はいっきにそれに対抗する国家体制をつくり、ユーラシア大陸全域に向けての侵略が始まりました。

農耕国家の欲しい物は、豊かな土地です。一方、遊牧国家の欲しい物は、商品や財宝、それを支える交易路です。それを求めて、モンゴル帝国は特大の領域を得ました。

「黄金の国・ジパング」で知られる、マルコ・ポーロ『東方見聞録《けんぶんろく》』。ジパング（日本）だけが「宝の国」と思いきや、

「こっちはこういう宝」「あっちはこういう宝」という記述で、いわばお宝紹介の書なのです。

チンギス＝ハンの西夏攻撃。モンゴル勢はたちまち王都を囲みました。西夏王朝は、王女を、たくさんのラクダを、反物を、鷹狩りの鷹を、その他おびただしい貢物を、モンゴル勢に渡しました。モンゴル勢はそれを所持して帰国しました。


次は金王朝。金王朝はチンギス＝ハンにとって、因縁の敵でした。チンギス＝ハンの曽祖父、カブル＝ハンがモンゴリアで頭角を現してきました。このとき、金王朝はモンゴル族の力を摘むために、タタール族をそそのかし、カブル＝ハンの子・アンバガイを捕らえ、殺害しました。

文字を必要としない民族は、自分たちの由来を、十代以上も前のことから、そらんじています。チンギス＝ハンの一族では、「金王朝は祖先の敵」として語られてきました。

１２１４年、チンギス＝ハンは金王朝を攻撃し、おびただしい財宝を得て、帰国しました。金王朝は王都を移し（開封《かいほう》）、新たに対抗しようとしますが、これを敵対行為とみたモンゴル勢が、再度、侵入してきました。

金王朝の打撃が多大と知ると、周辺の国がよってたかって攻撃に入ります。それまで、金王朝に屈辱的な条件を呑まされてきた南の南宋と、西の西夏が侵入してきました。国家とは、まるでハイエナか、ハゲタカです。ゴテゴテした道徳（朱子学）で着飾った南宋王朝も、一皮むけばこんなものです。人々に厳格な道徳を強いる国家権力こそ、道徳とかけ離れた存在なのです。

当時、イスラム圏のイラン地方で、ホラズム王国を建設したのは、テケッシュ（在位１１９３～１２００年）で、セルジューク朝のスルタンを倒した（１１９４年）後、西アジアで覇権を握り、東方でカラ＝キタイ国と戦います。テケッシュの子のスルタン・ムハマッドはカラ＝キタイ（こちらは仏教国）に勝利し、さらに中国遠征を計画するようにさえなりました。

ここで、モンゴル帝国とホラズム王国は通商協定を結びますが、チンギス＝ハンの使節団が偶発的に襲撃される事件がきっかけで、モンゴル軍の中央アジア大遠征が行われました。

この遠征は残酷を極めました。オアシスの諸都市が抵抗したのですが、メルヴを破壊したときは、殺戮された人70万とか130万とか言われ、ニシュプールでは人間・犬・猫まで命あるものをすべて殺害し、人間の首をすべて斬って、男・女・子どもに分けて、三つのピラミッドを造ったと言います。

以後、人間の歴史の中で、国によって虐殺された人数をそれこそ「現代」までたびたび書きますが、それはそのまま信用しないでほしいです。百人なのか、一万人なのか、百万人なのか、ざっくり知る程度の目安と言うしかありません。加害者は手いっぱい少なく言うし、被害者は膨大な人数を主張します。今、こういう人数が上がっているという目でおさえてほしいです。

モンゴル軍のうち、チンギス＝ハンの子の、ジュチ・チャガタイ・オゴタイの3王子率いる別動隊は、ホラズム王国の王都ウルゲンジを攻略します。ホラズム王国の国王と王子は別方向に逃亡しますが、王子を追うチンギス＝ハンの本軍はアフガニスタンからインダス川上流まで追跡しました。また、ホラズム国王を追う別動隊はイランからカスピ海、キプチャク草原、クリミア半島に至りました。モンゴル軍の侵攻に驚いたロシア諸侯連合軍は、1223年、戦闘になりますが、ロシア連合軍の大敗となりました。

1225年、モンゴル軍は帰省しますが、1227年、遠征に協力しなかったタングート族の西夏王朝を滅ぼしました。もはや、モンゴル帝国のそのときそのときの感情に合致した行動が「正義」、それ以外の判断は「討伐される」原因になります。この年の10月、チンギス＝ハンは亡くなりますが、東は満州、西はイランまでの、北方・中央ユーラシア全域の大帝国が一代でできあがりました。彼は空前絶後の帝国をつくり、得意の絶頂で亡くなりましたが、その影には死体の山が累々と築かれました。

(3) 破壊と人殺しの技術

人類の戦闘武器は、長い間、狩猟採集生活の延長、つまり刀剣(ナイフの延長)、弓矢、槍でした。そして、遊牧の民の出現は、鉄と騎馬というヒッタイト人の武器と戦術に「発展」しました。

ところが、モンゴル軍がホラズム王国のニシュプール城攻撃で使った武器は規模も質も次元が違いました。投槍用の弩砲3000、投石機500、石油を満たした土壺を発射するカタパルト700、城壁を壊すヤグラ4000を使用したと言います。

人殺しのために、狩猟採集用具に工夫を加えた時代から、大量の人殺しのためだけの武器作りの時代に入りました。破壊力・殺傷力がすさまじくなり、近代になって、ヨーロッパ人が世界に覇を唱え、さらに現在のアメリカ・ロシア・中国が核兵器を持って世界を従わせる時代への転換地点となりました。パワハラ・恐喝・脅しの論理が世界を支配する、破壊・人殺しの技術に長けた国が優位に立つ、次時代にヨーロッパが世界侵略する基盤とも言えます。さらに今、国の予算の大部分を軍隊と大量破壊兵器で覆う、存在すること自体が人々の不幸となる、軍事独裁国家が増えています。

(4) チンギス＝ハン以降のモンゴル帝国

モンゴル帝国の大拡張は、チンギス＝ハン一代では終わりませんでした。

チンギス＝ハンは、晩年、跡継ぎを三男・オゴタイに決めました。長男・ジュチは南ロシア(キプチャク＝ハン国)、次男チャガタイは中央アジア(チャガタイ＝ハン国)、三男オゴタイは西北モンゴリア(オゴタイ＝ハン国)、四男トゥルイはモンゴル本国が与えられました。さらに、4代ムンゲのとき、弟のフラーグの中東地域(イル＝ハン国)を合わせて、モンゴル帝国の四大ハン国と言っています。

このとき、オゴタイが後を継ぐことは、チンギス＝ハンの、鶴の一声で決まったわけではありません。いかにも人間らしい、しかも切実な問題、長男ジュチの本当の父は誰かが問題になりました。これはモンゴル諸王と貴族たちによる話し合い（クリルタイ）で決定しました。遊牧民のおきてが生きていて、モンゴルの軍事的強さは目立っても、首長の力は弱かったと言えるかもしれません。

２代オゴタイの時代、ジュチの子・バトゥーがヨーロッパ大遠征を行いました。１２３７年、カスピ海の北・ボルガ川を越え、モスクワを攻略、翌年にはウラディミル大公ゲオルグが戦死しました。１２４０年、黒海の北のウクライナのキーウ（キエフ）の街を破壊し、ロシアのほとんどの都市を征服しました。翌年、モンゴル軍の一隊は、ポーランド軍に勝ち、続いてドイツ・ポーランド連合軍を撃破（ワールシュタット～「死体の山」の意味～の戦い）、さらに南下してハンガリーに向かい、首都ペスト（ブタペスト）も占領しました。ここで、オゴタイの死が伝えられ、撤退しました。このとき、バトゥーが手に入れた、カスピ海・黒海北方の南ロシア平原、東ヨーロッパが、キプチャク＝ハン国になりました。

この時代、東アジアでは、高麗王朝を属国にし、金王朝を滅ぼしました。

４代ムンゲの時代には、弟フラーグにより西アジアに遠征し、バクダードのアッバース朝（カリフ）を倒し、チベット・雲南も手中に納めました（イル＝ハン国）。

古代・中世のユーラシア文明圏の行きついた先、それはユーラシア全域への「拡大」＝モンゴル帝国でした。そこでは駅伝制をつくり、史上初めて、ユーラシア大陸の東西の交通路を押さえ、交流を活発化しました。

（５）南宋王朝滅亡と、東南アジア諸国への侵攻

北方ユーラシアの大部分を手に入れたモンゴル帝国は、東アジアの大国・南宋王朝を襲います。匈奴《きょうど》以来、北方の民はたびたび漢人の勢力圏に侵入しましたが、基本的には万里《ばんり》の長城より北、どんなに勢いが増しても華北まででした。しかし、モンゴル帝国は、その線をはるかに超えて、江南の地まで侵入したのでした。

モンゴル帝国が金王朝を攻撃すると、南宋王朝は呼応して、金王朝に侵攻しました。今度はモンゴル帝国と境界を接するとは思わなかったのでしょうか。しかし、まさか江南まで攻めてくるはずはないと踏んだだろうし、実際、金王朝滅亡から40年、王朝を保ち、滅亡しました（１２７９年）。

こうして、江南地方も、つまり中国全土がモンゴル帝国本家、王朝名を元（１２７１年）と名乗りますが、その領域に入りました。そして、江南地方を支配することで、アジアの海路も支配することができました。

元王朝の拡大政策はとどまることはありません。次は東南アジア諸国がねらわれました。それは経済的要求、政治的要求と言うよりも、もはや拡大し続けることが元王朝の指向になってしまったということです。アレクサンドロス大王やナポレオン、第二次世界大戦の日本やドイツにも言えることです。

東南アジアは、インドと中国を結ぶ交易ルートの中継交易地域として、「発展」しました。他地域では、部族連合から都市国家、領域国家という段階を経る場合が多いです。しかし、東南アジアの場合、海岸地域を中心に港市国家が出現し、港市連合国家として、支配地域を広げるパターンが多かったようです。

まず、インド商人が多数訪れる中、港市が発展し、４世紀末～5世紀の初めころにはインドのグプタ文化の影響を受けて、バラモン（司祭階層）が出現しました。スマトラ・ジャワ・バリなどは、インド色の強い文化が形成されました。

一方、インドシナ半島では、部族連合から、民族統一の古代国家が出現します。前近代国家にありがちな、宗教（東南アジアの場合は仏教）を精神規範（社会意志）にして、武力統一をなし遂げていきました。この地域にも、南宋王朝を倒したモンゴル帝国5代フビライの侵入を受けます。北方ユーラシアはチンギス＝ハン、東アジア・東南アジアはフビライの侵略となるのです。

以下、東南アジアの中世後半期の王朝と、元の侵攻の動きを示します。

（東南アジアの列島）　マラッカ海峡では9～13世紀末に、三仏斉が、港市連合国家を作りました。シンガサリ朝の5代目クルタナガラのとき、ジャワ全島・スマトラ島・マレー半島を支配下に置きますが、そこに元王朝のフビライが「恭敬」を迫りました。クルタナガラの後継者のヴイジャヤは元と巧みに戦い、マジャパヒトで王位に就きました（１２９３年）。

（インドシナ半島）　カンボジアは9世紀初頭以来のアンコール朝（王都アンコールワット）で、元王朝の小隊を受け入れました。ベトナムは李王朝で外戚の陳氏が実権を握っていましたが、１２８４年、１２８７年、１２８８年の3度、元軍が侵攻してきました。ビルマはミャンマー人のバガン王朝で、元王朝に隷属する形で統治を許されました。タイのスコータイ王朝は元王朝と友好関係を結びました。

(6) サハ（ヤクート）人

モンゴル人の大躍進は、ユーラシア大陸の草原・乾燥地域ばかりでなく、温帯地域にも侵攻し、一部、熱帯地域、冷帯（亜寒帯）地域にも至りました。

さすがに寒帯地域までの侵攻はなかったのですが、現在、シベリアにサハ（ヤクート）人がいます。シベリア南部のバイカル湖周辺には、チュルク語派系の遊牧民がいました。彼らは10世紀ころから16世紀初頭まで、シベリア東部への移動を繰り返しました。気候的なものか、遼・金・モンゴル帝国との争いを避けたものか、よくわかりません。

この遊牧民の一派・サハ人の移動は、驚くべきもので、シベリア南部から、マイナス70度以下も記録するレナ川沿いまで移動したのでした。

図１　15世紀の世界

東シベリアでは、古アジア系の民族が多いです。古い時代に移動してきて、そのまま住み付き、ユーラシアの激動には、あまり影響を受けないできたと言えましょう。温帯・乾燥帯地域で繰り返される栄枯盛衰の外にいたとも言えます。その中にあって、サハ人だけは、チュルク（トルコ）語派のサハ語を話します。

遊牧民だった彼らは、移動の際、狩猟・漁労文化に出会い、その影響も受けました。寒さのため、ヒツジやラクダ、農耕を失いますが、牛馬は持ち続けました。寒さに強いヤクート馬を放牧し、馬を中心にした文化を発展させました。サハ人の一部は、さらに北上し、北極海沿岸まで達し、エヴェンキ族などの、ツングース系民族からトナカイ飼育も学びました。

狩猟・漁労文化しか根付かないはずの、極北の地に、何と遊牧の文化との融合を果たしました。しかも、農耕の民と遊牧の民が血みどろの戦いを行っている最中、彼らは北に逃れ、全くの別の世界に生きました。

３　中世後半期（後葉）～遊牧民と農耕民の相克～

（１）高郵の戦いと、朱元璋の登場

元王朝のフビライの後、皇位継承をめぐり、内紛が絶えません。

元王朝の末期、中国各地に群雄が並び立ちました。中でも、海賊・方国珍、塩賊・張士誠が強力でした。

１３５４年、元王朝は、張士誠の高郵城に、宰相トクタによる公称・百万の大軍で攻め寄せました。元王朝には、ウイグルや高麗からも援軍が駆け付けました。まさに、元王朝の総力をあげての攻撃になりました。元王朝の勢いはすさまじく、高郵城は陥落か、降伏を待つしかありません。しかし、このとき、佞臣《ねいしん》ハマの讒言《ざんげん》により、トクタは解雇、全軍引きあげの密使が届きました。

圧倒的に「勝てる戦争」を捨て、滅亡への道をひた走る。あるいはここが潮目になって、形成が逆転する。外見上、圧倒的に強大に見えた側の勢力が内実はボロボロになっていた、腐れきっていたということです。

約四百年ぶりに、漢人の王朝を中国全土に打ち立てたのが、朱元璋を始祖とする明《みん》王朝です。ただし、このとき、元王朝は滅んだのではなく、再びモンゴル高原に戻った（北元王朝）のです。

五胡十六国、そして隋・唐以来、北（華北）からの勢力が力を持って、南（江南）を圧倒し、モンゴル帝国でその絶頂となりましたが、明王朝は南で力を蓄え、北に勢力を伸ばしました。漢人の反転攻勢、さらには農耕の民の反転攻勢の始まり、もっと言えば中世の終わりの始まりです。

貧農出身の朱元璋は、紅巾《こうきん》軍（白蓮《びゃくれん》経を信じる反政府軍）の一武将として活躍、頭角を現してきました。長江周辺の江南地域をめぐって、陳友諒や張士誠と激しく戦い、勝利をおさめました。朱元璋の「朱」は「紅」巾に由来するかもしれないし、「明」王朝の名も白蓮教に関係するかもしれません。また、「人を殺さず、人のものをとらず、倹約を」という、朱元璋の道徳も、白蓮教の教えと似ているそうです。

ところが、白蓮教は権力者に都合のいい宗教ではありません。白蓮教は民衆の反権力の宗教であり、やがて朱元璋は白蓮教と手を切ります。権力に都合のいい「教え」、そうです、儒教に鞍替《くらが》えしました。

何せ、朱元璋は「中華」を打ち立てること、つまり自信を失っていた漢人に自信を与えることを目標にしました。そのため、遼・金・元と続いた北アジアの王朝の風習を、徹底的に排除しました。漢人としてのアイデンティティを強調し、強力な専制国家を作っていきました。「その時代と空間を統治するのは私！」ということをいっそうアピールするため、元号も一世一代で一致（明治維新以降の日本もこの形を採る）させました。朱元璋は明の太祖であり、洪武《こうぶ》という元号を用いたため、洪武帝とも言います。

朱元璋が中国統一を果たしたのは、1381年ころですが、その後、創業の功臣をかたっぱしから殺していきました。功臣達は「何のために命がけで戦ってきたのか」と思ったことでしょう。絶対権力者の粛正《しゅくせい》、歴史上、何度も見る形です。そして、その上に、官僚による、中央集権体制をガッチリ作りました。

すべての権力が皇帝に集まり、皇帝を中心にピラミッド型の政治組織ができました。その体制を支える法律として、唐以来の律令を変え、明の律令を作りました。

権力が極度に一人に集中する体制は、巨大な力を持った個人が何でもできるし、王朝の成立期・成長期に有能な権力者に恵まれたら、大胆に国全体を考えた政策も実行できますが、いったん、王朝の下降期に入ったら、内部が腐ってきて、しかも国内の人々は何も言えない、結局、無能な君主と佞臣《ねいしん》により腐りっぱなし、住民は抵抗するパワーを奪われ、敢えて変えてくれるのは外圧だけとなります。古今東西、この流れは変わりません。

（2）朝鮮王朝の成立

「寄らば大樹のかげ」とは、元王朝に対する高麗《こうらい》王朝（朝鮮半島）のことです。高麗王朝は元王朝に従ってからは、誇りを捨て、「長い物には巻かれろ」で生き抜いてきました。そうしなければ、生きられなかったのです。

しかし、その高麗王朝が切れました。切れた理由はいかにも人間的理由です。高麗王妃には元王朝の一族を出身者にする、しかし、高麗の女性は元王朝の宮廷には入れないという、差別的なしきたりがありました。

元王朝の最後は順帝と言いますが、順帝は高麗の貴族の娘・危氏を寵愛し、その掟《おきて》を破りました。危氏は高麗の貴族だから、当然、高麗王の臣下に当たりますが、その一方で、高麗王は元王朝に仕えている身です。一転して、皇帝の妻となった危氏は、高麗王の上位として振る舞い、いばりぬきました。

高麗のプライドは傷つけられ、ついに元王朝に反抗します。危氏を滅ぼし、やがて明王朝ができると、明に従いました。しかし、国王の恭愍王《きょうびん》が亡くなると、明王朝と対立し、何とモンゴル高原に戻った北元王朝に属することを決めてしまいました。どこまでも「寄らば大樹のかげ」だったのが、混乱の中で方向を見失ったのです。

ここで活躍するのが、李成桂です。北方の女真人を破り、前期倭寇《わこう》を破り、クーデターを起こし、王を追放、親・元派を一掃し、新しい王朝をつくりました（１３９２年）。

李成桂は、明から「朝鮮」という国号をもらい、明を宗主国、朝鮮を属国とする、儒教国家をめざしました。

(3) 四つのハン国とティムール帝国

チンギス＝ハンの分家・四つのハン国はどうなったでしょうか。

オゴタイ・ハン国（１２２４〜１３１０年）は、フビライが宗家を継ぎ、大ハンの位に就くと、オゴタイの孫のハイドゥが反抗し、大内乱を起こしました。このハイドゥの乱は１２６７〜１３１０年に及びましたが、内乱後、オゴタイ＝ハン国は衰え、チャガタイ＝ハン国に併合されました。

インドの北方を領したチャガタイ＝ハン国（１２２７〜１３８９年）は、イスラム化が進み、東西に分裂してしまいました。

キプチャク＝ハン国（１２４３〜１４８０年）は、黒海・カスピ海の北方、東ヨーロッパの大部分を領し、西境をビザンツ帝国と接しました。イスラム教を採用し、元王朝やイル＝ハン国と友好関係を持ちます。ウクライナ・ロシアでは、10世紀ころ、ノルマン人が南下し、スラブ人を支配し、キーウ（キエフ）公国を起こしましたが、２００年余り、キプチャク＝ハン国の支配を受けていました。

イル＝ハン国（１２５８〜１３９３年）は、黒海・カスピ海の南部、イラク・イランを支配しました。エジプトは、10世紀の初めにシーア派（イスラム教）のファーティマ朝（909～1171年）が成立、サラディンによるスンナ派のアイユーブ朝（1169～1250年）は十字軍と戦いますが、アイユーブ朝に仕える奴隷軍（マムルーク）が権力を奪取し、マムルーク朝（1250～1517年）を建てていました。イル＝ハン国は、マムルーク朝と接し、ローマ教皇やキリスト教諸国と連携しましたが、やがてイスラム教を採用しました。

さて、この四ハン国に割って入り、遊牧民の一大勢力を築いたのは、ティムールでした。チャガタイ＝ハン国がチャガタイの系統とオゴタイの系統で東西に分かれ、争っているとき、ティムールがチャガタイ＝ハン国を統一しました。ティムールはイスラム教をもとにする大モンゴル帝国の再建を目標にし、1370年ころ、西トルキスタン（現在のカザフスタン、トルクメニスタン、ウズベキスタン、タジキスタン、キルギス）を支配、1380年、アフガニスタンに侵入、1384・86年にペルシアに遠征します。

当時、ロシアでは、モンゴル人の王朝が東西に分かれ、東方が白帳汗国、西方が金帳汗国でした。このうち、白帳汗国のトクダミッシュが1382年にモスクワに侵攻し、キプチャク＝ハン国を再現しようとしていましたが、そこにティムール軍が侵攻してきました。1393年には、バクダードもモスクワも占領しました。次いで1398年、アフガニスタン方面から西北インドに侵入、十字軍とも戦い、小アジアからバルカン半島に侵入していたオスマン朝のバヤジット1世も破りました（1402年。アンゴラの戦い）。ティムールは、チャガタイ・キプチャク・イル＝ハン国の大部分を支配し、遠く、明王朝侵攻を計画中、亡くなりました（1405年）。

ティムール帝国は15世紀後半に衰退し、1500年、北方のウズベク人の侵入を受け、滅亡しました。ティムールの一族から、後のインドの統一国・ムガル帝国のバーブルが出ますが、ティムール帝国の滅亡辺りを境に、遊牧の民がユーラシアを圧倒した時代から、西ヨーロッパが世界を駆け巡る時代になっていきます。

（4）オスマン帝国がビザンツ帝国を滅ぼす

オスマン・トルコ族はカスピ海の東方を居住していましたが、モンゴル人に追われて小アジア（トルコ西部）に移住し、13世紀末にオスマン＝ベイ（在位１２９９～１３２６年）がオスマン帝国をつくりました。１４５３年、メフメト2世（在位１４４４、１４５１～８１年）はコンスタンティノープル（イスタンブール）を陥落させ、4世紀以来続いたビザンツ帝国を滅ぼしました。１４７５年にはクリミア半島を併合し、エーゲ海の島々やイタリアの一部を占領しました。

メフメト2世の孫、セリム１世（在位１５１２～２０年）は、サファヴィー朝、さらにメソポタミアからシリア・エジプトに侵出しました。エジプトには、イスラム教の首長・カリフが逃れ、マムルーク朝の庇護《ひご》のもとにいましたが、マムルーク朝も滅ぼしました。結果、オスマン帝国皇帝は、世俗の長・スルタン、宗教上の長・カリフも合わせて名乗るようになりました（１５１７年～スルタン・カリフ制）。

次いで、スレイマン１世（在位１５２０～６６年）のときに、ハンガリーを征服し（１５２９年）、プレヴェザの戦いで、スペイン・ベネチア連合艦隊を破りました（１５３８年）。

アジアがヨーロッパを圧倒する現象は、イスラム帝国以来のもので、モンゴル帝国の大拡張でその最盛期を迎え、16世紀のオスマン帝国で最後になります。

4 「ユーラシア文明圏」以外の地域

「中世」後半期に並行する時代の、「ユーラシア文明圏」以外の地域について、可能な限り、紹介します。

「ユーラシア文明圏」以外の地域は、次の時代（近代）に、ヨーロッパ世界に、さらにアメリカ合州国や日本に、めちゃくちゃな侵略を受けます。そして、世界規模で、その広大な大地を奪って、自分たちに使い勝手のいいように作りかえ（単にインフラ整備しただけ）、埋蔵する資源を使い捨て、それを「近代化してやった」とか、「港とか鉄道を造り、よいこともした」とうそぶき、自らの悪行を「正統化」します。ここでは、近代前期に侵攻される地域が、その直前、どのような社会を営んでいたのか見てみます。

（1）古代国家

（ア）アメリカの古代国家

農耕社会が形成され、支配するもの（税を取る者）と、支配されるもの（税を奪われる者）ができると、多くの場合、古代国家が出現します。それは、アメリカ大陸であろうと、アフリカ大陸であろうと、関係ありません。そして、支配する者は巨大な神殿を建て、民衆を圧倒し、その全盛期には、全国の税を集めた結果、贅《ぜい》を尽くした建造物や墳墓を造ってきました。全国の兵を集めて、国外に遠征もします。

ユーラシア大陸が中世国家を経験している時代、アメリカ大陸（中央アメリカ文明、アンデス文明）やアフリカ大陸の一部（西アフリカ文明）で、古代国家が出現していましたので、それを順次、紹介します。

〈アステカ帝国〉　グアテマラのマヤ文明が滅んだのは、9世紀の終わりころです。10世紀終わりまでは、混乱時代が続き、10世紀末にトルテカが勃興、11世紀初めには、トゥーラを王都として、繁栄します。ここでは、人間の心臓を犠牲にする人身御供《ひとみごくう》の儀式が行われていました。これは「そういう時代だった、そういう地域だった、そういう文化だった」で、もの知り顔で説明する解説者で終わってはいけません。「心臓を切られる人」「その儀式を行う人」「それを指令する人」の想いを想像しなければなりません。

トルテカは12世紀に滅び、メキシコ高原では、小都市国家が覇権を争います。その中で、アステカが登場し、他の諸都市国家の優位に立ちました。14世紀初めには、30くらいの都市国家連合の中心になりました。アステカには、貴族～平民～農奴～奴隷の階層がありました。

〈インカ帝国〉　南米ペルーには、インカ帝国が出現します。１２００年ころ、都市国家が各地に形成されますが、インカ族もそういう小国家の一つでした。１４００年代に、チャンカ族とインカ族が覇権を争いました。15世紀後半の、9代皇帝・パチャクチの時代、チャンカ族に勝利します。すると、もはや周辺に敵なしの状態で、パチャクチ（在位１４３８～１４７１年）の代に、領域は１０００倍に広がったと言います。パチャクチは祖先7代のミイラを、太陽の神殿に安置していました。

(イ) アフリカの古代国家

〈ガーナ王朝〉

アフリカの歴史については、多くの書でエジプトや地中海沿岸の北アフリカの歴史を掲載しています。エジプトは最も古くから存在する王朝であるし、エジプト・北アフリカとも、ヨーロッパ・アジアへの直接交流が絶えずあったから、注目されたのです。この地域は、アフリカ大陸には存在するものの、「ユーラシア文明圏」の一地域と見るべきです。

だが、他にも、アフリカに古代国家が出現していました。

西アフリカでは、8世紀ころ、マンデ族がガーナ王朝（初の「黒人」王朝）を興《お》こしました。ここは「黄金」の国と言われるように、大量の金を産出したと言います。ガーナは君主の名を意味し、11世紀には12のモスク（イスラム教の寺院）があったそうです。

〈マリ王朝〉　〈ソンガイ王朝〉

続く西アフリカの王朝はマリ王朝です。スンディアタ王が13世紀初頭にソソ族からの支配を打ち破り、王朝を成立させました。第9代国王・ムーサは1324年、メッカ（ムハンマドの生地）へ巡礼に行きました。マリ王朝は孤立した国ではなく、モロッコやエジプトと交流を持っていたらしいです。マリ王朝は15世紀に没落したようです。

マリ王朝の朝貢国だったソンガイ族は、マリ王朝に取って代わります。ソンガイ国王のアスキア・モホメッド（在位1493～1529年）は、メッカへ巡礼に行き、金貨30万枚を寄進しました。エジプトのカリフ（アバシッド）は、彼を全西アフリカのカリフの代理にしました。ソンガイ王朝は1598年、モロッコ人によって滅ぼされ、西アフリカの古代国家は消滅しました。

（2）国家を必要としなかった人々

「国家を必要としなかった」という現象は、「後進性」を意味するのではありません。熱帯・寒帯・冷帯などの環境上、狩猟採集の生業がよかった、家族のみで農耕を行うことが合理的だったということです。それぞれの環境の中でいかに生きるか、そこに人類の「知恵」が込められています。

ただし、国家を持たなかった社会は、一律ではありません。

まず、狩猟採集民には、家族制社会と、首長制社会がありました。

また、農耕民にも、古代国家を形成させていった社会と、首長制を継続していった社会があります。集団で耕作する必要がある（集約）農耕社会では、社会の規模が大きくなり、貧富の差が大きくなり、古代国家への道になって行く場合がありますが、そうでなければ、数戸～十数戸の集落に限定した直放農耕で生活していました。

以下、最北ユーラシア（シベリア）、北アメリカ、太平洋・オーストラリアの「国家を必要としなかった人々」の状況を説明します。

（3）最北ユーラシア（シベリア）

ユーラシア大陸北部は、ウラル山脈から西をヨーロッパ、東をアジアと言っています。

ウラル山脈の東、シベリアの大地の姿を簡単に述べておきます。

ウラル山脈からカムチャツカ半島に至る広大な大地は、大きく、低地、高原、山脈というように、平地から山地へ、徐々に高度を増していきます。

ウラル山脈の東は、西シベリア低地、北シベリア低地になっています。そして、西シベリア低地は、西にオビ川、東にエニセイ川が流れています。

エニセイ川の東は中央シベリア高原です。中央シベリア高原の南には、サヤン山脈、バイカル湖、ヤブロノフイ山脈があり、さらにその南はモンゴルになります。

また、中央シベリア高原の東は、ベルホヤンスク山脈、チェルスキー山脈、コルイマ山脈、チュコト山脈、コリヤーク山脈と、山岳地帯が続きます。中央シベリア高原と、ベルホヤンスク山脈の間を流れているのが、レナ川です。

この広大な大地に、国家を持たない、狩猟採集の民が、住んでいました。

かれらを言語から分けると、大きく三つの集団に分けることができます。

一つ目は、ウラル諸語です。ウラル語には、サモエード語派のネネツ語、ウゴル語派のハンティ語、マンシ語などがあります。彼らの居住地は、ウラル山脈の東、オビ川近辺となります。

二つ目はアルタイ諸語です。

アルタイ諸語は、「キタイ族～遼王朝の成立」のところで説明したように、さらに三つに分かれます。チュルク語系（ウイグル語、ヤクート語、トルコ語など）、モンゴル語系（ブリヤート語など）、ツングース語系（ウデヘ語、ウイルタ語、ツングース語、満州語など）です。

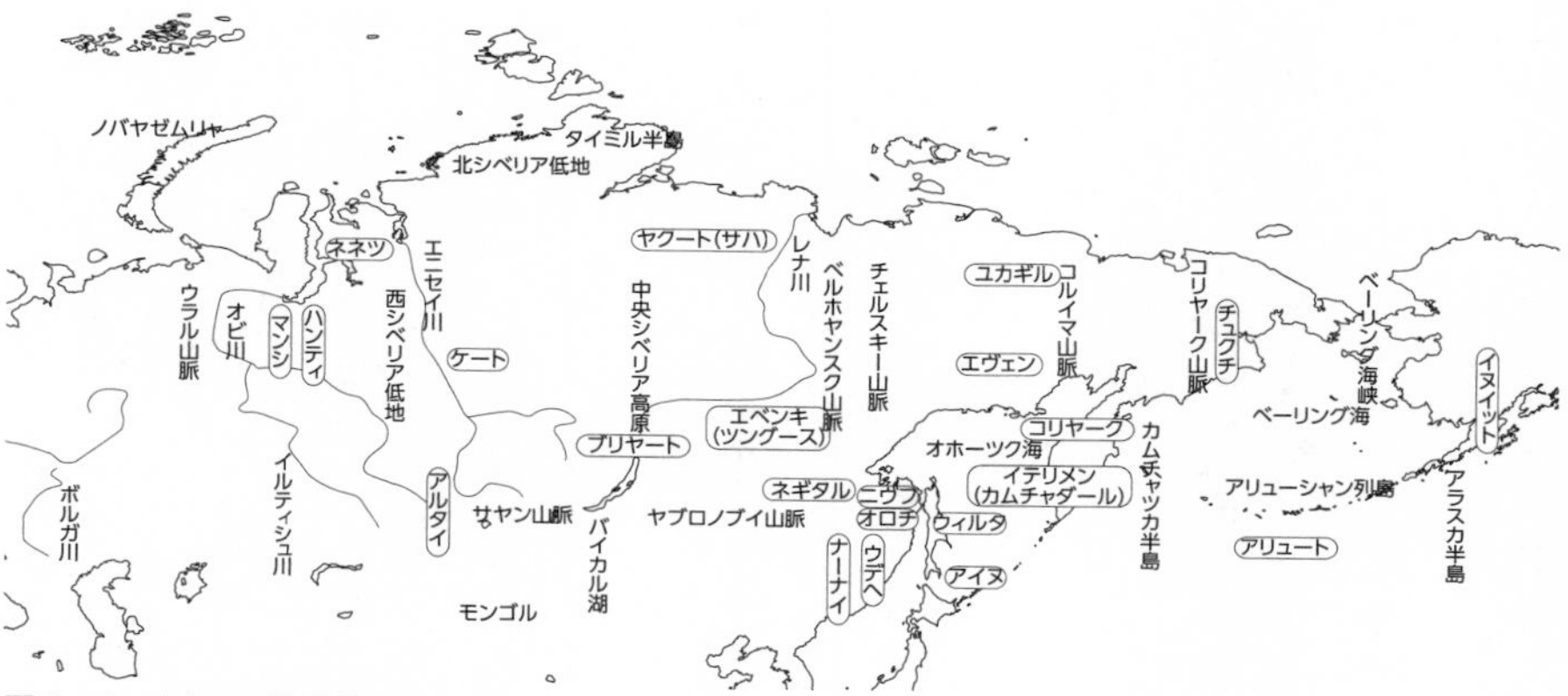

図２　シベリアの諸民族

三つ目は、エスキモー・アレウト語、チュクチ語、コリヤーク語、カムチャダル語（イテリメン）、ユカギル語、ニブフ語、アイヌ語などの古アジア語です。

これらの多数の民族をすべて紹介する力量も知識も持ち合わせませんが、主な民族のかつての生業を、加藤九祚『世界の民族（シベリア・モンゴル）』から、紹介します。

（ウラル山脈・オビ川～エニセイ川付近）

・ハンティ族・マンシ族　大河やその支流に近い人々は、漁労。大きな川から離れた人々は、ヘラジカやトナカイの狩猟を行う。

・ネネツ族　北極海に面したツンドラ地帯に住む。トナカイを追い、狩猟・漁労の生活。

・ケート族　エニセイ川の北の河谷に近い深い森と岩山に住む。夏は移住して漁労、冬は本拠地で狩猟を行う。

（中央シベリア高原～チェルスキー山脈付近）

・ヤクート（サハが自称）族　10～11世紀に、南のバイカル湖周辺から移住を始め、１５００年ころまでに移住を終えた。ウシとウマを飼育する。

・エヴェンキ（ツングース）族　トナカイを飼育する。シャーマニズム信仰を持つ。

・ブリヤート族　シベリア南部・バイカル湖の東西に住む。ウシ・ヒツジ・ヤギ・ウマを飼う牧畜民。最北のモンゴル族。チンギス＝ハンの時代には、存在せず、18世紀にロシアが侵攻してきたときは抵抗している。この間に登場した民族か。

（カムチャツカ半島）

・コリヤーク族　内陸の人々はトナカイ飼育、海岸の人々は漁労や海の哺乳類を取る。狩猟で獲得したものを平等に分け、獲物が取れた場所に宿る霊に食物を供え、次の狩猟の成功を祈った。

なお、最北ユーラシアの民は冷帯、あるいは一部寒帯気候に合わせた、狩猟採集の民と言うより、狩猟（漁労）の民と言うべきで、採集の比重が低くなっています。また、東アジア列島のアイヌは最北ユーラシアの諸族の中でも、もっとも南に位置し、その歴史も比較的明らかになっている民族と言えます。

（4）北アメリカ大陸の先住民

（ア）イヌイット、アリュート

アラスカ・カナダ・グリーンランドのイヌイットは、孤立していた社会にいたわけではありません。1000年ころ、北ヨーロッパのヴァイキングがグリーンランドまで来ました。当然、シベリアやアリューシャン列島、アメリカ・インディアンとの交流もあったことでしょう。イヌイットは定住を行っておらず、冬はアザラシ漁、夏は湖や川での、ホッキョクイワナを中心とした漁を行い、カリブー（トナカイ）猟をしました。

夏の間は、家族ごとに分散していますが、冬になると、親族集団を基礎にしたキャンプ集団になります。そこで食料を獲得したものを皆に配り、餓死者が出ないように平等化します。

シベリア東部のカムチャツカ半島から、北アメリカ大陸のアラスカの間には、ベーリング海を北に見ながら、アリューシャン列島が続きます。ここに住む人をアリュートと言います。アリュートの遺跡は、アラスカ側のウナラスカ島に8000年前のアナングラ遺跡、カムチャツカ半島側のアッツ島・キスカ島は紀元前後に人が移住したようで、アジアからベーリング海を渡り、アラスカに着いた一派が、同地からアリューシャン列島にたどり着いたと見られます。彼らはイヌイットと同様の言語ルーツを持ち、クジラ、オットセイ、アザラシ、セイウチなどの海獣、ヒラメ、オヒョウ、サケ、タラ、ニシンなどの魚を食料にしていました。イヌイットが平等の観念とともに、家族を主体とした社会を形成していたのに対し、アリュートは権力を持った首長がいました。

家族制社会と首長制社会との違い、さらに太平洋の先住民族のポリネシアの王制、どれも狩猟採集・直放農耕を基盤とする社会です。それらは「発展」であったり、決定的違いではなく、食料のちょっとした違いにもとも適した社会を営んでいたに過ぎないように見えます。

(イ)アメリカ・インディアン

コロンブスがアメリカ大陸を「発見」した結果、そこに住む人々を「インド人」(インディアン)、たどり着いた島を「西インド諸島」と言った、誤解に由来していることは知られています。そのために、現在ではネイティブ・アメリカンという語が使われるようになりました。

しかし、ネイティブ・アメリカンでは、アメリカ先住民全体を指し、イヌイットもアリュートも含めたものになります。代わるべき語がないので、取り合えず、北アメリカの中部・南部の先住民を総称してインディアンと呼ぶことにします。

ここに、ヨーロッパ人の侵攻直前、どういう生業の人々がいたか、説明します。

北アメリカ大陸は広大で、地域によって、大きく生業や文化が異なっているため、その違いを見ていきます。地域については、次のように、アメリカ合州国、及びカナダの西海岸を、東海岸の五大湖周辺から、時計回りに説明します。

①合州国北東部～五大湖やポーツマス、ボストン、ニューヨーク、ワシントンなど東海岸の地域

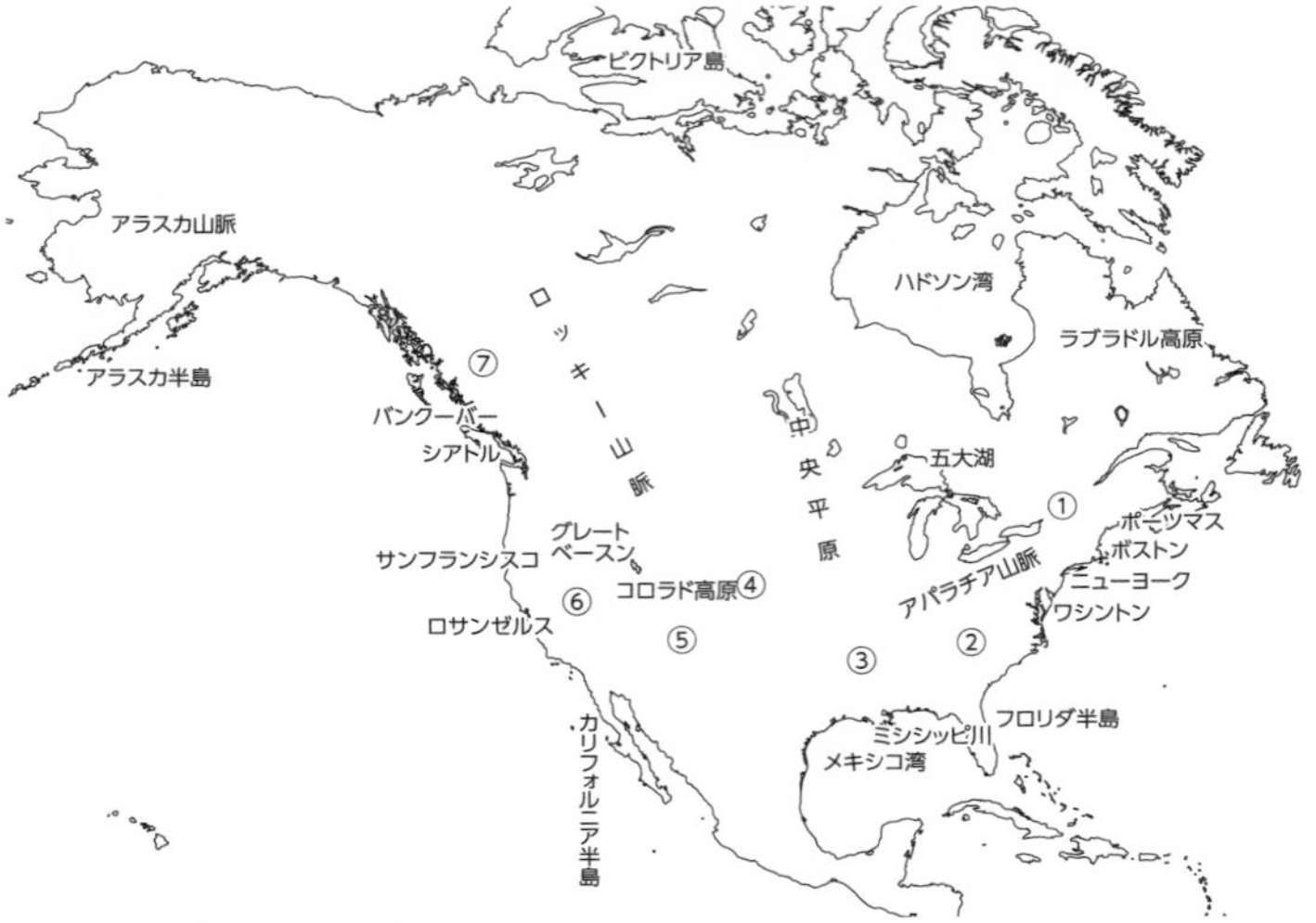

図３　アメリカ・インディアンの文化

②南東部〜アパラチア山脈南部、フロリダ半島地域。
③メキシコ湾岸、ミシシッピ川以北の大草原地帯
④ロッキー山脈東部の高原地帯
⑤南部のコロラド高原
⑥カリフォルニア・ロッキー山脈西側、ロサンゼルス、サンフランシスコ、シアトルなどの西海岸の地域（太平洋側）
⑦バンクーバーなど、カナダ東岸

①〜⑦の地域には、どういうインディアンがいたのでしょうか。

①カナダの南東部とアメリカの北東部には、イロクォイ語族がいました。彼らは農耕と狩猟採集生活、そして15種のトウモロコシ、60種のカボチャの農耕を行っていました。１４００年ころ、現在のニューヨーク州にいた五つの集団が五族連盟を結成し、50人の長老が毎年一回、全員一致を見るまで話し合い、宗教や政治に関わることを決めました。この形は以後、３００年間続けられました。

②この地域のインディアンは紀元７００年ころに栄えていたミシシッピ文化人の後裔だろうと見られます。トウモロコシやカボチャをつくりました。身分社会で、貴族と平民が

いて、貴族にはさらに「太陽の人々」と「高貴な人々」がいました。

③イロクォイ族に押し出された人々が、農業技術を持ってきて、草原地帯に入ったようです。女性はトウモロコシ・カボチャ・豆などの農耕、男性はバッファロー猟、タバコ作りを行っていました。世襲制の男性の神官は、「明けの明星の儀」という、戦争で生け捕りにした処女の心臓をささげる（人殺し）儀式を行ったそうです。

④高原インディアンの大地には、川は少なく、農耕が不可能なため、バッファロー猟が盛んで、戦士になるための年齢階梯制がありました。

⑤4・5階の重層建物を築くなど、都市が形成されていました。プエブロという集落では、首長国とも言える政治体制が出来上がっていました。

⑥ロッキー山脈の東側のグレート・ベースン盆地は砂漠地帯で、農耕は不可能でした。そこで、モルモット、モグラ、ウサギ、バッタなどの小動物や植物の根を食べていました。土器を造る土はなく、草で編んだカゴを編んでいました。

⑦狩猟採集経済ですが、社会には階層があり、集落にはトーテム・ポールが建てられていました。

ヨーロッパ侵略以前（前近代）の北アメリカは、それぞれの地域環境に合わせた多様な文化、多様な生業、多様な社会が併存する大地でした。

(5)太平洋・オーストラリアの先住民

(ア)太平洋の先住民

いわゆる「大航海時代」に始まる近代、ヨーロッパ人たちは「太平洋・オーストラリア」の先住民と接触し、侵攻していきました。そのときに、接した先住民は、どういう生活をしていたのか、あるいはどういう伝承を持っていたのでしょうか。まず太平洋諸民族の生活を見ていきます。

(メラネシア〜太平洋の西南部)ここにはパプア人がいましたが、メラネシア人が移住してきて、その混血でさまざまな民族がつくられました。金属を知らず、土器を制作します。狩猟と、タロイモ・サツマイモなどの焼畑農耕を行います。パプア人は成人式の「首狩り」(人殺し)を行いました。階層分化はなく、集落の首長は権力を持たず、世襲されません。

(ミクロネシア〜太平洋の西北部)生業はタロイモ・バナナ・ココヤシなどの混合で、マライ文化から、入《い》れ墨《ずみ》や信仰、メラネシア文化から頭骨崇拝(首狩りの名残《なごり》か)を取り入れました。

(ポリネシア〜太平洋の東部)トンガやサモアでは、メラネシアとの混血が目立つようです。彼らは「海洋の民」ですが、タロイモを水栽培します。かつて、巨石文化が伝わっていました。

大首長がいて、絶対権力を持っていました。トンガは10世紀中ころ、ツイトンガによって統一されたようです(トンガ王国)。サモアでは19世紀まで数家の王家によって統治されていました。

太平洋の諸部族には、その由来を伝える伝承が残っていることがあります。ポリネシア人の故郷は、東南アジアだったようです。多くの伝承では、インドネシアを経由して、ポリネシアに至ったと言います。伝承では、何代前に移住したということが伝わっています。

太平洋の先住民族は、もともと居住していた人々に、東南アジアから断続的な移住者が来て、混血して形成されたもので、巨石建造物などをつくる首長層も生み出しました。イースター島のモアイ像も、この流れで理解すべきでしょう。伝承によれば、600〜900年ころ、ポリネシア人のホトゥ・マトゥア王が入植したらしいということ、石を積み上げる墓作りはポリネシア全域、さらにハワイに至るまで見られること、イースター島のモアイ像作りは1600年ころが最盛期であることが知られています。また、集約農耕を基盤にしなくても、王制が敷かれること、しかし、それは王朝国家ではないことなど、一つの社会の形を示しています。

(イ)アボリジニー

続いて、オーストラリアの先住民族を見ます。

オーストラリアの面積は、774万㎢です。ここの先住民族はアボリジニーと言い、約4万年前に、アジアから渡ってきた人々の子孫の可能性もあります。イギリスの侵攻の直前、そこに500余りの部族と、30万人のアボリジニーが住んでいたと言います。石器・穴を掘る棒など以外、所有物をほとんど持ち歩かず、決まった季節に決まった地を移動しました。

このことは「人間とは何か」を示す、重要な意味を持ちます。物質欲は本来の人間に備わっていたのではない、「文明」がつくりだした、あるいは先鋭化させたということです。自然への支配が始まる農耕・牧畜とともに、モノの大量な蓄積、それを管理・手にする人、その手に入れ具合で社会の層ができ、物質への欲が拡大していったのです。国家形成しない人たちも、交易による富を求めるようになり、物質欲が生じますが、国家を持つことでこれが拡大していったのです。

彼らは、オーストラリア在住の犬（ディンゴ）を狩猟に使うことはあっても、繁殖させようとはしません。土器は存在せず、したがって、直火《じかび》の調理はあっても、煮沸《しゃふつ》の調理はありません。

彼らの教育法は男女によって違うが、その教育目標は一つで、「厳しい生活条件の中に行きのびてゆくための知恵と技術・態度・価値を身につけさせる」ことだと言います。自然条件の推移と動植物の習性の学習、狩猟採集及び道具制作方法の習熟、水の所在地を探知する技術の習得を、観察と模倣により体得させると言います。

想定外の自然の脅威に対して誰が貴《とうと》い、誰が卑《いや》しいなんかない、同じ人間として助け合うしか生きていけなかった。これが二十数万年の人間社会の基本であり、生きるための「知恵」を伝え合って生きてきた、それをもっとも伝えているのが、アボリジニーの生き方と言えるのではないでしょうか。

以上の「ユーラシア文明圏」以外の地域がそれぞれの文化を育んできたのに、近代の「先進国」がどういう目に遭わせるか、私たちはしっかりと目を見開いて見なくてはなりません。

〈参考文献〉

・荒川秀俊『お天気日本史』（河出文庫）　１９８８
・岩村忍編『西域とイスラム』（中央公論社『世界の歴史』５）　１９６８
・佐伯富編『宋の新文化』（人物往来社『東洋の歴史』６）　１９６７
・田村実造編『大モンゴル帝国』（新人物往来社『東洋の歴史』　１９６７

・レイ・タン・コイ（石澤良明訳）『東南アジア史（増補新板）』（白水社　文庫クセジュ８２６）　２００４
・池上俊一『ヨーロッパ史入門（原形から近代への胎動』（岩波ジュニア新書９４５　２０２１）
・阿部謹也『ハーメルンの笛吹き男』（ちくま文庫　１９８８）
・ドニーズ・ポーム（川田順造訳）『アフリカの民族と文化』（白水社　文庫クセジュ２９７）　１９９３
・松岡静雄『太平洋民族誌』（岩波書店　１９４４
・野村哲也『イースター島を行く』（中公新書２３２７）　２０１５
・浜林正夫『世界史再入門』（地歴社）　１９９３
・川崎敏『南北アメリカ・アフリカ』（古今書房）　１９７８
・ジョナサン・アール『アフリカ系アメリカ人の歴史』（明石書店）　２０１１
・三上次男・神田信夫編『東北アジアの民族と歴史』（山川出版『民族の歴史』３）　１９９２
・スチュアート・ヘンリ『北アメリカ大陸と先住民族の謎』（光文社文庫『グラフティ・歴史謎事典シリーズ』15）
１９９１
・鈴木清史『アボリジニー』（明石書店『世界差別問題叢書』５）　１９８６
・新保満『オーストラリアの原住民』（ＮＨＫブックス３７９）　１９８０
・北海道立北方民族博物館『北方民族を知るためのガイド』　１９９５

第2章　東アジア列島の中世後半期

一　中の文化圏（前期武士の時代）

1　中世後半期（前葉）

（1）安倍・清原・奥州藤原政権

「中の文化圏」、つまり、和人の中世後半期の歴史は、ユーラシア大陸の中世後半期と連動しているのでしょうか。それとも、大陸から離れた島国として、別個の歴史をたどったのでしょうか。

安史の乱から唐王朝が衰退し、9世紀前半の東アジアは、唐王朝の他に、回紇（ウイグル）と吐蕃（チベット）の鼎立時代でした。ただし、両国はまもなく、空中分解し、その後、唐王朝も滅びました（中世前半期の終わり）。

916年、モンゴル系の契丹の耶律阿保機が即位し、遼王朝を建国、926年に渤海を滅ぼし、986年には宋王朝に侵入し、1004年に遼・宋間に和平が成立しました（中世後半期前葉）。

12世紀になると、ツングース系の女真族が金王朝を樹立します。金王朝は遼を滅ぼし、さらに南下し、宋王朝を追い込みました。宋王朝の一派は江南に逃亡し、ここに南宋王朝を立てました。

13世紀には、モンゴル諸族が統一され、チンギス＝ハンが中央アジアを征服し、フビライの時代には南宋を含む中国全土を支配しました（中世後半期中葉）。

ここから、北方勢力が南方勢力に進出していく流れが読み解かれます。

以上の流れを踏まえながら、「中の文化圏（日本史）」を見ていくことにしましょう。

中世前半期の王朝は天皇政権（宮廷）です。

それに対して、９３５年に平将門《まさかど》が叔父たちと対立、９３９年には新皇《しんのう》を名乗ります。この年、瀬戸内海では藤原純友も反旗を翻しました。両者はまもなく敗れますが、将門については関東独立を意識していました。

このとき、平将門、藤原純友の独立戦争を鎮めたのは、平貞盛《さだもり》、源経基《つねもと》、藤原秀郷《ひでさと》です。それぞれ、平清盛、源頼朝、（奥州）藤原清衡の祖先になります。彼らが武士の代表として、新たな政府をつくる立役者になったのは、祖先が将門・純友を倒したという「功績」が影響したと言えましょう。また、関東は後の鎌倉政権、瀬戸内海は後の平氏政権の基盤となっていきます。

次に、11世紀半ばに、陸奥《むつ》（岩手県）地方の安倍氏が天皇政権に従わないという事件が起きました。天皇政権は自らの政府軍を持っていませんから、新興の武士層の源頼義《よりよし》を派遣しました（前《ぜん》九年の役）。安倍頼時は頼義の説得に応じました。しかし、頼義の国司《こくし》の任期が終わろうというときに安倍氏を徴発して、前九年の役になりました。ところが、頼義は安倍氏の強力な抵抗を受け、大苦境に陥りますが、出羽《でわ》（秋田県）の清原氏の力を借りて、やっと安倍氏を屈服させることができました。

それから20年近くたち、源頼義の子・義家《よしいえ》が陸奥国司になりました。そこでは、清原氏が内紛を起こしており、その内紛に義家が加わり、後《ご》三年の役になります。清原氏は分裂し、その中で清原（藤原）清衡《きよひら》が勝ち残り、奥州《おうしゅう》藤原氏の初代当主となります。奥州藤原氏が安倍・清原の土台のもと、その後、４代１００年の半独立政権を東北に築きました。

奥州藤原政権は、王権から完全に独立しよう、東北地方から領域を広げようという「野心」は持っていませんでした。それは「自分たちは『夷《エミシ》』だ」という、「身《み》の丈《たけ》」を規定する社会意志があったのだろうと思われます。

中国では宋王朝と、遼・金王朝の並立時代ですが、日本でも、（宮廷を上に立てながらも）奥州藤原政権と天皇政権が並立したと言えるようです。次いで、モンゴル人が中国全土を支配する時代になりますが、「中の文化圏」でも武力を基盤とする鎌倉政権が全国政権になっていきます。

（2）武人政権の成立

平氏政権がいつ成立したか、平清盛が鹿谷《ししがたに》の陰謀に関わった後白河《ごしらかわ》法皇の近臣を処分し、法皇を鳥羽殿《とばどの》に幽閉した時点（1179年）が注目されていますが、それでは平氏政権の期間があまりに短すぎます。平氏政権には政権組織を持ったり、政権の方針を示す法令を出すと言った類《たぐ》いの、政権の臭いがしません。圧倒的な武力と経済力（知行国、荘園、日宋貿易）と、一族で官位を独占し、あくまで天皇政権内で巨大勢力を持っていたという印象を持ちます。それをもって広い意味の平氏政権と言えます。言い換えれば天皇政権（宮廷）内で、天皇～藤原摂関家～院～平氏（武家）の順に権力を持ち、次の武家独立政権（鎌倉～江戸政権）への橋渡しとなったのです。だが、末期には福原（現・神戸市）遷都《せんと》を企てるなど、自前政権を打ち立てようという芽が見えます。ただ、宮廷勢力（天皇家・摂関家）は権威で成り立っているので、弱まっても滅びません。一方、武人政権は軍事政権なので、滅びるときは壮絶な最期（平氏、鎌倉政権、豊臣政権）となり、後世の物語（例えば、『平家物語』『太平記』、源義経や真田幸村《ゆきむら》への判官《ほうがん》びいきなど）となりました。

実は、鎌倉政権は、源氏が頂点にいるように見えても、それでは表層的にしか見ていません。関東に成立した新興の、武装・開拓農民を束ねるのに、源頼朝の「血統（清和《せいわ》源氏）」とカリスマ性が必要だった、しかし、頼朝の「謎の死」（何せ、鎌倉政権の公式記録『吾妻鑑《あづまかがみ》』に掲載されていないのですから）の後、一定の権力を持とうとする2代源頼家・京風の宮廷文化にあこがれる3代実朝《さねとも》が順次暗殺され、その後は名目将軍（お飾りの鎌倉政権の首長）が続きます。鎌倉政権は実質、武装・開拓農民の代表（御家人《ごけにん》）の合議制で、運営されていました。

平清盛にしても、源頼朝にしても、権力を得る方法は、6世紀の蘇我馬子以来、王家の外戚《がいせき》（娘を天皇に嫁がせる）になって、その権威を利用することしか思い浮かびません。「血の正当性」を一つの条件に、首領になっていった彼らの限界です。しかし、関東武士団は、源頼朝も実朝も、彼等・将軍が王家に接近しようとすると、強い抵抗を示し、関東を中心とした独立政権であることを優先させました。

日本と同様に、高麗《こうらい》（朝鮮半島）でも、国王を上に置きながら、武人（崔氏《チェ》）が政権を握りました。しかし、朝鮮半島の武人政権は独自の歴史を止められます。それはユーラシア大陸と陸続きという地勢が最大の要因です。モンゴル軍に執拗に攻撃されたのです。1258年、4代続いた崔氏政権が倒れ、国王・高宗が親政を行いますが、それはモンゴル帝国に降伏することでした。

2　中世後半期（中葉）

（1）承久の乱と、王家の「正統性」

鎌倉政権は、東国に基盤を持つ、全国政権です。軍事の天才・源義経が木曽義仲・平氏を瞬《また》く間《た》に滅ぼしました。軍事の天才とは何かと言うと、武者のしきたり・たしなみを無視し、いかにすれば効率的に勝つかに全神経を集中させ、実行したかに尽きます。

やがて、頼朝は弟・義経との不和を利用し、国ごとに守護、荘園ごとに地頭《じとう》を置きました。さらに、鎌倉政権が奥州藤原氏を滅ぼした（1189年）時点で、全国政権になりました。鎌倉政権内では、北条氏の権力が源氏将軍家やライバルの御家人に悪質な言い掛かりを付けては滅ぼす（粛清）ということで固められていきました。

一方、天皇政権の関係では、王家や摂関家の支配する荘園は全国にあります。王家には国司を任命する権限もあります。鎌倉・革命政権に対し、旧・勢力も厳然たる力を持っていたのです。

王家は文武両道の達人、後鳥羽《ごとば》上皇が実力者となりますが、鎌倉政権に対しては、清和源氏一族のみに、将軍という権威を与え、武士の棟梁《とうりょう》としての地位を与えたという認識でいました。1219年に、3代将軍・源実朝が暗殺された時点を持って、鎌倉政権の「正統性」はなくなったと考えたのです。後鳥羽上皇は北条義時《ほうじょうよしとき》を討つように命じます。関東武士団の御家人は大いに悩みますが、北条政子が「北条義時を討つこと」から「鎌倉政権を否定したのだ」と論点をずらす、気迫をこめた、大掛かりな演説を行い、王家に反撃しました。そうなると、王家は弱く、たちまち敗北しました（承久《じょうきゅう》の乱）。こうして、鎌倉政権は実力として天皇政権の上に立つようになりました。しかし、天皇の「権威」は警戒が必要なので、京都に六波羅《ろくはら》探題を置きました。

鎌倉政権は、王家を滅ぼすことはしません。王家の「正統性」は、アマテラス神の子孫だという部族信仰にありますす。その時代からの家系はもはや存在せず、さらにはその「正統性」に乗っかって歴代の権力者が権威を手に入れようとする以上、王家は半永久装置になります。

(2) モンゴルの侵攻

高麗《こうらい》がモンゴル帝国の属国になると、誇りを捨てて、モンゴルに尽くします。王朝が生き残るために、何もかもかなぐり捨てます。高麗王の王妃はモンゴル人の姫、王室ではモンゴル語の使用、衣服・頭髪もモンゴル式という、徹底ぶりでした。

こんなとき、モンゴル帝国が詔書《しょうしょ》を日本に送ろうとしました。モンゴルと日本が戦争になれば、使い走りにされる高麗の疲弊《ひへい》は想像に難《かた》くありません。高麗はいろいろ理由を付けて、回避しようとします。しかし、高圧的なモンゴルに対し、外交などできない、ただ拒否一辺倒《いっぺんとう》の鎌倉政権に、戦いを回避する知恵はありません。

日本は島国という地勢環境のため、外交交渉は極めて不得手で、歴史的には、拒否（遣唐使廃止、元寇、鎖国）、戦争（秀吉の朝鮮侵略）、従属（足利義満の勘合《かんごう》貿易、戦後の対米追従外交）という形しか取ることができません。

そのとき、武人の一派の三別抄がモンゴルに抵抗を始めました。民衆も三別抄に味方したので、その勢いは止まりません。１２７３年、高麗はモンゴル帝国（元王朝と名乗る）と共同で、三別抄を滅ぼしました。元・高麗軍による、第一次日本侵攻（文永の役）は、この蜂起を鎮めたことで、可能になったのです。

１２７４年に、元・高麗軍が対馬《つしま》海峡を越え、対馬・壱岐《いき》を攻略して、博多に侵攻しました。かつては、これは台風が来て、遠征は失敗したとされていましたが、今では台風の記録は存在しないことがわかっています。

１２７９年、元は江南の南宋を滅ぼしました。そうなると、対馬海峡からは元・高麗軍、東シナ海からは江南軍が侵攻してきます（１２８１年）。東アジア列島史上、未曽有《みぞう》の大侵略（14万の軍勢）が行われようとしました。しかし、日本軍は石塁を築き、博多上陸を阻《こば》み、今度は大暴風雨が起き、遠征軍は大損害を受けました（第二次日本侵攻～弘安の役）。

元王朝にとっては、一つの「失敗」くらいでも、日本においては、元・高麗・南宋軍の襲来は大事件です。１９４５年8月まで、大暴風雨は「神風」、撃退した日本は「神国だ」と妄信《もうしん》させたくらいですから。

しかし、民族の「成功体験」（例えば「弘安の役」、日露戦争の「日本海海戦」）、そこに導いたリーダー（例えば北条時宗、東郷平八郎）の充実感に、悪乗りしてはいけません。多数の戦死者を出した相手国の兵士、いつまでも「成功体験」をひきずって、慢心するその民族、一瞬あらゆる条件が自分の民族に有利に働いた「充実感」（＝栄光）などは幻のようなものですから。

さらに言えば、世界史から見たら、遊牧民の勢力の大拡張現象が、日本にも及んだということに過ぎません。それは東アジア列島では、日本の博多の他に、樺太アイヌ、瑠求国《りゅうきゅう》（今の台湾か）にも侵攻しており、さらに東南アジアにおいてはジャワ島にも遠征軍を送っていて、それらを含めて見ることが必要です。

そして、ここで注目したいのは、鎌倉政権では、二度の元寇を利用して、ちゃっかり、北条本家（得宗《とくそう》家）の権力を強化したということです。

（3）鎌倉政権の滅亡

14世紀初頭に北条得宗家《とくそうけ》（2代執権・北条義時の嫡流《ちゃくりゅう》）が鎌倉政権の最高権力者になりました。それでも、名目将軍・9代守邦親王《もりくに》は存在する（4・5代は藤原氏、6〜9代将軍は天皇家）のですが、それは権力が得宗家に集中しても、なおかつ「血の権威」が必要だったということです。

しかし、一つの一族に権力が集中するという事態は、その足腰が弱ってきたり、腐ってきたり、新たな勢力が台頭していても、それに気づかないまま、形としての権力が続くように錯覚させられます。

本来、御家人《ごけにん》の合議政権だった鎌倉政権ですが、得宗家と側近に権力が集中し、御家人の土地が質《しち》流れ、売却されていくという事態が進行していました。1297年には、鎌倉政権は「永仁《えいにん》の徳政令」と言われる、御家人の質流れ、売却地を返す条件を示しました。

1300年ころから、「悪党」という勢力が台頭してきました。海賊・山賊・強盗、借金の取り立て、追剥《おいはぎ》だったのが、集団をつくって、荘園の年貢を払わない、幕府に反抗するというように、既成の勢力を破壊するものが出現してきました。もちろん、これは鎌倉政権から見た悪口で、鎌倉政権に従属しない集団を言ったものでしょう。1320年代には、「悪党」は機動力のある新興の武士勢力に成長してきました。もはや、彼らは鎌倉政権の体制を打ち破ろうという状況まで行っていました。しかし、彼らの頭目となる人が誰なのか。

少しさかのぼりますが、13世紀中ころ、王家では、後嵯峨《ごさが》天皇の後、その子・後深草と亀山の兄弟で、どちらの子孫が王位に就くか、もめていました。8代執権・北条時宗が仲介し、後嵯峨の3人の子どもは宗尊《むねたか》親王が鎌倉6代将軍、そして後深草の子孫（持明院《じみょういん》統）と、亀山（大覚寺《だいかくじ》統）の子孫が順番に王位に就くことで、決着しました。

この「自分の子孫に王位を持っていきたい」という権力争いは、親の想いとして、もっともなことと思われます。ところが、後宮《こうきゅう》の女房《にょうぼう》・二条の『とはずがたり』を見て、愕然《がくぜん》としました。後深草・亀山の兄弟、その間で権力闘争に走る西園寺実兼《さいおんじ》、彼ら３人ともに密通する二条の語りに、天皇の子と言われている人物は、本当にまちがいないのかと疑いを持ちます。本当の父は母親しか知らない、まさしく乱れ切った宮廷と言えましょう。男の権力闘争の中にいた女性から見たら、全然違う歴史が存在しました。この『とはずがたり』の著者と密通した王たちが、持明院統、大覚寺統、そして後の南北朝の争いのもとになっていくのです。

アマテラス神と称するものの子孫を王として奉《たてまつ》り、それを「日本の柱」と信じさせたい勢力には、この若い一女性の赤裸々な日記は、王家にとって、隠蔽《いんぺい》したい書・第一になる、いや、だからこそ、ほとんどの人が知らない、知らせない書なのでしょう。

さて、王家の順番ですが、持明院統と大覚寺統は順に王位を継いでいましたが、１３１８年に中継ぎのはずの、後醍醐《ごだいご》が即位しました。ところが、後醍醐は他に王位を譲る気はありません。飢饉《ききん》に応じて米を放出したり、訴訟を自ら裁いたり、自らの政治に強い意思を持ち、王位も自分の子孫に持っていきたいという思いがありました。しかも、そのエゴのかたまりを正統化するものとして、宋学（朱子学）を信じ、本来の君主は自分だという信念を持ち、真言立川流《たちかわ》という怪しげな宗教の虜《とりこ》になりました。後醍醐は正中《しょうちゅう》の変（１３２４年）で鎌倉政権転覆《てんぷく》を謀りますが失敗、しかし、元弘《げんこう》の変（１３３１年）で再度、決起し、笠置《かさぎ》山に立て籠《こも》りました。これほど強力なエゴは、不撓《ふとう》不屈のパワーに転化します。ほぼ同時に、「悪党」と目される楠木正成《まさしげ》が決起します。大局観を持った、智謀の人・楠木が寡兵を持って、神出鬼没に戦う姿は、既存の鎌倉政権の大軍を翻弄《ほんろう》しました。鎌倉政権に、反逆者が相次ぎ、ついに足利高氏（のち尊氏）が六波羅《ろくはら》探題（京都の守護、宮廷の監視をする役所）を、新田義貞が鎌倉政権を滅ぼしました（１３３３年）。両者とも、源氏の分家であることは注目されます。

3　中世後半期（後葉）

（1）足利政権の成立

中国では、北方からの遼・金王朝、そして元王朝が完全に江南まで侵攻して、統一王朝をつくりました。しかし、中世後半期後葉には、江南の明王朝が元王朝をモンゴル高原に追い出しました。

日本でも、北方の安倍・清原、奥州藤原氏の地方政権、そして東国を基盤とする鎌倉政権が全国政権になりますが、その滅亡後は、後醍醐政権、足利政権と、西に拠点を持つ政権が復帰しました。つまり、東アジアの動揺と、日本の情勢はタイアップしているように見えます。

後醍醐による、建武の新政は、名目だけでなく、本気で摂政も関白も、征夷大将軍もない、10世紀の醍醐《だいご》天皇の時代に戻そうというものでした。ここから学ぶことは、宋学に限らず、思想のために正義を掲げ、善悪を割り切る生き方（原理主義）の限界です。それは腐れ切った世の中を変えるパワーになる一方、そのために多くの人々の犠牲を強いることもあるのです。○○主義、○○思想、○○教に自主的に殉じる、あるいは権力に叩き込まれ、殉じさせられ、生命が奪われていくさまは、現代、おそらくは未来にも起こっていくことなのでしょう。

足利尊氏は持明院統の光明《こうみょう》をもう一人の天皇に急遽《きゅうきょ》立て、光明に征夷大将軍に任ぜさせました。尊氏の孫・義満の代に、京都・室町（花の御所）に拠点を置いたので、足利氏の政権を室町幕府と呼ぶことが多いです。しかし、室町に在位していない将軍が多いこと、鎌倉政権と違い、一応、将軍家（足利氏）が名実とも権力を持っていたことから、足利政権と呼ぶことにします。

ただし、後醍醐の子孫は引き続き、吉野で三種の神器を握り、王位を継承していったので、京都（北朝）と吉野（南朝）に二つの天皇が生まれ、足利政権内の派閥争いとからんで複雑な権力争いをします（南北朝の争乱）。

鎌倉政権が、関東の御家人の中で争いを繰り返したのに対し、足利政権の争乱は京都を中心にしながらも、九州・中国・関東・東北の日本・全国に及びました。全国に強力な領主（守護大名）がいたのです。また、足利政権自体も、将軍を上に立てながら、全国の有力な守護大名が連合しあって、政治を運営していました（管領《かんれい》～斯波《しば》・細川・畠山氏。侍所《さむらいどころ》～山名・一色《いっしき》・赤松・京極氏～これを三管四職《しき》と言った）。そこは、北条氏のみが実質権力を持ち、将軍権力をないがしろにしてきた、鎌倉政権の反省があったのでしょう。

（2）足利政権の勃興期

足利政権は１３３０年代に始まり、１５００年代には実際の力を失います。それ以降も、織田信長に京都を追放されるまで、足利氏の政府はありますが、名だけ、あるいは足利の権威を利用したい人の傀儡とされていきます。9～15代将軍までで、京で亡くなったのはただ１人（それも暗殺～13代足利義輝《よしてる》）だけです。

足利政権の勃興期は、初代尊氏から3代義満まででしょう。尊氏が後醍醐に公然と反旗を翻《ひるがえ》したのは、鎌倉政権の14代執権《しっけん》・北条高時の子・時行が復権を求めて決起し（中先代《なかせんだい》の乱）、それを滅ぼしたときです。ただ、尊氏は権勢欲の弱いお人好《ひとよ》しで、自分の歴史的役割を自覚しない迷いが、大混乱（観応《かんのう》の擾乱《じょうらん》）を引き起こしました。この政権始動の場当たり的な日替わりメニューが、足利政権の基本精神になってしまいました。

2代義詮《よしあきら》の死後（１３６７年）、3代足利義満はまだ11歳で、細川頼之が補佐しました。

このとき、南朝という反足利の天皇政権もありましたし、全国には有力な守護大名がひしめいていました。関東には2代義詮の弟・基氏《もとうじ》の子孫が鎌倉府として、東国を支配しています。東北地方は奥州探題《たんだい》の斯波《しば》氏と吉良《きら》氏、四国は河野氏と細川氏、中国地方は赤松、山名、大内氏などが力を持っていたのです。義満は有力な守護大名の内部対立を利用しては、言いがかりを付け、彼らの力を削ぐことにします。

まず、美濃（岐阜県）・尾張（愛知県）・伊勢（三重県）の守護大名・土岐《とき》氏を分裂させます（１３８７年）。次に一族で西日本の11国を支配していた山名氏を分裂させます（明徳の乱～１３９１年）。さらに、１３９９年には、周防《すおう》・長門《ながと》（山口県）など6国の守護・大内氏に決起させ、それを鎮圧しました（応永の乱）。

そして、南朝と北朝を交互に王位に就かせると騙《だま》し、南朝から三種の神器（草薙剣《くさなぎのつるぎ》は源平合戦の壇《だん》ノ浦《うら》の戦いで海に沈んだはずですが）を奪い、南北朝を北朝一本にまとめました（南北朝合一～１３９２年）。

さらに義満は天皇位にターゲットをしぼります。御所《ごしょ》（王の邸宅）を見下ろす相国寺《しょうこくじ》を造り、後円融天皇の夫人たちと密通・不倫を繰り返し、天皇の行事にわざと義満の行事をぶつけるいやがらせを行い、王家の人事権を奪い、明王朝との国交は自らを「日本国王」と名乗りました。4代将軍は息子の義持《よしもち》でしたが、同じく息子の義嗣《よしつぐ》を「親王」にし、将来の王位をねらっていた可能性があります。尊氏時代の観応《かんのう》の擾乱以来の、何でもありの権力闘争の、総決算となります。しかし、得意の絶頂で、義満は１４０８年、急死しました。

(3) 足利政権衰退の潮目

足利6代将軍は、くじ引きによって、天台（延暦寺《えんりゃくじ》）座主《ざす》・義円《ぎえん》（足利義教《よしのり》）になりました。義教は父・義満の再来かと思われるほど、有力大名の力を削ぐことに熱心になりました。大内氏を使い、少弐《しょうに》・大友氏を破り、九州の中部・北部に力を及ぼします。さらに自らの出身母体だった比叡山に再三、圧力をかけます。１４３８年には、鎌倉府（鎌倉公方《くぼう》）の足利持氏を攻撃、自害させました（永享の乱）。義教が一色《いっしき》・土岐《とき》氏も討ったため、次は自分の番かと、戦々恐々していた赤松満祐がいきなり義教を殺害しました（１４４１年。嘉吉《かきつ》の乱）。暗殺には①ライバル勢力を消す、②将来、敵対勢力になりそうな者を無実の罪で殺す、③上位者、あるいは恐怖を押し付ける絶対者を殺す（クーデター）、の三パターンがありますが、これは③です。3代義満と、6代義教の約60年間、足利政権は有力守護大名の力を減退させ、勢いを誇りますが、嘉吉の乱が足利政権の潮目になりました。

6代足利義教の暗殺後、足利政権は細川持之らの有力守護大名の合議制で維持されることになりました。6代義教の死を境に、足利政権は衰退期に入っていったと言ってよいでしょう。

(4) 応仁の乱

8代足利義政の少年時代は、畠山持国が実質、政治を行っていました。

まだ勢力の弱かった細川勝元は畠山氏との対抗上、8か国の守護大名・山名宗全《そうぜん》に近づきました。細川勝元は山名宗全の娘を妻にし、義理《ぎり》の親子となりました。しかし、畠山持国が細川勝元に管領《かんれい》職を譲り、細川家の力が増してくると、今度は義父・山名の勢力が邪魔になってきました。こうして、中央政界では、義理の親子・山名と細川の勢力争いが起きていったのです。

足利政権を支える畠山持国の跡目争いは、実子・義就《よしひろ》(足利義政支持)と、養子・政長(細川勝元支持)の対立、斯波《しば》家の跡目争いは、斯波義建の養子・義敏《よしとし》と、一族の義廉《よしかど》の対立となっています。この跡目争いが細川・山名の争いに結びつき、京都内の大戦争になりました(応仁の乱)。

東軍(細川勝元側)は、花の御所(室町第《てい》)に居を構え、西軍(山名宗全側)は西陣《にしじん》に居を構えました。

しかし、東軍も西軍も、一時的な同盟体です。将軍・足利義政の腰は定まらず、東軍の総大将に祭り上げられた足利義視《よしみ》(義政の弟)は途中から逃亡し、さらに西軍に寝返ります。元々、政界に出る気などなかった義視は、無責任将軍・義政の誘いで、将軍後継にさせられ、応仁の乱に巻き込まれ、人生を翻弄《ほんろう》させられます。

いったい、何のために戦っているのか、誰にもわからない状態で1473年3月、山名宗全が病死し、5月には細川勝元が病死しました。しかし、日本史を代表する趣味人・足利義政は無責任の極致、政治を投げ出し、9才の義尚に将軍職を譲りました。資金繰《ぐ》りは日野富子(義政の妻)が金《かね》の亡者《もうじゃ》となって集めました。結局、乱が終わったのは1477年に畠山義就が京都を去り、河内・大和に攻め込んだときです。

(5)応仁の乱後

9代足利義尚は、足利将軍家・最後の威厳を見せようとします。斯波・畠山・細川・山名・一色・大内ら、名だたる守護大名を引き連れ、近江《おうみ》(滋賀県)南部の六角氏を攻撃しました。しかし、深追いしすぎ、甲賀《こうが》(滋賀県)忍者の里・鈎《まがり》で、膠着状態の中、病死しました(1489年)。足利将軍家最後の大規模な遠征ですが、対象地域が畿内に収まっています。力が全国に及ばなくなったということでしょう。

鎌倉政権が北条得宗家に権力が集中し、そこを倒すことで崩壊したのに対し、足利政権は各地の守護大名の力を押さえる力がなくなって、弱体化し、京都周辺のみに縮小した政権に変わり果てたのです。全国では、守護大名が自国に戻り、地盤の確保に努めるとか、(筆頭の家臣の)守護代が守護大名に取って変わったり、土豪(毛利氏など)や、その地に縁もゆかりもない者(後北条・齊藤氏など)が来て、戦国大名になっていきました。そのとき、そのときの情勢で、主家を裏切ってもいい、そういう形が全国に広がったのです。足利政権は「血」の権威でのみ生き延び、全国では独立国(戦国大名)が乱立する時代になりました(戦国時代)。

(6)中世後半期の「中の文化圏」とは

「中の文化圏」の、武家政権の歴史的経過は、次のように東アジアの歴史的経過と比較できます。

①遼・金王朝の満州・華北支配。江南は宋・南宋王朝支配

～安倍・清原・奥州藤原氏の東北地方支配。東北以外は王家(宮廷)が支配。

②元王朝が中国全土支配。

～鎌倉政権が「中の文化圏」全土支配

③明王朝が江南から中国統一。元王朝はモンゴルに戻り、北元王朝

〜京都に足利政権。基盤は弱いが一応、全国政権。

これは「ユーラシア文明圏」の形が日本（中の文化圏）に押し寄せたものと言えます。

(7) 禅の世界

足利政権の時代、あるいは戦国時代の大名には、政治指南がいます。それは戦国時代の、いかに謀略戦を勝ち抜くかという「軍師」とは違います。いかに政治を行うかというもので、禅宗の臨済《りんざい》宗の僧が政治指南になりました。京都五山・鎌倉五山といった武家権力と結びついた宗派も、臨済宗です。

それは、鎌倉の新仏教〜法然《ほうねん》の浄土宗、親鸞の浄土真宗、日蓮の日蓮宗〜が、権力と旧仏教の軋轢《あつれき》で、相当の弾圧を受けている事態を見ての行動でしょう。

同じ禅宗と言っても、道元のような、政治と一線を画し、政治と上手に付き合っていくことの一切を拒否する世界とは違います。結果、政治権力のうま味の虜《とりこ》になる臨済の僧もいたことでしょう。

しかし、雪舟《せっしゅう》も、一休も禅宗、それらからは、やがて、わび・さびの文化が生まれます。贅《ぜい》の限りを尽くす、金銀散りばめる、そういう成金《なりきん》趣味を跳ね除ける。しかし、単に質素、単に倹約ではない、小さな空間に世界があるというものです。

一休は後小松天皇の子だと言います。しかし、そういう出自はおくびにも出さず、豪商にも権力者にも媚びることを徹底的に嫌う、その一方で、能、茶、俳諧、水墨の文化人と交流し、凛《りん》とした清廉の文化サロンを築いていきました。禅の思考は、後には「剣」も「柔」も「道」、野球などのスポーツにも「道」という、日本独自の世界となっていきました。

それは「発展」「栄華」「拡大」「贅沢」「優勝劣敗」といった、「文明」の性、そして「資本制社会」の在り方に苦しむ現代に、叡智につながる一つのヒントを与える視点となりましょう。

二　北の文化圏（アイヌの自由交易）

（1）アイヌモシリ

13世紀までに、原アイヌ（擦文《さつもん》文化人）は、北海道からサハリンや南千島に侵出していきました。アイヌ居住圏（アイヌモシㇼ）が北海道・サハリン南部・千島列島・本州最北部に確定したのは、この時代のことです。

このころ、原アイヌ文化も、鉄器の流入により、石器や土器が必要なくなりました。たて穴住居をやめ、平屋式の家（チセ）に住むようにもなりました。狩猟採集社会でありながら、隣接の和人から鉄器を手に入れ、新石器文化を捨て去ったのも、この時代です。

こうして成立した時代をアイヌ文化期と言っています。

アイヌ文化期は、自分たちの意思で自由に交易していた時代（アイヌ文化前期）と、日本や中国・ロシアなど周辺の国に交易の形を縛られる時代（アイヌ文化後期）に分けられます。ここで取り上げるアイヌ文化前期は、周辺の文明圏、あるいは民族と積極的に交易し、利を得て、拡大した時代です（中世後半期）。

（2）アイヌの精神文化

狩猟民族・アイヌは、もとより、仏教やキリスト教徒ではありません。しかし、アイヌの精神文化は、北の新石器文化に連なる、一つの宗教と言える体系を持っています。

アイヌは、あらゆるもの、それこそ、動植物から、舟や徳利《とっくり》に至るまで、魂が宿っていると考えます。そのあらゆるものは、人に役立つために存在している。つまり、魂の世界（カムイ・モシㇼ）から、肉体という着物を着て、人間（物質）の世界（アイヌ・モシㇼ）にやってきたと見ます。

そして、その肉体が破損し、人間の世界での生を全うしたら、その本体（魂）はカムイ・モシㇼに戻ります。そのとき、アイヌは自分たちのために役だったことを思い起こし、そのカムイ（魂）に感謝し、祈りを捧げ、お土産《みやげ》（お供え）を持たせます。すると、その魂はカムイ・モシㇼで高い位に付くことができるというのです。

このようなアイヌの生き方は、敬虔《けいけん》そのもの、あらゆるものに神性を感じ、結果として、自然の摂理に合わせたものとなりました。儲けるために、大量生産～大量消費～大量廃棄するなどとは、無縁のものです。

アイヌの人たちも、北に中国、南に日本という文明圏と、絶えず接していたために、その商品を奪い合い、同族内の武力闘争を頻繁《ひんぱん》に起こします。しかし、狩猟採集社会という構造が、物質欲の歯止めになっていました。

現代の私たちは、資本制経済のもと、地球環境に過重な負担をかけ続け、馬車馬《うま》のように労働に駆り立てられています。しかし、それでも、利益拡大、経済「成長」という運動から抜けられません。地球が疲弊し、人間を含む自然へのしっぺ返しが来ても、なおかつ「成長戦略」のための「消費拡大」をやめられない、こうした仕組みを選んでしまった私たちに、アイヌの精神文化は強いメッセージを与えてくれます。

（3）樺太アイヌとモンゴル帝国の戦い

『金史』によれば、金王朝の東の境に、ギレミとウデカイがいると言います。ギレミはニブフ族（ギリヤーク）、ウデカイはウデヘ族を指します。ウデヘ（ウデカイ）は森林動物を求めて移動する狩猟民、ニブフ（ギレミ）はアムール川河口とサハリン北部に住んでいます。

アムール川下流域・沿海州・サハリンには、近代においては、ツングース系の民と古アジア系の民がいました（163頁図2参照）。前者は、ナーナイ、ウリチ、オロチ、ウデヘ、ネギタル、ウイルタなどで、後者は、ニブフ、アイヌです。

１２３４年、モンゴル帝国は金王朝を滅ぼし、ニブフやウデへの居住するアムール川下流域やサハリンとも接します。そのころ、北海道にいるアイヌがオホーツク文化人を追って、サハリン・南千島に侵出していました。菊池俊彦氏は、オホーツク文化人はニブフ（ギレミ）の祖先ではないかと考えています。そうすると、北海道オホーツク海岸、南千島に5～9・10世紀にかけて勢力を持ったオホーツク文化人は原ニブフであったことになります。アイヌはオホーツク文化人、つまり原ニブフ（ギレミ）を追って、サハリンに侵出したということです。『元史』によれば、１２６４年、クイ（樺太アイヌ）とギレミ（ニブフ）が衝突し、モンゴル帝国はギレミに味方します。

１２７３年、フビライはタヒラにサハリン遠征を命じます。しかし、彼はアムール川下流域にとどまります。

１２８４～８６年の3年間、元王朝は兵1万、船千艘でサハリン遠征を行いました。

19世紀後半～20世紀前半のサハリン（北海道と同じくらいの面積）の先住民族の人口を参考にしても、サハリン全島の人口は５０００人もいなかっただろうと思います。これが冷帯という環境下で、狩猟採集の生業で生きる人の現実の姿なのです。そこに誇張はあるかもしれませんが、1万の兵が攻めてきました。

１２９６年、ニブフの一部が樺太アイヌ（自称・エンチウ）の味方をします。翌年、樺太アイヌは海を渡り、アムール川下流域に侵攻しました。１３０５年にも、再度、侵攻します。この樺太アイヌが元王朝に攻勢をかけて、大陸まで侵攻したという歴史はほとんど知られていません。

１３０８年、樺太アイヌはニブフを通して、停戦を申し出ました。その後、元王朝の勢力は弱まり、アムール川下流域から手を引いたため、文献史料からはこの地域の歴史はしばらく解明できません。

(4) 津軽安藤氏の滅亡とコシャマインの戦い

「北の文化圏」は、冷帯地域に属します。

そこでは、前近代においては、農耕社会はあり得ません。狩猟採集を生業として生きることになります。ニブフも、ウイルタも、アイヌも、皆そうです。

しかし、東アジア列島の狩猟採集民は、オーストラリアや南アメリカの狩猟採集民とは違います。沿海州には、時々、中国王朝が侵出してくるし、「中の文化圏」の日本の歴代王朝とは常時、接しています。したがって、絶えず「ユーラシア文明圏」の東端と接していることになります。当然、狩猟採集社会にありながら、「ユーラシア文明圏」と交流し、その中で必要なモノを取捨選択し、取り入れます。

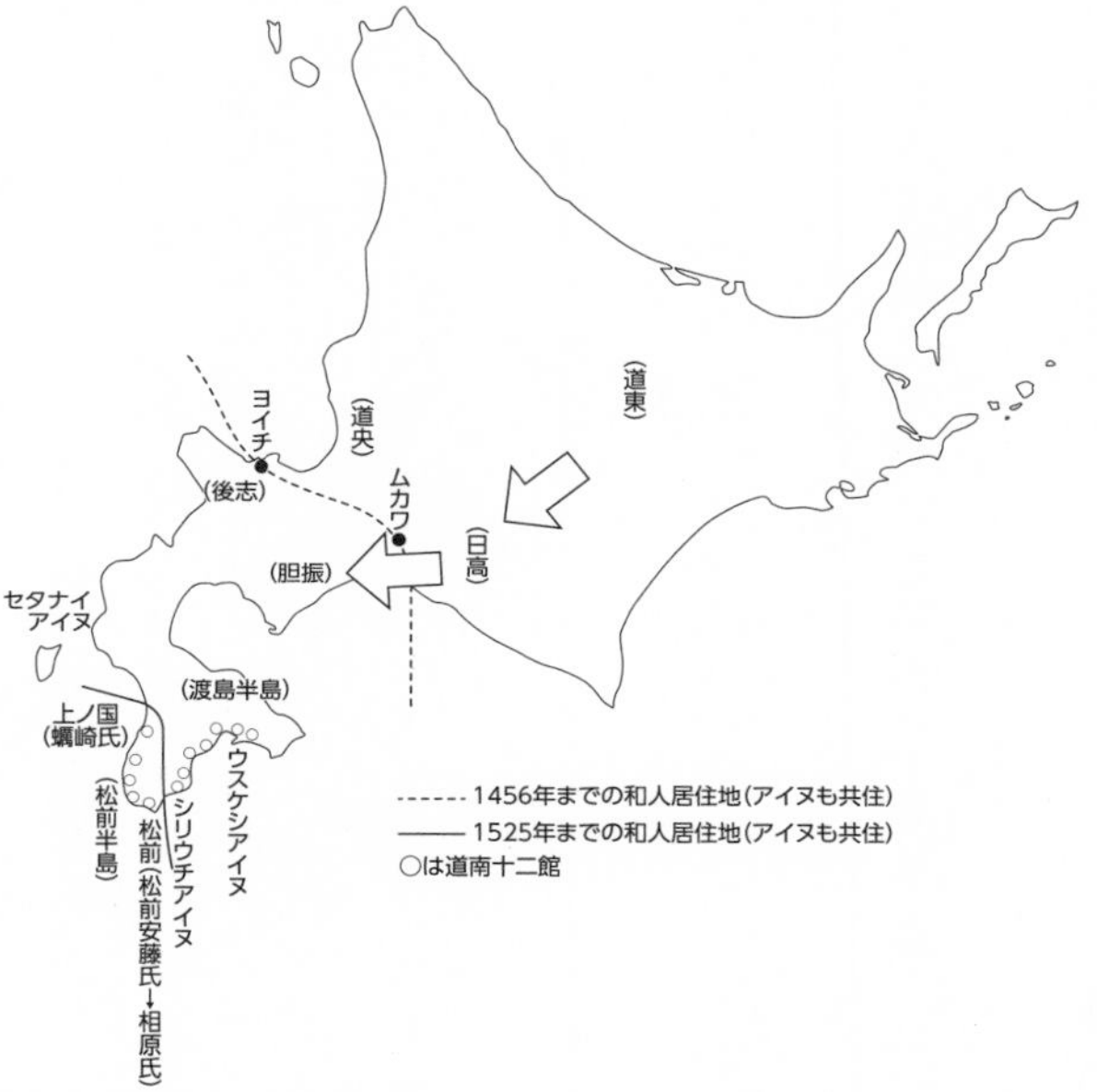

図４　北海道アイヌの戦乱

津軽安藤氏は、鎌倉政権の初期に、北条氏によって、津軽《つがる》（青森県）の代官として任命され、そのまま在地領主になった一族です。鎌倉政権末期に一族に内紛はありましたが、足利政権体制でも、そのまま勢力を持ち続けました。正式の名称ではないのですが、通称「蝦夷管領《えぞかんれい》」と言い、また自称「日ノ本《ひのもと》将軍」と称したこともありました。14世紀末期から15世紀前半にかけて、安藤氏の配下の豪族たちは、北海道最南部の渡島《おしま》半島沿岸に、12の館《たて》を造りました（道南十二館）。これは北海道の最南端に、和人（中の文化圏）の勢力が侵出した事件になります。

ところが、１４３０～４０年前後、安藤氏は隣接の南部氏の攻撃にさらされ、北海道南部に逃亡したり、本拠地の津軽十三湊《とさみなと》に戻ったりしました。

1453年、十三湊の安藤氏本家は滅びました。ただ、安藤氏の分家は秋田と北海道の松前にいます。新たな道南十二館の盟主には松前安藤氏がなったようです。

1456年、函館のシノリで、アイヌの少年が、和人の鍛冶屋に殺害されるという事件が起きました。渡島半島は津軽安藤氏の滅亡の後、政治的空白の状態です。そのため、この事件が発端になって、翌年、コシャマインをリーダーとするアイヌ勢が道南十二館を襲撃しました。結果、10館が陥落しますが、和人地の最西部にあった花沢（上ノ国《かみのくに》）館主《たてぬし》・蠣崎季繁《かきざきすえしげ》配下の武将、武田信広がコシャマイン父子を破りました。

(5) 北海道アイヌの攻勢

コシャマインの戦い以前、和人は道央（北海道中央部）のヨイチ（余市町）～ムカワ（むかわ町）のラインまで侵出していました。ここは、アイヌと和人の共存地域にされたのでしょう。

ところが、1512～13年に、ウスケシ（函館）方面と思われるアイヌ勢が松前大館《おおだて》（松前安藤氏から相原氏が館主になっている）に攻めてきました。和人の居住圏は、ヨイチ～ムカワのラインよりずっと後退して、道南の松前・上ノ国、つまり松前半島のみに限られるようになりました。つまり、アイヌは東から西へ攻勢をかけ続けていたのです。渡島半島の和人領主は、相原氏から、さらに、蠣崎氏に変わります。すると、今度はセタナイ（せたな町）のアイヌ勢がたびたび和人地を攻撃し、蠣崎氏はそのつど、騙し討ちで急場をしのぎます。1551年（あるいは1550年とも）に、やっと蠣崎氏とセタナイアイヌ、シリウチ（松前半島の知内《しりうち》）アイヌと講和条約を結びます（夷狄商舶往還《いてきのしょうはくおうかん》の法度《はっと》）。

ここまでが、文献史料からたどれる、蠣崎氏と渡島半島のアイヌとの戦いですが、北海道アイヌ全体の東から西への攻勢が、背景にあったと思われます。

と言うのは、15～18世紀は、道東を中心に、多数の砦《とりで》（チャシ）が造られました。そして、チャシに伝わるアイヌ伝承を見ると、道東（北海道東部）のアイヌが日高・胆振《いぶり》などを襲撃・移住し、攻勢をかけていたことがわかります。原アイヌ文化期（擦文《さつもん》文化期）の末期には道東に多くのたて穴住居が存在しましたが、アイヌ文化期では、日高《ひだか》・胆振《いぶり》・後志《しりべし》がアイヌ人口の多い地域です。それは、道東から道央方面へかけての襲撃・移住があったからでしょう。その東から西への攻勢が、そのまま和人領主への攻勢につながったと考えられます。

アイヌ史と言えば、和人がアイヌモシㇼを侵略する、アイヌ悲史にされやすいです。しかし、コシャマインの戦いから約1世紀間は、アイヌが和人を松前半島の南隅《なんぐう》に押し戻したと言えるでしょう。

モンゴル軍を追いやり、沿海州まで逆襲した樺太アイヌ、和人の封建領主の勢力を押し戻した北海道アイヌの存在は、「アイヌの歴史は悲史でなければならない」という固定観念を打ち破ります。

（6）「北の文化圏」における中世後半期

ニブフ・ウイルタ・アイヌとも、冷帯地域で狩猟採集社会にいます。それがなぜアイヌだけ、他を圧倒する力を持ったのでしょうか。それは、和人交易による利がアイヌの人たちに集中し、利益を得た人々が首長層を形成し、さらなる利を求めて、戦いを引き起こすということで、民族内に活力を与えていったのでしょう。商いというなりわいが人間集団に活気を示す一面です。

北の文化圏は、「ユーラシア文明圏」の支配下には入っていません。その侵入に抵抗してきました。しかし、交易によって、石器・土器の必要としない社会を形成するなど、「ユーラシア文明圏」と絶えず接し、それを受けながら、独自の文化を築いていったと言えましょう。

三　南の文化圏（ユーラシア文明圏へのいざない）

(1) 13～16世紀の台湾

南の文化圏のうち、台湾島は石器時代を続けています。

福建税関長の趙汝适《ちょうじょかつ》の『諸蕃志』によれば（１２２５年）、台湾の南部西海岸にビシャヤという裸体の民がおり、澎湖諸島や福健沿岸に来ては略奪を繰り返していたと言います。もちろん、これは「文明圏」側の言い分で、台湾先住民族の立場に立てば、彼らの生業圏が脅かされたとなるでしょう。

元王朝は１２９２年、「瑠求国《りゅうきゅう》（台湾か）」に６千人の兵を出します。しかし、台湾島には到着できませんでした。１２９７年、２回目の出兵をします。その結果、捕虜１３０人を連れてきました。

その後、16世紀末まで、台湾に関する記録は見当たりません。たまたま、一時的に中国の王朝の勢力が拡大したら、台湾の情報が記録化されるけれど、その王朝が縮小したり、混乱期に入ると、たちまち記録が絶えてしまいます。そして、この時代の台湾は「ユーラシア文明圏」の影響を強く受けていたわけではないので、中世後半期という時代区分で示すのは、無理があると思います。

(2) 台湾先住民族の社会

台湾は、北海道の半分、九州ほどの面積ですが、17世紀以降、列強や中国の奪い合いの島になります。

それでは、台湾には、それ以前、どういう人々が住んでいたのでしょうか。

私の手元には、16世紀までの台湾の石器時代人の生活を詳しく書いた資料はありません。しかし、いわゆる「文明圏」に接した後の、台湾の石器時代人の記録はあります。それをもとに、台湾の先住民族の生活や社会の様子を書いておきます。

はるか後世の日本領時代（1895〜1945年）の調査によります。台湾には平野にいて、漢人の強い影響を受けた平埔族《へいほ》（平地人）が10民族、漢人の影響を拒否し、山地に住み続けている人たちが9民族いました。

山地に住む先住民族（台湾では原住民と言っています）のうち、代表的な民族をあげ、1930年調査の人口を示します。

・タイヤル（3万3710人）　・ブヌン（1万7785人）
・ツオウ（2103人）　・パイワン（4万1235人）
・アミ（4万2435人）　・サイセット（1281人）
・ヤミ（1619人）

台湾の先住民族の主な生業を上げてみます。

アミは水稲稲作、パイワンの支族プユマはアワ・サツマイモ・タロイモの農耕と狩猟、ツオウは焼畑耕作によるアワ栽培を行いました。台湾の離島のヤミは、サトイモ・サツマイモ・ヤマイモを食し、漁労はトビウオなどです。アイヌやニブフなど「北の文化圏」の人々より人口が多いのは、生業によるものでしょう。

台湾諸民族の「首長の選び方」は多様です（鈴木質『蕃人風俗誌』による）。

①サイセット、タイヤルは力を持つ者が首長となる。
②アミは元老の推薦《すいせん》のもと、公選、ヤミは元老の推薦者に構成員全員の同意が必要。
③ツオウは首長の家柄は決まっているが、公選で決める。
④ブヌンは世襲だが、長老の協議で決める。
⑤パイワンは（女性も含め）長子相続。

私はイメージで、①→②→③→④→⑤というように、実力主義から家柄重視、そして長子相続へと変化するかと思っていました。しかし、そうではありません。同じ時期に、同じ島で、同じような社会にあった諸民族が、これほど多様な首長選びをしていました。

遊牧民で長老が集まって首長を決める法（イスラムの正統カリフ、モンゴルのクリルタイ）、日本の戦前の首相選び（元老が提案し、天皇が承認する形）、それから天皇家の継承法（男系）など、部族社会の首長の選び方にありそうなものばかりです。

また、①は専制的（スターリンや鄧小平のよう）、④⑤は封建的、②は民主的という目で見がちですが、近代の民主主義にして、多様な選び方の、一つの方法に過ぎないと、相対化できました。

（3）沖縄の部族連合〜都市国家

沖縄では、10〜11世紀に、狩猟採集社会から稲作農耕社会になりました。

集約農耕の場合、世界史的なパターンで、部族連合〜都市国家〜領域国家という流れがあります。沖縄でも、12〜15世紀にかけて、小高い山を利用してグスク（城）を造りました。これは、日本の弥生時代の高地性集落、東北地方の防御性集落、アイヌのチャシなど、部族社会において、経済活動が活発化し、首長層の力が増大すると、出現するものです。ただし、グスクにしろ、チャシにしろ、そこは本来、「聖域」の場ではなかったか、それが城砦《じょうさい》になっていったのではないかという説があります。部族連合社会や都市国家では、卑弥呼《ひみこ》のような神とつながる人物でありながら、政治に関与する形は普通のことです。沖縄ではこの時代の首長層を按司《あじ》と呼び、16世紀初めには奄美《あまみ》・沖縄・先島の島々で500余りのグスクがあったと言います。

（4）琉球王朝の成立

沖縄本島では、多数のグスクの首長が戦いの中で、三つの国にまとめられていきました。中山《ちゅうざん》・南山《なんざん》・北山《ほくざん》の各王国です。中山王国は１３７２年に、北山王国は１３８０年に、南山王国は１３８３年に、相次いで、明王朝に朝貢し、冊封《さくほう》されました。冊封とは、親分〜子分の関係、宗主国と属国の関係を結ぶということです。

中山の武寧王から政権を奪った佐敷《さしき》按司の尚巴志《しょうはし》は、父の尚思紹《ししょう》を新たな中山国王にしました。これを第一尚氏王統と言っています。尚巴志は１４１６年に北山を、１４２９年に南山を滅ぼし、沖縄最初の統一政権を築きました。また、このときに王都も浦添《うらぞえ》から首里《しゅり》城に移しました。

琉球王朝の出現は日本史の一部として見ては見誤ります。モンゴル帝国衰退期に出現した東南アジア諸国の出現と交流の中に位置付けるべきでしょう。

(5) 琉球王朝が中央集権体制になる

第一尚氏は7代続きました。7代目の尚徳は9年の在位中、11回も明王朝に使いを送り、さらに朝鮮王朝とも交易しました。足場を固めないままの積極政策は、内部の不満に気付かないまま、足元をすくわれます。さらに、奄美諸島の喜界《きかい》島に遠征しようとしますが、家来の金丸《かなまる》がクーデターを起こしました。

１４７０年、金丸は尚円と称し、第二尚氏を名乗りました。苗字詐称《さしょう》もいいところですが、まさしく、カラスを鷺《さぎ》と言いくるめ、明王朝に「王統の継続性」を認めさせました。

尚円の死後、弟の尚宣威《せんい》が後継者となるはずが、尚円の若い妃・オギヤカの見え据えた、陰湿な陰謀で、尚円の子・尚真がわずか12歳で王位に就きました。

しかし、尚真は大きく成長し、50年の在位中に、中央集権体制を整え、有力な按司たちを首里城に住まわせました。また、按司の力を押さえるために、彼らの武器を没収し、外国との貿易は尚氏政権が握りました。こうした権力構造の強化によって、その勢力範囲も、北は奄美諸島、南は八重山《やえやま》諸島に及びました。

琉球王朝は、部族連合的な部分を残していました。先にオギヤカの陰謀と書きましたが、王の即位には神女《ノロ》による儀式が必要でした。その即位式のとき、数十名の神女が一斉に新国王に背を向き、「神の声は少年・尚真が新国王にふさわしい」と言わせ、尚宣威を追い落としました。一人の強力なねじ曲がった意志を持つ女性のパワーに、全女性が従う同調圧力、尚宣威の胸中が察せられます。その後も、オギヤカの執念深さ、恐ろしさは武則天（中国）、メアリ1世（イギリス）レベルにすさまじいのですが、男性権力社会で女性が権力を保つには、これほどのエネルギーが必要でした。その間、息子・尚真が着々と王国を建設していきます。

つまり、家臣を城下町に置いたり、刀狩を実行したり、貿易を一手に握ったりと、琉球王朝は一気に「ユーラシア文明圏」の中世後半期にも耐えうるような体制を作りました。しかし、それはいわば無理に無理を重ねたもので、尚宣威の失脚を図る陰謀のときのように、神政一致の部族連合の部分を残していたのです。

〈参考文献〉

・石井進『鎌倉幕府』（中央公論社『日本の歴史』7）　1966
・近藤成一『鎌倉幕府と朝廷』（『シリーズ日本中世史』②　岩波新書1580）　2017
・井沢元彦『逆説の日本史』7（小学館文庫『太平記と南北朝の謎』）　2007
・松田智雄『近代への序曲』（中央公論社『世界の歴史』7）　1968
・三上次男・神田信夫『東北アジアの民族と歴史』（山川出版社『民族の世界史』3）　1992
・平山裕人『地図でみるアイヌの歴史』（明石書店）　2018
・鈴木質『蕃人風俗誌』（理蕃の友）　1932
・喜安幸夫『台湾史再発見』（秀麗社）　1992
・新城俊昭『高等学校　琉球・沖縄史』（東洋企画）　1998
・三谷茉莉沙夫『波瀾の琉球王朝』（廣斉堂出版）　1992

第四編　近代前期

第1章　近代前期の世界

一　近代とは何か

(1) 近代の時代区分をどう捉えるか

近代こそは、今、私たちが立っている、この時代です。

大国が大量殺人の核兵器を保有する時代、豊かな「先進国」と、貧しい「途上国」が存在する時代、便利な生活のために、10万年放射能が消えない原子力発電に身を任せる時代、人間がどこまでも巨大土建のために自然を破壊する時代、そんな現代がどうやって生まれたのか、そしてその方向で本当にいいのかを考える。

古代・中世(前近代)の王朝国家は「栄華」を求めました。その地中には「拡大」という根が張っていて、人間の歴史上、空前絶後の超巨大国家・モンゴル帝国の出現に至りました。それが近代では一気に地球規模の「拡大」を求めるようになります。それが何かを考えること、それが近代を考えることです。

近代とは、どういう時代のサイクルを示すのでしょうか。

本書では広い意味での近代を、いわゆる「近世・近代・現代」と同時代を指すと見ます。ただし、近世で、近代で、現代で、それぞれ個別に完結しているわけではない、あくまでも、近世・近代・現代でひとくくりです。

近世・近代・現代は、西ヨーロッパの国々が、世界貿易を支配し、その結果、世界中に植民地を持って、アジア・アフリカ・アメリカ・オーストラリア大陸を収奪し、それがやがて現地人の反発・抵抗・独立運動で撤退していくサイクルの時代を呼んでいます。この間、それまで国家に入れられていなかった広大な地域(非文明圏)を、強奪的に植民地に入れ、そこの住民を「下等な人種」と蔑視《べっし》して、安価で非人道的な労働力にし、その地に産する膨大な資源をむしり取っていきました。そこは中世のように、ユーラシア文明圏に限定されるものではなく、全世界の全地域が対象になります。めざす方向は、ただただ「拡大」です。

近世・近代・現代は、一般に、次のように区別します。

近世とは、スペイン・ポルトガルが、続いてイギリス・オランダが世界貿易を目論《もくろ》み、世界各地に侵出して植民地をつくっていった時代です。

近代とは、アメリカに独立戦争＋市民革命、フランスに市民革命、イギリスに産業革命が起きた時代、つまり工業を主体とした国民国家ができた時代、結果、西ヨーロッパの国々がアジアの諸国・アフリカの諸地域を、世界全域を奪っていった時代です。しかし、地球には許容量があるのです。無限の拡大などあり得ません。

現代とは、この植民地の奪い合いが、第一次世界大戦、第二次世界大戦、米ソ冷戦を引き起こし、植民地の現地人の抵抗運動によって、独立を勝ち取っていく時代です。ただ、近代以前まで非文明圏にいた地域には、プランテーションやモノカルチャー経済を押し付け、未だに「先進」資本制国の草刈り場にされる。つまり、近代の課題は解決していません。

要するに、西ヨーロッパの国々が世界への侵出を始め、やがて世界中を分割したが、二度の世界大戦と米ソ冷戦の中で、各地が独立していくという、一つの雄大なサイクルを以って、近世・近代・現代となります。

これらは本来、一つ・つながりのものです。

そのため、本書は近世・近代・現代という用語を使わず、それらを総合して、広い意味で近代としたのです。そこは、絶え間ない領域「拡大」、経済「成長」、「効率化」に、言い換えれば、人の止めどない欲に価値を置いた時代で、それは温帯・乾燥帯の支配層だけの贅沢《ぜいたく》だったのが、地球全体に広がり、ますます増大しつつあります。そして、人間の欲の総体が、もはや地球という小さな惑星におさまらなくなったのです。

(2) 近代の時代区分

この近代の時代区分を、以下のように考えました。

世界の近代

〜欧米列強が、アメリカ大陸・オーストラリア大陸へ、さらにアジア大陸、アフリカ大陸に侵攻し、その分割をめぐって戦い、やがて、現地人が独立していく時代。

前期	スペイン・ポルトガルがアメリカ大陸やアジアに侵攻し、オランダ・イギリスもそれに続く。
中期	アメリカ独立戦争やフランス革命で、国民国家が誕生し、イギリスの産業革命によって、工業社会が生まれ、欧米列強が全世界に植民地を持つ。
後期	世界の植民地をめぐる総力戦として、第一次世界大戦、第二次世界大戦、米ソ冷戦を繰り広げる。その中で、植民地にされた国々が独立する。

また、このうち、第四編で扱う近代前期は、以下のように、時代区分しました。

〜世界の近代前期〜

	世界史	東アジア列島		
		中の文化圏	北の文化圏	南の文化圏
前葉	スペイン・ポルトガルが中南米大陸を植民地にし、アジアに侵出する。	日本の統一政権が東アジアに侵攻し、東南アジアにも進出する。	アイヌが、東アジア列島の北部地域を自由に交易往来する。	琉球王朝が東アジア・東南アジアを自由に交易往来する。

後葉	オランダ・イギリス・フランスが北米大陸やアジアに侵出、ロシアがシベリアを領域にする。	「鎖国」政策を取り、欧米列強との交流を最小限にする。	日本・清・ロシアの周辺三国に交易体制を縛られる。	琉球王朝が中国に冊封され、薩摩に服属しながら、独立を保つ。

二　近代前期〜アジアの岩盤とヨーロッパの侵攻

1　中世後半期（後葉）〜近代への萌芽

(1) イスラム勢力の栄華とムスリム（イスラム）商人の活動

中世後半期にオスマン帝国が勃興し、ヨーロッパを圧倒し、スルタン・カリフ制（１５１７年）として、イスラム世界（スンナ派）の政治と宗教を支配したことを取り上げました。

オスマン帝国の王都・イスタンブールでは、ヨーロッパの毛織物、アフリカの金・象牙《ぞうげ》、ロシアの毛皮、中国の陶磁器《とうじき》・絹、東南アジアの香辛料《こうしんりょう》が集まる、大都市になりました。同じころ、イランのサファヴィー朝の王都・イスファハーンでも、世界中の国々から商人が集まり、「世界の富の半分が集まる」と言われました。商業には「活気」という人間の心を沸き立てるパワーがあります。「発展」は「活気」と表裏一体なのです。

ムスリム商人は、イスラム教とともに、東南アジアにも進出します。13世紀以降はマルク諸島とインドとの間の香辛料を交易品にします。

14世紀末（あるいは15世紀初め）、マラッカ王朝が成立しました。この港市王国は、インドネシア人のバレンバン王族によって、マラッカ海峡に建設されました。イスラム教はマラッカからさらに東方に進出し、香料の主産地テルナテ島に到達（1460年）、さらにジャワへ、フィリピンのミンダナオ島へと広がっていきました。

インド北部では、13～15世紀ころ、デリーを首都とする、トルコ・アフガニスタン系のイスラム諸王朝が興亡し、インド南部ではヒンドゥー諸王朝が割拠《かっきょ》していました。

北インドでは、16世紀前半、バーブルがムガル帝国を起こしました。バーブルの父はティムールの4代目の子孫で、母はチャガタイ・ハンの子孫、ムガルはアラビア語でモンゴルを意味しました。第3代皇帝のアクバルは領域もデカン高原まで広げ、インドにイスラム教による統一王朝を出現させました。このアクバルの時代に、全国15州を支配し、17世紀末（6代アウラングゼーブの時代）までに、インド最南部を除く21州を版図《はんと》に入れました。しかし、アウラングゼーブは熱心なイスラム教徒で、ヒンドゥー寺院を破壊しました。ヒンドゥー教徒のマラータ族はゲリラ戦術で反抗し、ムガル帝国は下降期に入ります。

15～16世紀は中東・南アジアでも、イスラム圏の統一王朝がガッチリとガードし、栄華を誇った時代であり、西ヨーロッパ諸国が入る隙《すき》などない時代でした。イスラム圏が、ヨーロッパが世界侵出していく上で、大きな壁になったのです。

(2) ルネサンス

近代はヨーロッパの思考が世界を圧倒する時代です。近代中期には、アメリカや日本がそれに加わりますが、基本的にはヨーロッパが世界中を支配し、その対立の中で、世界を動かしていったと言ってよいでしょう。

そこではやがて資本制社会を築き、とめどもない自由競争が、弱者をどこまでも搾取し、自然を奪い放題にする時代となりました。人間の欲をひたすら広げ、その欲の総和が自然を痛めつけ、ついには自然からの大いなるしっぺ返しに苦しむ事態に陥る時代、それが近代です。

しかし、15世紀までのヨーロッパは「ユーラシア文明圏」の西端の地域に過ぎません。特に14世紀前半に広がったペスト（黒死病）はイタリア・フランス・ドイツ・イギリスに広がり（人口の三分の一くらいが亡くなる）、ヨーロッパ文明圏はいったん弱体化します。これらの国々が一転して、近代を引っ張っていくポイントは貿易圏の拡大であり、ついには世界貿易につながっていきます。

ここでイタリア諸都市にルネサンスが始まります。中世ヨーロッパの貿易圏には、ハンザ同盟などに見られる北欧貿易圏、イタリア諸都市による地中海貿易圏がありました。後者はルネサンスにつながり、メディチ家支配のフィレンツェで頂点を迎えました。ルネサンス諸都市は、地中海貿易を一手に握りました。彼ら・イタリア商人は、ムスリム商人を通してアジアとも結びついていました。

2　近代前期（前葉）～スペイン・ポルトガルの時代

（1）大航海時代と、中南米大陸の侵攻

ユーラシア大陸のほぼ全域にまたがる、大モンゴル帝国の出現は、アジアの特産物のきらびやかさをヨーロッパに知らせました。やがて、その遊牧民のパワーが去ると、それを得たいという欲求、そしてそれを運ぶことによる特大の富に目が行きました。この西欧人の意識が次の時代の出現、つまり、地球を一つの商業圏と見る、近代を迎える起爆剤になりました。

人間が「こうしたい」という想いがまずある。そして、そのための活動がある。そのためには今までの社会（殻）を捨て、新たな社会を創らなければならない。いったん、社会（殻）ができると、当分の間、その中で生き続けることになる。これが「歴史の変革と継続」の仕組みなのです。近代という大きなうねりが始まります。

15世紀のヨーロッパは、ベネチア・ジェノバ・ピサなど、イタリアの港湾都市が発展する一方で、ポルトガ

ル商船の活動も広がり、カナリア諸島を領有しました。

そして、ポルトガル・カスティラ、アラゴンなどのキリスト教の国がイスラム教徒を圧迫し、アラゴンの王子とカスティラの王女・イサベラが結婚し、スペイン王国ができました(１４７９年)。

１４９２年、イベリア半島のイスラム都市・グラナダが陥落しました(イスラム勢力のヨーロッパ撤退)。そういうときに、「地球は丸い」というトスカネリの説を信じたコロンブスは、スペイン女王イサベラの援助を受けて、西周りのアジア直接経路を探しにいきます。結果、コロンブス船団は、中央アメリカの西インド諸島に達しました(１４９２年)。中東を通らなくとも東アジア・南アジアとつながることができる第一歩です。

コロンブスはアメリカ大陸「発見」の英雄なのか？　コロンブスの第二回「探検」のときには、インディオ(中南米先住民)を酷使して金の採鉱をさせ、奴隷として売り出します。逃げる者は猟犬で殺害しました。歴史でいう「英雄」「成功者」とは何か、つまり、「英雄」「成功者」とは、策を弄《ろう》して、善良な人々を騙《だま》し、権力を握った人たち、あるいは、その権力を確たるものにするために、ライバルに言い掛かりを付け、滅ぼした人たちが多いのですが、言い換えれば、人格的には反面教師になる人の方が圧倒的に多いと言えましょう。


さて、インド航路を模索していたポルトガルは、バルトロメウ・ディアスがアフリカの喜望峰に達し(１４８８年)、さらに、ヴァスコ・ダ・ガマは喜望峰を越えてインド航路通過に「成功」しました(１４９８年)。１５００年には、カブラスがブラジルに到着し、先住民族の存在を無視して、ポルトガル領にしました。

それまでアジア・ヨーロッパ・アフリカの要めを押さえ、世界の富を得ていた中東のイスラム勢力を無視して、ユーラシア文明圏の西端に過ぎなかったヨーロッパが一気に世界の覇者に踊り出たのです。

ユーラシア文明圏の貿易を支配したいという思惑だったのが、「地球を奪い合う」時代の到来となりますが、スペインとポルトガルは世界貿易をめぐって、対立します。

これに対し、ローマ教皇は無知なのか、傲慢《ごうまん》なのか、世界史上でも最悪に近い、信じられない裁定をします。つまり、教皇アレクサンドル6世は、教皇子午線《しごせん》（１４９３年）を示したのでした。さらに、両国はトルデシリャス条約（１４９４年）を結びました。「子《し》午の線」の「子《ね》」とは「北」、「午《うま》」とは「南」の方角を指し、つまり、地球を南北にバッサリと二つに分け、ポルトガル領とスペイン領にし、二国で山分けにしました。そこには、狩猟採集民などの国家を持たない人々どころか、イスラム圏の国々も、東アジアの国々も、山分けの対象ですから、身の程知らずも、いいところです。

自分勝手の極致のこの裁定によって、ポルトガルはブラジルの他にも、インドのゴアを獲得（１５１０年）、セイロン・マラッカを経て、香辛料の産地モルッカ諸島にも通じ、さらに中国との交易、そしてマカオを手に入れました（１５５７年）。また、ブラジル以外の南アメリカ大陸の大部分はスペイン領にされました。

これは世界の歴史の中で、「極悪の先例」となります。つまり、キリスト教以外の人々、特に先住民族や、他の古代国家の領域を勝手に「発見した」「支配した」と決めつけ、資源を略奪し、自国の領域にすることがまかり通るようになったからです。この邪悪な線引きが近代の始まりです。ヨーロッパの世界侵略の始まりです。

現在、ローマ・カトリック教会は、「平和の使徒」というイメージにあります。バチカン（前近代に作られた宗教権威）の内状をよく知らないまま、理想化するのは避けますが、現象としては、それは間違いないでしょう。しかし、「近代」という世界の形は、彼らのために、どれほどの人殺しが行われた結果、つくられたものかということは、よくよく考えなければなりません。一つのことを求める信仰とか信念は、ときにはその狭信性により、自分たちが何をしているのか見えなくさせる場合があるのです。

彼等「黄金と血に餓えた狡猾な」侵略者により、スペインのコルテスがメキシコのアステカを滅ぼします（１５２１年）。ペルーのインカ帝国はピサロが滅ぼします（１５３２年）。マヤも１６９７年に滅ぼされました。

アステカは、30くらいの都市国家の盟主でした。その中の3国で争っていましたが、1515年、モンテスマ2世が2国を破り、盟主になりました。そこにコルテスがやってきて、滅ぼしました。

インカ帝国では、11代ワイナ・カパックの死後（1525年）、兄ワスカルと弟アタワルパが争い、ワスカルが敗れ、捕虜になりました。そこにピサロ「探検隊（200人ほど）」が黄金を求めてきます。ピサロ第1回「探検」はパナマを出港し、多数のインディオ（中南米の先住民）を殺害し、コロンビアの黄金に出会いました。1528年、ピサロはインカ帝国にたどり着きました。ヨーロッパから見たら「インカ『発見』」ということで、一度スペインに戻り、国王の許可と貴族や商人の出資を得て、1532年までにエクアドルからペルー海岸の情勢を調べ尽くします。アタワルパも「変な一隊が海岸に来た」と監視しますが、群衆の中でいきなり大砲をぶち飛ばし、小銃・大弓・騎兵・剣（ピサロ）と、槍投げと青銅（インカ）の武器の違いの中、インカ皇帝を人質にしました。ピサロは生け捕りのアタワルパを石室に幽閉し、でっち上げの裁判で処刑しました（1532年）。

ピサロはインカの王都クスコに向かい、マンコ2世を傀儡《かいらい》政権に使いますが、いやがって逃げ出し、抵抗戦を行いました。空中都市のマチュ・ピチュはゲリラ基地になり、トゥパック・アマルーが処刑される1572年まで抵抗戦が続きました。

これらの国々には、本書で示してきたように、長い歴史があります。それをいとも簡単に、大きな戦いにもならず、圧倒的な武器と狡猾さで滅亡させました。インカもアステカも、大航海時代に巻き込まれなければ、このまま興隆し、やがて衰退する王朝国家のサイクルを示したでしょう。しかし、そこに大航海時代に始まる近代の波が押し寄せ、その外的パワーによって、独自の世界は破壊されました。

メキシコでは1512年ころ、2500万人の人口があったと見られています。それが30年後には600万人ほどになったと言います。また、ハイチ島をスペイン人が「発見」した当時は40万人ほどの人口が、1514

年には1万4千人になったと言います。簡単に数字を羅列しましたが、人間の歴史の中で、これほどの残虐があって、中南米の植民地が作られたことは、肝に銘じなければなりません。これは、中世後半期の、モンゴル人の殺戮《さつりく》をはるかに超えるものだと思います。近代は大量殺人とともに幕が開きました。

これはスペイン人がもともと残虐な民族だとか、西欧人は人殺しを好むとか、そういう捉え方はまちがっています。人間が大量殺人に加担するのはなぜか、そうはさせない社会意志と知恵は何か。「文明」、とりわけ「近代」から考えることの一つです。

オランダ人のラス・カサス（１４７４～１５６０年）はあまりのスペイン人の残虐ぶりを告発し、それは現在、『インディアスの破壊についての簡潔な報告』（岩波文庫）で知ることができます。しかし、ラス・カサス自身、アフリカ人を西インド諸島に「輸入」するように勧めた最初の人物だということです。

スペイン・ポルトガルがアメリカ大陸やアジアへ侵攻、そして、もう一つ、モスクワを中心に栄えていたモスクワ大公国に注目します。イヴァン3世（在位１４６２～１５０５）のとき、キプチャク・ハン国から独立し、ビザンツ帝国の後継者を名乗ります。続いて、イヴァン4世（雷帝、在位１５３３～８４）のとき、ツアー（皇帝）を名乗り、中央集権体制を築きました。イヴァン4世の死後、ロシアの政情は混乱しますが、１６１３年にミハイル・ロマノフによるロマノフ王朝が始まり、広大なシベリアに侵攻していきます。

ヨーロッパ人の残虐な侵攻、虐殺、それに利益に餓えた人々の浅ましさだけが、そうさせたのではありません。隣人愛を説いた宗祖・イエスは思ってもいないことでしょうが、キリスト教のみが正しい、異教徒、異文化は滅ぼしてもいい、残虐行為も「正当化」できるのだという社会意志を持った人々が、「殺人能力の高い武器」を持って、利益を求めてやってきた、それがこういう残酷な事態を引き起こしました。

カトリック教会は芽を出そうとする「知性」の分野にも弾圧を加えます。地動説にたどり着いたコペルニクスは死の直前まで発表できず、ガリレオ・ガリレイは宗教裁判に負けてしまいました。それでも人間の「知性」の芽を押さえつけることはできず、ケプラーやニュートンを生み出しますが。

（2）宗教改革と、海外侵略国

16世紀初頭、ローマ・カトリック教会は財政保全のため、贖宥状《しょくゆうじょう》を販売し、信徒の信仰心を金で釣ります。これに公然と批判を加えたのは、ルターでした。

ルターには先駆者がいます。イギリスのウィクリフ（１３２０ころ～１３８４年）やボヘミアのフス（１３６９年ころ～１４１５年）らですが、カトリック教会から「異端」とされ、フスは火刑に処せられました。ウィクリフの影響を受けたワット＝タイラーの決起（１３８１年）は、「（『旧約聖書』の神話上、最初の人間とされる）アダムが耕し、（その妻）イヴがつむいだとき、誰が貴族だったか」という、鋭い「文明」批判を投げかけます。しかし、腐敗した勢力にとって、ピュアな指摘はつぶすしかありませんでした。

ルターは１５１７年、贖宥状は信仰に対し有害だと、95か条の意見書を発表します。ローマ教皇・レオ10世はルターに破門の勅書《ちょくしょ》を発しますが、ルターは果敢《かかん》にも人々の面前で焼き捨てました。そして、活版印刷の力で、ルターの主張は広まっていきました。人々の内面をゆさぶったのです。

ローマ・カトリック教会と結びついた神聖ローマ帝国カール5世は、ルターをウォルムスの国会に呼び出しますが（１５２１年）、ルターは「私は立っています」と主張し、腐った権力への迎合を拒否し、万人司祭主義を譲りませんでした。ルターはザクセン選侯フリードリヒの力を借りてかくまわれました。

信念とは魂のパワーです。その狭さ故に、「他の存在を認めない」主張になることもありますが、多くの人がくすぶりながらも「お上手」に生きてきた世の中を、突き刺す力もあります。

ルターはかくまわれたヴァルトブルク城で、『新約聖書』のドイツ語訳を完成し、市民が直接、イエスの教えを学ぶ第一歩となりました。「文明」の開始以来、権力者は神の代弁者、神に連なるものという認識を強要されてきましたが、人は誰でも直接、神につながると主張し、広まることになりました。

同じころ、スイスでもカルヴァンがジュネーヴで神政政治を行います。カルヴァン派は、イギリスではピューリタン（清教徒）、スコットランドではプレズビテリアン（長老派）、オランダではユグノーと呼ばれました。

カルヴァンは「職業は神聖にして平等」として、倹約による富の存在を肯定しました。後世、ドイツの社会学者マックス・ヴェーバーはカルヴァン主義から資本制社会成立の精神になったと分析しました。「職業は平等」の認識は、国王や皇帝を頂点とする、ピラミッド型の身分制社会をぶち壊す可能性を持ちます。

これらは文明の開始以来、人間を覆っていた神＝権力の重圧を取り除き、人間が宗教的伝統から解放される一歩となります。その一方で、覆いを取りはずした結果、人間は地球をどこまで奪ってもいいのだという方向に舵《かじ》を切って行きます。

そのためにも、「人間は、地球の中でどういう位置にあるか」という「知性」が必要です。それは近代中期からは「人権」、現代はさらに「環境」という視線で具体化させていますが、それでも地球への収奪は「拡大」する一方で、極めて不十分です。

さて、イギリスもカトリック教会から離れていきますが、事情はルターやカルヴァンとは大きく違います。チューダー朝のヘンリー８世（在位１５０９～４７）が王妃カサリンと離婚したかったのに、カトリックの教義では離婚が認められず、イギリス国教会をつくったのでした（１５３４年）。何とも人間らしいとも言えますが、権力者の自分本位に翻弄《ほんろう》されたとも言えます。

相次ぐ、ローマ・カトリックへの反抗に対し、カトリック側も改革の対抗策を打ち出しました。ロヨラやザビエルなどはパリでイエズス会を起こし（１５３４年）、カトリックの伝道に勤めました（反宗教改革）。イエズス会はアジア・アメリカに信者を増やし、ポルトガル・スペインのアジア・アメリカ侵略の先鋒になりました。私は個人の敬虔《けいけん》な信仰者としてのザビエル、高山右近、細川ガラシャと、「文明」の国策として侵略イデオロギーのキリスト教を区別しておきます。基点が個の純粋な精神に基づいていても、集団化・組織化されると、信念と利が結びつき、人々を傷付け、大量殺人の片棒をかつぐことになるのです。

ルター派やカルヴァン派のキリスト教を新教（プロテスタント）と呼び、ローマ・カトリック派を旧教とも言います。スペイン・ポルトガルと対抗し、新たにアジアへの侵略国になったオランダ・イギリスなどは、ローマ・カトリックとは一線を画すプロテスタントやイギリス国教の国です。

（３）ドイツ・三十年戦争とヨーロッパ大戦

近代世界侵略の拠点となったヨーロッパでは、カトリック、ルター派、カルヴァン派の争いから、ドイツの三十年戦争（１６１８〜４８年）という大戦争になります。神聖ローマ帝国内の争いに端を発し、周辺各国が続々と戦争に介入し、最後は諸国家でウェストファリア条約を結びます。この間、ドイツの人口は三分の二になり、村落は大部分が破壊されました。

以後、ヨーロッパは、同型の大戦（ナポレオン戦争、第一次・第二次世界大戦）と条約（ウィーン会議、ヴェルサイユ条約、パリ講和会議）を繰り返します。

その延長にある人類破滅の可能性のある第三次世界大戦を防ぐ「知恵」は何か。20世紀後半のヨーロッパは、ＥＥＣ（ヨーロッパ経済共同体）ほか〜ＥＣ（ヨーロッパ共同体）〜ＥＵ（ヨーロッパ連合）の流れをその回答にしています。「文明」の開始以来、戦争の原因は国家にあり、戦争に従事させる社会意志が「愛国心」であるところから、国家の垣根を低くするというのです。卓見で注目すべき実験です。

3　近代前期（後葉）～オランダ・イギリス・フランス・ロシアの侵出

（1）オランダ・イギリス・フランスの台頭

スペイン・ポルトガルは、アメリカの古代国家や、アメリカの先住民族を虐殺し、東南アジアへ侵攻しましたが、東アジアの諸国（中国・朝鮮・日本・琉球）や、イスラム諸王朝（オスマン帝国、サファヴィー朝、ムガル帝国）は壁でした。ただし、このうち、スペインのフェリペ2世はレパントの海戦で、オスマン帝国の艦隊を破り、地中海の制海権を握り、ポルトガルを併合し（1580～1640年）、世界の覇権国家になりました。

しかし、この全盛期に、次の時代の覇者の芽が見え始めます。

フェリペ2世はカトリック信者で、領内のプロテスタント信者を弾圧しました。ところが毛織物業《けおりもの》と中継ぎ貿易で栄えていたネーデルランド地方（オランダ・ベルギー）は、カルヴァン派の信者が多く、オランダ独立戦争（1568～1648年）を起こしました。このうち、北部7州が1581年、ネーデルランド連邦共和国として独立しました（独立7州の中心・ホラント州の名から、オランダと言う）。また、南部はスペインに従いますが、ここはベルギーになっていきました。

この時代、イギリスはエリザベス1世の時代でした。

彼女の時代、世界の覇者・スペインに歯向かいました。海賊ドレークにスペイン「銀船隊」を襲わせ、スペインの植民地を攻撃させ、オランダ独立戦争を助け、1588年にはドレークらを使い、スペイン「無敵艦隊」を撃破しました。1600年には、東インド会社に東洋貿易の特許を与えました。

イギリス・オランダ・フランスが重商主義のもと、海外侵略に乗り出す時代が到来したのです。

(2) イギリス・オランダ・フランスの北アメリカ侵攻

新興国のイギリス・オランダ・フランスは北アメリカの覇権をめぐって、対立します。

オランダは西インド会社を設立し、ニューアムステルダム（現・ニューヨーク）をつくりました。

イギリスでは、エリザベス1世の後、イギリス国教会の信仰を拒《こば》むジェームズ1世の迫害に対し、ピューリタンの人たちが「自由な新天地」を求めて、北アメリカに到達しました。1620年、メイフラワー号に乗る人々がプリマス（ボストンの南東）に上陸しました。

イギリス・オランダは三度に渡るイギリス・オランダ戦争（1652〜1674年）を行い、イギリスが勝利しました。この結果、ニューアムステルダムはニューヨークに名称変更しました。

フランスはカナダ東岸から、セント・ローレンス川を上りました。17世紀前半には、ケベック、モントリオール市を建て、ミシシッピ川を踏査《とうさ》し、ルイジアナと名付けました。

(3) 北アメリカ大陸を蹂躙《じゅうりん》する

メイフラワー号が北アメリカ大陸に到達した！　この「自由な新天地へ」という見方はアメリカ先住民族の視点をまったく欠いています。ここには、1万年も前から、インディアンが住んでいるのですから。

メイフラワー号が到達する前、ニューイングランドにいたアルゴキン系の諸部族は天然痘・黄熱《おうねつ》病により、三分の一から二分の一の人口になっていました。パタクセント族のただ一人の生存者・スクワントは1614年にイギリス人に誘拐されていましたが、メイフラワー号の乗組員に畑の作り方、トウモロコシの種まきを教えました。彼らが越冬《えっとう》できたのは、族長マサソイットが助けた結果です。

さて、それより前、1607〜09年、キャプテン・ジョン・スミスはポーハタン族を脅し、1610〜12年にはイギリス軍がジェームズ川〜ヨーク川を占領し、三つの小部族を滅ぼし、二つの村落を焼き討ちしました。

１６２２年、ポーハタン族が一斉に決起しますが、１６４４年にポーハタン族の力は尽きました。同じく１６２２年、プリマス植民地とマサチュセット族が対立、プリマス側は下劣にも、マサチュセット族の族長の首を棒に括《く》り付け、20年間、砦《とりで》の上にさらしました。マサチュセットにイギリス人が多数移住していくのは、１６３０年代のイギリスでのピューリタン弾圧の結果ですが、彼らはプリスマもマサチュセットも「発見した者の土地」、「インディアンはサタン（悪魔）の手先」という、自分本位そのものの考えでした。

１６７５年、メタカムの戦いという大規模な戦いが起きました。ニューイングランド諸部族が連合し、「白人」90村中、52村落を襲撃し、12村落が全滅しました。１６７６年にメタカムは殺害されますが、イギリス勢力はその後、40年間、戦争前の線まで戻ることはできませんでした。

同じ１６７５年、「白人」ベーコンの戦いが起きました。ヴァージニアでは、総督バークレーと、農場主ベーコンと、サスケハノック族の三つ巴の戦いになりました。このとき、ベーコンは「白人」の階層の視点では、総督バークレーの寡頭《かとう》政治を打破し、農民の民主的要求を訴えたとなりますが、インディアンから見ると、総督の宥和《ゆうわ》的インディアン政策を拒否し、インディアン諸族を襲撃した人物になります。

私たちは、イギリスの海外進出は『ロビンソン漂流記』、アメリカの「開拓」は『大草原の小さな家』のお話を、楽しみます。しかし、歴史としてのイギリス人のアメリカ移住とは、先住者の命や生活を奪ったものということは、忘れてはなりません。『ロビンソン漂流記』では奴隷労働を行い、フライデーという名の先住民族を使役します。『大草原の小さな家』はインディアン居住圏に移住する話です。

（4）太平洋の「探検」

コロンブス以降、「探検」とはその地域を侵略する第一歩、侵略するための道標を示すものになりました。「新天地」から貪《むさぼ》り取る資源への飽くなき「欲」と、そこに暮らす人たちへの虐待《ぎゃくたい》・虐殺は、「欲」を「知」によって膨《ふく》らませていく、人間のパワーの恐ろしさを伝えます。いわば、「探検」、それに続く「開発」によって、その土地にすさまじい「宝の山」を見つけ、それを略奪し、そこにいる先住民族の社会を破壊するパターンが続きます。それは20世紀後半以降の東南アジアやアマゾンの森林破壊に至るまで続いています。

16世紀以降の太平洋地域の「探検」の歴史を追ってみます。（地図は「太平洋の島々」59頁を参照）

①マゼランが世界一周を試み（１５１９～２２年）、カロリング諸島に到着。

②ジョルジ・デ・マネセスがニューギニアを望見（１５２８年）。

③メンダナ（スペイン人）の第一航海（１５６７～６９年）でソロモン諸島に到着。第二次航海（１５９５年）で、マルケサス諸島に到着。

④タスマンがオランダ東インド会社の命令で、ビスマーク諸島・トンガ・フィジー・ニュージーランド・タスマニアを「探検」（１６４２年）。タスマニアは彼の名から命名。

⑤ブーガインブル（フランス人）が、ソロモン・ソサイエティー・サモア諸島を「探検」（１７６３年）。

⑥クックがイギリスのジョージ３世の命令で、タヒティ・ニューカレドニア・オーストラリア東岸に到着する。

（第一次探検）　クック諸島・ニューヘブライト島

（第三次探検）　ハワイに到着（１７６８～７９年）

ヨーロッパ人を視点にした場合、広大な太平洋地域は「探検」によって「発見」され、侵略の対象になっていきました。

（5）オーストラリア大陸への侵攻

１６０６年、オランダ人のヤンツがオーストラリアのケープ・ヨーク半島（ニューギニア島のすぐ南の半島）の海岸線を航行、１６１６年、オランダ人のハートグが西オーストラリア州西南の海岸に上陸しました。こうなると、オーストラリア大陸は、オランダの東インド会社の侵出地になっていきました。オランダ人はこの大陸を「ニュー・ホランド」と名付け、オランダ領と決めますが、17世紀中に関心を失いました。

18世紀になると、この大陸はイギリスの餌食になっていきます。１７６９〜１７７９年にかけて、世界を3周したクックは、ニュージーランドやオーストラリア大陸東海岸を通過しました。１７７０年、クックは先住民族・アボリジニーの存在を一切無視し、ここをイギリス領と宣言しました。

18世紀にイギリスは産業革命が起こり、社会のひずみが増大し、犯罪が激増します。かれら・イギリスの囚人は、アメリカ大陸での労働力に使われていましたが、１７７６年にアメリカ独立戦争が起き、それが困難になりました。１７７６年、内務大臣シドニー卿はオーストラリア大陸を流刑植民地にすることを発表、１７８８年、フィリップ大尉（初代オーストラリア総督）の指揮のもと、１０４４人の囚人が移住させられました。ここに、オーストラリア大陸の「白人」入植の歴史が始まります。

入植者たちは家畜（羊・馬・牛・豚など）を持ち込みました。その結果、たちまち、アボリジニーの生業と、土地や飲料水を奪いました。アボリジニーは首長制社会にはなく、家族単位の生活を行っていたため、組織的武力抵抗を行うことはありませんでした。結局、「白人」のいない地域に逃げるか、「白人」から食料を分けてもらうか、家畜などを盗むしかありません。しかし、他の地域に逃げると、そこは他のアボリジニーの土地で争いになり、食料を分けてもらう替わりに女性を「提供」させられ、家畜を盗むことは「白人」の「財産権の侵害」とされます。「財産権」と言っても、そもそもここはアボリジニーの大地ではないかという理屈は通ぜず、「財産を守る」という名目で、多数のアボリジニーが集団で殺害されました。「法律」とは、歴史的には権力者側のみ、勝者のみ、多数者のみに通じる約束事なのです。

中でも、イギリスの歴史に銘記すべき、最悪の所業は、オーストラリア大陸の南方に位置するタスマニア島（北海道より、ほんの小さい面積の島）のアボリジニーを一人残らず、殺害したことです。１８３０年から、アボリジニーを捜査《そうさ》・捕獲し、強制移住をさせ、次々と死に追いやりました（ブラックライン作戦）。１８７６年に、タスマニア最後の生存者・女性のトルガニーニが死亡しました。トルガニーニは、母親が白人入植者に刺殺され、姉はアザラシ狩りの白人に誘拐《ゆうかい》され、叔父は白人の撃った弾丸に殺され、夫は生きたまま腕を切り落とされました。トルガニーニの遺体は遺言により、人目のつかない山に埋葬されましたが、やがて墓から暴《あば》き出され、その遺骨は博物館に展示されました。結局、博物館から撤去したのは、実に１９７６年のことでした。

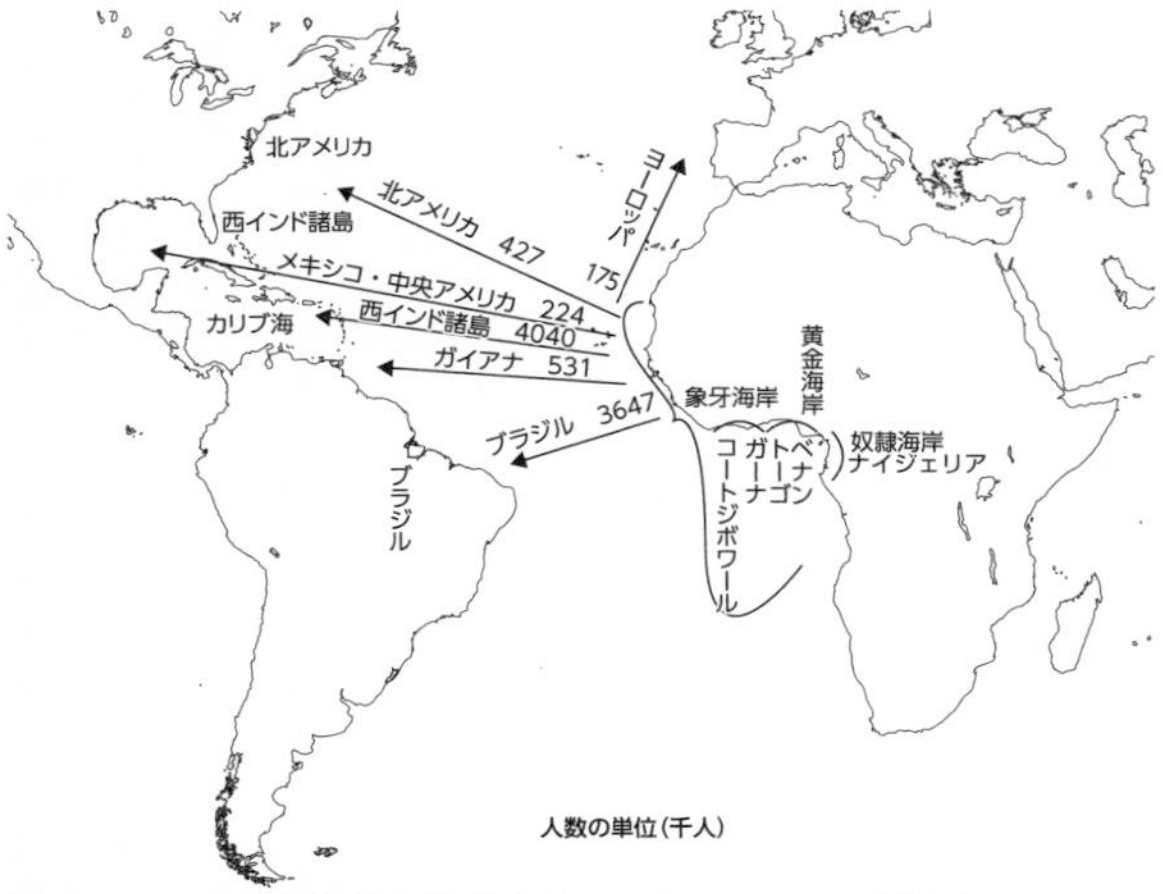

図１　アメリカ人奴隷の輸送（ジュナサン・アール『地図で見るアフリカ系アメリカ人の歴史』（明石書店）参照）

（６）アフリカ人を奴隷にする

ヨーロッパ人が使い勝手のいい土地に「改良」するため、多大な富を得るための生産地にするために、大量の労働力が必要になります。この労働力のため、アフリカ人を強制連行し、人身売買をして、奴隷として使います。西アフリカのコートジボワール、ガーナ、トーゴ、ベナン、ナイジェリアの海岸は、今でも象牙《ぞうげ》海岸、黄金海岸、奴隷海岸と言っていますが、これらの地域を中心に、アフリカ人が奴隷として、アメリカ大陸へ連行されました。奴隷たちは鎖につながれ、海岸まで連行され、買い手が決まったら、肌に焼き印を押され、地下牢で、アメリカ行きの船を待ちました。奴隷たちは、船にぎっしり積み込まれ、鎖につながれました。そして、西インド諸島などのカリブ海、さらにブラジルに連行され、砂糖やコーヒーのプランテーションに運ばれました。

大西洋を通って、アフリカから南北アメリカ大陸に連行されたアフリカ出身の奴隷は、１２００万人以上いると見られています。これは「文明」が犯した過《あやま》ちとして、きっちりと記憶されなければなりません。

(7) オスマン帝国の実力

15世紀末以来、スペイン・ポルトガルが中部・南アメリカ大陸に侵攻、16世紀末以来、イギリス・オランダが北アメリカ大陸・オーストラリア大陸に侵攻、そして南アジア・東アジアにも拠点を持ちました。

しかし、17~18世紀までは、オスマン帝国、ムガル帝国、清王朝、江戸政権など、アジアの強国は、ヨーロッパに対峙《たいじ》し、ときにはヨーロッパに攻勢をかける力がありました。近代前期とは、一方では、アジアの強国がヨーロッパに対等、あるいは攻勢をかける実力があった時代だったのです。

ヨーロッパの直接脅威の、オスマン帝国の動きを見てみましょう。

１５２６年、オスマン帝国はハンガリーに侵攻しました。ハンガリー王のラヨシュ２世は戦死しました。スレイマン１世(在位１５２０~６６年)はブタペストに侵攻し、１５２９年にはウィーンを包囲しました。また、プレヴェザの海戦(１５３８年)で、スペイン・ベネチア艦隊を破り、地中海を制覇しました。

ルネサンス以来のイタリア商人は大打撃を受け、結果として、ヨーロッパ人の(アフリカ南端の)喜望峰周りの世界進出を強めたこと、スペイン・ベネチアの連合艦隊が１５７１年のレパントの戦いで地中海を回復しますが、それまでヨーロッパの喉《のど》くびを押さえていたのです。

オスマン帝国の、ヨーロッパに対する攻勢は、17世紀にも続きました。１６８３年、ウィーン攻略を進めます。神聖ローマ帝国のレオポルト１世はウィーンから脱出しました。ポーランド、ドイツ各国、イギリスからも援軍が到着し、ヨーロッパ連合軍によって、オスマン帝国の攻撃を防ぎました。１６９９年にやっと、オスマン帝国と、オーストリア・ポーランド・ベネチアの講和条約が結ばれました。

(8) 中国は、女直(満州)族の南下、そして清王朝へ

アメリカ大陸や、オーストラリア大陸で、やりたい放題の、ヨーロッパ人の侵略も、近代前期においては、東アジアで跳ね返されます。

16世紀末、満州地方で、一つの勢力が形成されます。女直族(かつての女真族。のちの満州族〜ツングース族)で、野人女直・海西女直・建州女直に分けられていました。

ヌルハチは建州女直の一首長に過ぎませんでしたが、やがて建州女直の諸部族を統一し、さらに海西女直を併呑《へいどん》しようとしました。1616年、ヌルハチ(太祖)は国号を後金とし、元号も天命としました。あからさまな独立宣言に、1619年、明王朝は出兵、朝鮮も支援しますが、ともに敗れました。その後も、ヌルハチは明軍を激しく攻撃しますが、その戦いの最中、傷を負い、それが原因で亡くなりました。

ヌルハチの死後、諸部族の有力者が集まって、後継者を決めました。結局、ヌルハチの15人の子のうち、八男のホンタイジ(太宗)が継ぎました。太宗は明王朝打倒をいっぺんに行うのではなく、足元を固めるところから始めました。朝鮮に出兵し、服属させ、属国とし、内モンゴルに攻め入りました(1635年)。リンダン・ハンはダヤン・ハン(北元王朝)の直系で、モンゴル族の宗家に当たりましたが、これも攻撃し、宗家の証拠である玉璽《ぎょくじ》を手に入れました。太宗は女直の名を廃し、マンジュ(満州)と呼び、満(満州)・蒙(モンゴル)・漢(中国)の3民族を支配する国家を建設しようとしました。翌年、国号を大清国としました。

1643年、清王朝では太宗が亡くなり、6歳の世祖(順治帝)が継ぎました。世祖のバックには摂政王ドルグン(太宗の弟)が付いていて、清王朝の勢力拡大を図ります。翌年、明王朝と清王朝が北京の東300kmの山海関で争い、北京が空になったとき、第三者によって突如、北京は陥落させられました。李自成という漢人が民

衆を巻き込み、兵を集め、攻め入り、明王朝の本体を滅ぼしたのです。明王朝の将として山海関を守っていたのは呉三桂ですが、彼は清王朝に降伏し、清王朝は北京を攻撃し、西安に逃れる李自成を破りました。

一方、明王朝は南京に地方政権を打ち立てようとしました。しかし、南京では皇帝を誰にするかで派閥抗争に明け暮れ、清王朝が南京にも攻め入りました。ここで明王朝の血を引く福王・唐王は殺されました。もう一人、魯王は海岸伝いに逃れ、鄭成功《ていせいこう》の軍に合流しました。鄭成功は台湾に逃れ、独立政権をつくりました。

(9) 三藩の乱から、オイラト族との戦いへ

摂政王ドルグンは、中国の南方を三人の将軍に与えました。その中心人物は呉三桂で、平西王として雲南を領有しました。他に平南王は広東を、靖南王は福建を領有しました。

しかし、彼らは独立勢力になりかねない、あるいは封建勢力になりかねません。やがて、清王朝は彼らの取り潰《つぶ》しにかかります。呉三桂は平南王・靖南王と組み、さらに台湾の鄭成功とも組み、それに対抗しました。8年間に及んだこの戦い（三藩の乱）は1681年に鎮圧されました。

中国本土を確保した清王朝は、北方・西方問題に着手しました。

18世紀半ばまでに、清王朝はオイラト族との戦いで、モンゴル・チベット・ウイグルを手に入れることになりました。朝鮮・安南（ベトナム）・タイ・ミャンマー・琉球は清の属国（冊封《さくほう》関係）とされ、コーカンド、ブハラ、アフガニスタンも朝貢国になりました。

だが、オスマン帝国も、ムガル帝国も、清王朝も、江戸政権も、王朝国家である限り、始源～興隆～衰退のサイクルは付きものです。これらが衰退期に入るときに、半永久的に続く近代（国民）国家に敗れていき、滅亡した王朝国家群が近代（国民）国家を目指さざるを得なくなる理由になります。

(10) ロシアのシベリア侵攻とネルチンスク条約

17世紀初め、ミハイル＝ロマノフ（在位1613〜45年）がロマノフ王朝を開きました。ここから、モスクワ大公国ではなく、ロシア帝国と呼びます。

ミハイルが皇帝（ツアーリ）に選ばれたのは、戦乱を制したり、クーデターによるものではありません。モスクワに各地の代表600名が集まり、全国会議の結果、選ばれたのです。しかし、ロシアは国土が広がると同時に、議会制の道に行きません。皇帝の代ごとに議会の回数が減り、17世紀後半の5代・ピョートル1世（大帝、在位1682〜1725年）の時代には、絶対主義を確立しました。

ロシア人のシベリア侵出は、製塩業者ストロガノフ一族の所領拡大から始まりました。同家は盗賊的コサックの首領・イェルマークに軍需品を与え、オビ川に達しました。ロシアは、あたかも「無人の野」を行くかのように、シベリアに侵攻、イェルマークがオビ川のトボリルスクに到達したのが（1587年）、以下、さまざまな「探検家」が行動し、エニセイ川のエニセイスク到達（1618年）、レナ川のヤクーツク到達（1632年）、そして、ユーラシア大陸の東端・オホーツク海岸のオホーツクに到達（1639年）しました。

しかし、「無人の野」と「　」書きにしたのは、もちろん「無人の野」ではない、ここには先住民族がいます。それまで、東シベリアで広大な大地に居住していたユカギール族は、居住圏を狭められます。代わって、ロシア人征服者に従ったヤクート族が土地を分与されたり、あるいは逆にロシア人の徴税から逃れ、ユカギール族の大地に入り込みました。

ただし、アムール川（黒竜江）流域では、ロシアだけが侵攻したのではありません。清王朝も侵出してきました。清王朝2代目太宗のとき、この地域を征服しています。

続いて、1640年代〜1680年代にかけて、ロシアのコサック（ロシアの騎兵で、「辺境」を守る農民兵）がアムール川に侵攻してきました。コサックたちは毛皮を収奪しようとしますが、清王朝がそれに対抗するため、先住民族の人々を松花江《しょうかこう》の支流フルカ河方面に移住させました。

1644年、コサックのヴァシーリー・ポヤルコフは、アムール川河口で冬を過ごし、ニブフ族に遭遇しました。1649年、ロシアのハバーロフがアムール川流域の集落を襲撃し、ニブフ族は激しく抵抗しました。1654年、58年、ロシアと、清王朝・朝鮮王朝の兵が戦闘になりました。

ロシアのシベリア侵攻当初は、領土的野心というよりも、シベリアの毛皮をヨーロッパ市場に売ることに意味を持ちました。モンゴル人との接触を避けながら、ひたすら東を征服し、アムール川に達したのでした。1658年、アムール川の北部・ネルチンスクに城を築き、さらにアルバジン城も築きました。

東征を続けるロシアは、英明なピョートル大帝、興隆期に当たる清王朝は康熙帝《こうき》の時代で、両国は衝突しました。結果、清王朝が攻勢のまま、戦闘は終始し、休戦に入りました。そこで結ばれたのがネルチンスク条約です（1689年）。アムール川沿岸の平野はすべて清王朝の領域で、外興安嶺（スタノボイ）山脈が国境になりました。

北方ユーラシアでは、清王朝とロシアが先住民族を蹂躙《じゅうりん》して、分捕り合いました。しかし、ロシアは、それだけにとどまりません。

ベーリングの第一次「探検」（1727年）の前後、カムチャツカ半島にロシアが侵攻し、同半島の3民族（イテリメン、コリヤーク、チュクチ）の抵抗戦が繰り広げられました。

1741年の第二次ベーリング「探検隊」がアラスカに侵入すると、ここはロシア人の荒らし放題の地となりました。1750〜1800年の間に、1万5千〜2万人いた先住民族（イヌイット・アリュート）の人口は2千人になってしまいました。病気・ロシア人との戦い、強制労働などによるものでした。近代世界におけるもっとも悲惨な犠牲者は先住民族であり、逆に言えば、先住民族を語らずして、近代史はあり得ません。もちろん、加害者はヨーロッパ列強であり、後にはアメリカ合州国や日本も加わります。

（参考文献）

・松田智雄『近代への序曲』（中央公論社『世界の歴史』7）　1968
・三田村泰助編集『明帝国と倭寇』（人物往来社『東洋の歴史』8）　1967
・レイ・タン・コイ『東南アジア史』　白水社　2004
・森本哲郎偏『埋もれた古代都市2（アンデスの黄金郷）』（NHK文化シリーズ『歴史と文明』）　1978
・小林章夫『イギリス王室物語』（講談社現代新書1283）　1996
・ラス・カサス『インディアスの破壊についての簡潔な報告』（岩波文庫　青427－1）1991
・増田義郎『大航海時代』（講談社『世界の歴史』13）　2001
・富田虎男『アメリカ・インディアンの歴史』（雄山閣）　2003
・松岡静雄『太平洋民族誌』（岩波書店）　1944
・新保満『オーストラリアの原住民』（NHKブックス379）　1980
・鈴木清史『アボリジニー』（明石書店）　1986
・ジョナサン・アール『アフリカ系アメリカ人の歴史』（明石書店）　2011
・宮崎市定編集『清帝国の繁栄』（新人物往来社『東洋の歴史』9）　1967
・加藤九祚監修『世界の民族14（シベリア・モンゴル）』　平凡社　1979
・神田信夫・三上次男編『東北アジアの民族と歴史』（山川出版『民族の世界史』3）　1992
・オークニ『カムチャツカの歴史』（大阪屋号書店）　1943

第2章　東アジア列島の近代前期

一　中の文化圏（統一政権から江戸政権確立へ）

1　近代前期（前葉）

（1）「中の文化圏」にとっての近代前期とは

「文明」史の概説（22頁）で述べたように、「日本の近代は明治維新から」というのが常識になっています。しかし、本書では近代の世界史は、スペイン・ポルトガルが世界各地に植民地をつくった時代から、さらに「東アジア列島（その中の日本も）の歴史」もその世界基準に合わせようというものです。

この基準で言えば、織田・豊臣政権も、江戸政権（後期武士政権）も、近代前期の時代になります。そういうことから、世界の流れが、スペイン・ポルトガル、続いてイギリス・オランダが侵出する近代前期に、「中の文化圏」はどう対応したか、そしてその対応こそが世界基準で見たときの近代の始まりだということになります。

（2）後期倭寇と、ポルトガル人の種子島《たねがしま》来航

倭寇《わこう》とは、東アジアの海洋交易者であり、交易が失敗したときには海賊にもなります。

その倭寇には、前期倭寇と後期倭寇があります。両者は、名称こそ同じですが、別物です。

前者は、14世紀半ば～15世紀初頭にかけて、対馬《つしま》・壱岐《いき》・五島列島の漁民が、アジア大陸の東部をターゲッ

トに荒らしまわった集団を言います。

一方、後期「倭寇」の主体は和人ではありません。明王朝の海禁政策に抵抗する中国商人が主体と言えます。倭寇という言葉に引っかかってはいけません。本書でこれから述べるのは後期「倭寇」の話です。

1526年、中国・福建の鄧獠《とうりょう》が舟山《しゅうざん》諸島の双嶼《そうしょ》港で密貿易を始めました。次いで、許棟《きょとう》がマラッカから双嶼にポルトガル人を呼び込み、マラッカ～中国の貿易を始めました。さらに、王直は双嶼～博多《はかた》の密貿易を始めました。王直はシャム（タイ）と日本を往来し、明王朝の官憲と対立し、暴力化していきました。いわば、後期「倭寇」とは、中国人を核にして、和人・東南アジア、ポルトガル人を含む密貿易集団を言っているのです。

なぜ、ここにポルトガル人か。それはトルデシリャス条約のもとに、香料産地のモルッカを含む、東アジア・東南アジアの当事者が全く知らない間に、一方的にポルトガル領にされ、ここはポルトガル商人の交易圏に入りました。それと、後期「倭寇」が結び付いたのでしょう。

「1543年、ポルトガル人が鉄砲（火縄銃）を種子島に伝えた」というのは、和人とヨーロッパ人が初めて接した事件として有名です。ところが、これはポルトガル船ではありません。倭寇・王直の率いる船団にポルトガル人も乗っていたということです。ポルトガル人について、種子島の西ノ村の長・西部織部丞と、五峯《ごほう》と名乗る中国の知識人が砂浜で漢文をもとに筆談します。この知識人・五峯こそは「倭寇」の首領・王直でした。

この事件は、スペイン・ポルトガルの始めた近代前期の波が、日本にも押し寄せたものと言えます。それも、ポルトガルと後期「倭寇」が連携して押し寄せたものです。

(3) キリスト教の伝来と、日本の権力者

16世紀のヨーロッパは、プロテスタントの出現によって、ローマ・カトリックとし烈な争いをします。スペイン・ポルトガルはローマ・カトリック側の国です。

そういう中、ロヨラ、ザビエルなど7人の同志が、ローマ・カトリックの復興を目指し、イエズス会を結成し（１５３４年）、彼らにはそういう気はなかったにもかかわらず、ポルトガルの世界制覇の一端を担います。

ポルトガル王のジョアン3世は、イエズス会員を東インド会社に派遣することにしました。しかし、派遣されるはずの一人が病に伏し、急遽《きゅうきょ》、ザビエルがアジアに行くことになります。運命にもて遊ばれる個人となりますが、その運命にどう立ち向かうかは個人の意志です。１５４７年、マラッカで日本の薩摩《さつま》（鹿児島県）出身のアンジロウに会い、ザビエルは日本に行くことにしました。ザビエルは日本の王との接触を試みます。しかし、剣の達人・13代将軍足利義輝《よしてる》は流浪の将軍、天皇家（後奈良天皇）も落ちぶれ、学問の府・南禅寺など京都五山（足利政権が官寺とした禅宗の五寺）にも失望しました。

宣教師ガスパル・ヴィレラは、１５５９～６１年にかけて、京に入り、三好長慶《ながよし》や将軍・足利義輝に会い、堺に出向きました。三好は一時期、畿内《きない》を支配しました。信長が若いころに目的とした「天下布武《ふぶ》」とは、日本統一ではない、せいぜい畿内を支配することだったようです。それをもって、織田政権の先駆としての、三好政権とも言えるのではないかという考えもありますが、過度期《かどき》のものです。やがて、足利義輝に帰京を認めました。

宣教師ルイス・フロイスは、13代足利義輝、その夫人近衛《このえ》氏、そして織田信長と接触しました。

歴代の宣教師たちは、戦乱の世から統一政権が成立していく過程で、そのとき、そのときの権力者を探し、その庇護《ひご》のもとの、布教を試みました。

そして、信長が殺害される半年前、九州の戦国大名、大友宗麟《そうりん》、大村純忠《すみただ》、有馬晴信のそれぞれの一族の少年は、宣教師バリニャーノに連れられ、ヨーロッパに出港します。彼らは、ポルトガル国王に会い、ローマ教皇のグレゴリウス13世にも会いました。

日本の中央政権や九州の戦国大名は、貿易の利を得ながら、知らないうちに、すっぽりと、ポルトガル・スペインの起こした近代の流れの中に組み込まれていきました。

(4) 統一政権の方向

統一政権とは何でしょうか。

織田・豊臣政権（織豊《しょくほう》政権）、江戸幕府（本書では江戸政権）という用語は日常的に見るものです。

しかし、織田から豊臣、そして徳川家康・秀忠《ひでただ》・家光の5代は、近代前期（近世）が確立する上で、一つの時代を築きます。それを統一政権という用語を使ってみました。

統一政権の政策は、中央に強力な政権があり、各地域に領主を配置する、各地域の要所（長崎・大坂など）は統一政権が押さえるという形を取りました。また、政策としては、米をサラリーとする石高《こくだか》制、支配者としての後期武士と被支配者としての農民を分離する兵農分離、外国との貿易を制限し、統一政権がそれを握る「鎖国」（海禁政策）という形を選びました。これらの政策は、最初から「こうしよう」と決めたものではなく、さまざまな状況下で、そう選択せざるを得なかったと言えましょう。

信長は歯向かう相手を軒《のき》並み倒し、地域領主の存在を認めません。同盟者の徳川氏、自分の派遣する師団長（柴田・明智・羽柴・丹羽《にわ》など）の領域を与えるだけでした。そして、対抗者（戦国大名や仏教勢力）を倒すために、大量殺人兵器～火縄銃を大量に手に入れ、大量殺戮《さつりく》し、屈服させました。しかし、これでは「天下統一」にどれほどの時間と労力がかかるでしょうか。どれほどの人が殺されるでしょうか。南九州の島津氏から北海道南部の蠣崎氏を滅ぼすまで、戦国の世は終わりません。また、師団長も、その力量が認められているうちはいいのですが、いったん、「力量なし」となると、お払い箱にされます（佐久間など）。これでは世襲制をもとにした体制は生まれず、信長一代の事業にならざるを得ません。したがって、信長の天下統一の事業が進むほど、外部からは抵抗、内部からは「謀反」する勢力が現れる事態になりました。明智光秀の「謀反《むほん》」の原因は未だにわかりませんが、その流れにあるように見えます。信長のこの方法では限界にきていたと言えそうです。

そこで、豊臣政権は中央政権（大坂）にガッチリ権力を集中させながらも、従属したら、地域領主（大名）の存在を認めました。圧倒的な中央政権の力を見て、あるいは戦ってみて降伏し、上杉・島津・長宗我部《ちょうそかべ》・徳川・伊達《だて》などの強力な地域政権（戦国大名）は地域領主（大名）となりました。ただし、豊臣政権は地域領主をその土地に張り付けることをせず、転封《てんぽう》という名の、領域の移転をさせる力を持ちました。これを「大名の鉢植《はちう》え化」と言いますが、前代の鎌倉政権や足利政権にはできなかった荒技です。統一政権は前任者の失敗の反省にたって、新たな政策を打っています。織田政権の関所《せきしょ》廃止は、江戸政権では逆に関所を作り、江戸が攻められないように橋を作らせないように変えられました。織田政権が一族や旧来の家臣のしがらみを無視し、人材抜擢《ばってき》を次々に行ったのに対し、江戸政権は一族（親藩）や、（主家を裏切らない）旧来の家臣（譜代《ふだい》）のみを重視するなど、政治手腕には違いがあります。しかし、これらは信長・秀吉・家康の性格の違いもありますが、ともかくさまざまな人材を利用し、天下統一を目指さなければならなかった織田政権と、そもそも旧来の家臣のいない豊臣政権を経て、社会の安定を図らなければならなかった江戸政権の違いでもあります。織田・豊臣政権が革新性を売り物にしたとするならば、江戸政権は保守性を前面に出しました。

こうして、各地域に跋扈《ばっこ》した戦国大名は、統一政権に従う大名にされました。室町政権下で力を誇った国人《こくじん》層（有力な名主《なぬし》）や、比叡山延暦寺《えんりゃくじ》や浄土真宗・法華宗などの仏教勢力も、軍事力を削《そ》がれ、統一政権～大名の体制（幕藩体制）が日本を治めるように、変えられました。前期武士が領主ならば、後期武士は役人と言えます。これは、改革といった緩やかなものではなく、と言っても、支配階級をひっくり返した革命でもありません。政治が大混乱する社会の変化に合わせて、急進的に新たな政治体制に変えたということでしょう。鎌倉政権の誕生、明治維新、戦後の「改革」に匹敵する、世の中を抜本的に変えたもの、別の言葉で言えば、近代前期の世界に合わせた「歴史上の大画期」、それが統一政権の50年間の歴史でした。

この時代の社会志向は、運と才覚、知恵があれば、大将、一国一城の主、そして天下人にもなれるというもの、その成功者に伊勢宗瑞《そうずい》（北条早雲）、斉藤道三親子、毛利元就《もとなり》がおり、何よりも豊臣秀吉がいました。

(5) 統一政権の拡大政策

1580年代は、西ヨーロッパではスペインが全盛期ですが、ネーデルランド(オランダ)の独立運動が起き、イギリス艦隊がスペインの無敵艦隊に勝利するという事件が起きます。スペイン・ポルトガルという(ローマ・カトリックを背景とする)国家の世界侵攻に、オランダ・イギリス(非カトリックを背景とするキリスト教)という国家の侵攻が加わっていく時代になったのです。

日本の統一政権も、日本の国土統一を終えると、海外侵略に走りました。

1585年、秀吉は四国侵攻を行い、長宗我部氏が降伏します。この間、農民出身の秀吉が貴族の藤原氏の養子になるという離れ業《わざ》を行い、本来、藤原摂関家《せっかんけ》(いわゆる五摂家《ごせっけ》)しか就任できない関白《かんぱく》に就きました。

その翌年、宣教師ガスパル・コエリェがルイス・フロイスの通訳のもと、大坂城を訪問しました。このとき、秀吉は「中国の至る所に天主堂《てんしゅどう》(キリスト教の教会)を立て、中国人をキリシタンに改宗させる。日本人も大部分キリシタンになるだろう」と言います。実際、高山右近・小西行長・黒田官兵衛などがキリシタン大名になっていました。そして、この時期に、中国大陸に侵攻する意識がすでにあったことがわかります。

1587年、秀吉が九州遠征を行い、島津氏が降伏すると、直ちに対馬の宗氏に朝鮮国王への朝貢を要求させました。1591年にはルソン(フィリピン)への朝貢要求、93年には高山国《たかさん》(台湾)へ朝貢要求しました。そして1592年、日本軍は朝鮮侵略を始めました。秀吉が甥の関白・秀次《ひでつぐ》に与えた書状を見ると、「大唐(中国)に都を移し、北京に天皇を移住させ、大唐の関白を秀次にする」としています。秀吉の命により、日本軍はたちまち、朝鮮北部まで侵攻しますが、明軍が朝鮮の援軍に来たのと、朝鮮の李舜臣が水軍で抵抗するなどして、膠着《こうちゃく》状態になりました。ここで一度、休戦協定が結ばれますが、その内容をめぐって紛糾し、再び、朝鮮侵攻軍が派遣されました。日本軍のうち、吉川《きっかわ》・鍋島家による、膨大な朝鮮人の鼻(29251個)の記録がありますが、戦闘状態の中で、いとも簡単に大量殺人を起こす、人間の一面を見ることになります。

この朝鮮侵攻は秀吉の誇大妄想《もうそう》が生んだものでしょうか。それだけではない、この時代の統一政権のパワーが周辺地域への侵攻を生んだと言えます。

１６０９年には、江戸政権の許可を得た薩摩藩《さつま》（鹿児島県）が、奄美・徳之島、そして琉球王朝に侵攻しました。このときから、琉球王朝は明（後に清）王朝への冊封体制とともに、薩摩への服属体制を行うことになりました。また、秀吉・家康は、北海道南部の大名・蠣崎《かきざき》（松前）氏に、アイヌとの交易独占権を与えました。

日本の統一政権は、北海道・沖縄・台湾・朝鮮半島というように、後に植民地にしていく地域に、影響力を及ぼしたり、侵攻していったのです。この時代がヨーロッパのみではなく、日本にとっても、近代前期に当たるというのは、強力な権力を確保した政権が、アメリカ・オーストラリア・シベリアに侵攻する形と、日本の東アジア侵攻が同じ視点で見られるということにもあります。

（６）「鎖国」（海禁）政策への転換

日本の統一政権は、東南アジアへ（現在のインドシナ半島６ヶ国の面積だけで約２２０万㎢、日本列島の６倍あります）の経済進出も進めます。

徳川家康は、日本と東南アジアの間に、朱印船貿易を行いました。日本からは銀（日本は銀の大産出国だった）が、東南アジアからは生糸が取引されました。これは、江戸政権の２代秀忠・３代家光の代まで続き（１６０４～３５年）、ポルトガル・オランダ・スペインと競合するものになりました。

また、それまでポルトガルが中国のマカオに根拠地を持って、中国の生糸を日本に売っていたのに、家康は堺・京・長崎、後に江戸・大坂の商人も加わり、相談して生糸の価格を決定し、それを買い取るようにしました（糸割符《いとわっぷ》制度）。

徳川家康・秀忠・家光の３代で、貿易船としての朱印を与えた数は少なくとも３５０通に及びました。それらはマニラ、安南（ベトナム）、バタニ、アユタヤなどに向かいました。その結果、ツーラン、フェフォ（ベトナム）やアユタヤ（タイ）、マニラ（フィリピン）に、日本人町ができました。1610年代に、徒手空拳《としゅくうけん》、タイ（シャム）に渡った山田長政は、アユタヤ王朝の日本人町の統領になり、やがて、アユタヤ王家の重臣になりました。

この時代のアユタヤ王朝は、現在のタイ王国の目で見てはいけません。12世紀にインドシナ半島で最大の領域を示していたのは、クメール人（カンボジア人）のアンコール王朝で、現在のタイ・カンボジア・ラオス・ベトナム南部を領域にしていました。やがて、アンコール王朝の北のスコタイ王朝（タイ人）が南下し、アンコール王朝の領域を奪い、それがアユタヤ王朝に引き継がれ、インドシナ半島の大半を支配するようになったのです。アンコール王朝の末裔は、かろうじて、メコン川の下流域に逃れ、カンボジアを立てました。

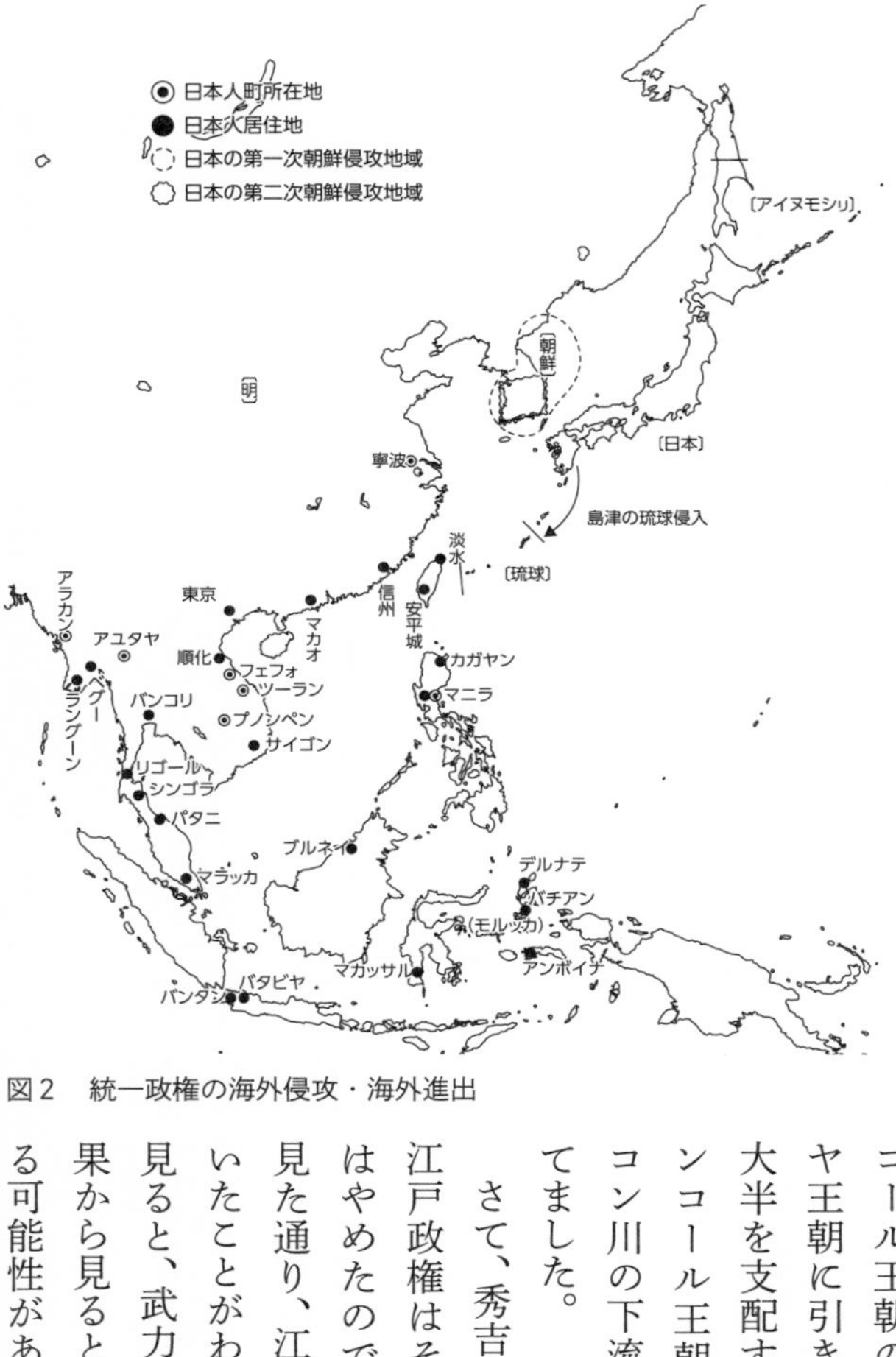

図2　統一政権の海外侵攻・海外進出

　さて、秀吉は朝鮮侵攻を行いましたが、江戸政権はその反省に立って、海外進出はやめたのでしょうか。それはここまで見た通り、江戸政権も経済進出を行っていたことがわかります。しかし、結果から見ると、武力進出はしませんでした。「結果から見ると」と書いたのは、武力進出する可能性があったからです。1628年、長崎の高木作右衛門の朱印船がスペイン船に襲われました。オランダはスペインもポルトガルも同一君主だと告げ口し、日本とポルトガルの仲を裂こうとしました。江戸政権はマニラ遠征を計画し、オランダの協力を求めました（１６３７年）。しかし、ここで天草・島原一揆が起き、遠征を断念しました。

当時、繰り返し、ローマ・カトリックの宣教師が潜入してきました。そこで、１６３３年以来、和人の渡航、宣教師の来日、生糸貿易の停止、ポルトガル人の追放と、矢継ぎ早に対応策を打ち立てました。そういう中で、この一揆が起きたので、ついに１６３９年、ポルトガル人の入国を一切、禁止し、１６４１年に長崎でオランダと中国（清）のみと交易することにしました（「鎖国」）。

さらに、中国では清王朝が侵出したのに対し、明の遺臣たちが抵抗し、江戸政権に援軍を求めました。このときにも、日本は明軍に援軍しようという動きがありました。

アジアでは清王朝がロシアとともに、北方ユーラシアの分割をしました。日本も近代前期においては、大航海時代の侵攻国の一員になりかかったということができます。しかし、それは、鎖国（海禁政策）という形で、休止しました。以後、２２０年ほど「拡大」を止め、身の丈《たけ》で生きることにしました。

この海禁政策は、日本だけが行ったものではありません。清王朝の西欧貿易は、１６８５年に、広州・厦門《アモイ》・寧波《ニンポー》での交易、１７５７年には広州だけになります。朝鮮王朝は清王朝とは冊封関係、日本とは国交がありましたが、他国には海禁政策を取り、琉球王国も、清王朝に冊封体制、薩摩藩には従いながら、他国とは海禁政策を行いました。東アジアは、ヨーロッパ列強の侵攻に対し、固く殻を閉じるという形で、拒否したのです。

東アジアの海禁政策、日本においては「鎖国」政策をもって、近代前期（前葉）の時代の区切りとします。この後、日本は約二百年間、海外侵出を行わない、大部分を自国の中で賄《まかな》うという政策を取ります。やがて、これが「祖法」と思いこむようになり、社会意志となりました（近代前期後葉）。

なお近年、江戸政権には４つの口（長崎・対馬藩・松前藩・薩摩藩）から外へ交流していたとして、「鎖国」という用語が使われなくなっています。厳密性にこだわればその通りです。しかし、大局を見失ってはいけません。江戸政権は東アジア諸国と肩を並べて、ヨーロッパ列強との関わりを最低限にしたという大局です。さらに日本の中央政府の江戸政権の握っていた長崎貿易と、（「辺境」の大名が握る）他の３つの交易は格が違うので、本書では「鎖国」という語を使うことにします。

二　北の文化圏（アイヌモシㇼへの侵攻）

1　近代前期（前葉）

⑴アイヌの自由交易

16世紀は、東シナ海・南シナ海をポルトガル商人ともども、後期「倭寇」が交易・略奪を続ける時代でした。これは「北の文化圏」でも同様でした。

例えば、織田信長と交流のあった宣教師・ルイス・フロイスは次のように伝えます（１５６５年）。

・彼等（アイヌ）の中にゲワ（出羽）の国の大なる町アキタと称する日本の地に来り、交易をなす者多し。日本人彼地に至る者あれども彼等のため殺されるが故に其数は少なし。

当時の日本は戦国時代です。日本の歴史の中でも、最も荒れた時代、荒っぽい時代に、それを圧倒していたのがアイヌの交易の姿です。アイヌが交易の主導権を握り、アキタまで往来したというのです。

また、豊臣時代のイグナシオ・モレイラ神父は、アイヌの行動を次のように記しています（１５９０年）。

・その住民の話では、かれらはまた西方にある他の島々ばかりでなく、蝦夷から北方に延びている島にもしばしば行くそうである。この島はレブンクルと呼ばれているが、高麗とつらなっているとその住民(高麗人)がいっている。

これは、アイヌが、蝦夷《エゾ》(北海道)の西方の島々(リシリ・レブン島か)やサハリンと交易し、朝鮮勢力圏にも至るということを言っています。

16世紀のアイヌは、和人勢力を圧倒し、南に北に、誰に束縛されることなく、自由に交易に出向きました。

2　近代前期(後葉)

(1)秀吉の朱印状、家康の黒印状

日本の大名の生産力は、米の取れ高で決まります。後期武士は大名から米をサラリーにもらうことで、領主に仕えていました。しかし、この大名には例外がいます。北海道の南部・松前半島を支配した蠣崎《かきざき》氏です。北海道では米が取れなかったのです。

蠣崎氏は統一政権に服属するときに、アイヌとの交易権を取得しました(秀吉朱印《しゅいん》状)。そして、徳川家康が支配者になっても家康黒印状を取得しました。

その結果、和人が北海道を往来し、アイヌと交易する場合は、必ず蠣崎氏(江戸政権になってからは松前氏と改称)の許可を得なければならなくなりました。ただし、アイヌは日本の領内の民ではありません。したがって、アイヌがどこに行って交易しようが自由ということも、書かれていました(そんなこと当たり前ですが)。

しかし、現実には、北海道アイヌの交易は、松前氏が支配するようになります。北海道アイヌが本州東北地方に交易に出向く事実は、１６４４年の記録が最後になります。アイヌの自由交易が、周辺の国々によって制限されていくこの時代から、近代前期(後葉)への画期と見なします。

(2)シャクシャインの戦い

「中の文化圏」においては、統一政権が、ヨーロッパ列強の世界制覇《せいは》の波に乗り、朝鮮半島に、琉球王国に、台湾に、アイヌモシㇼに勢力を伸ばした時期をもって、近代前期（前葉）としました。そして、「鎖国」（海禁）政策によって、ヨーロッパ列強の侵攻を遮断《しゃだん》した時代から、近代前期（後葉）に当てました。

これは、アイヌモシㇼの形にも、影響を与えました。

結果として、北海道アイヌの和人交易は、松前藩一本になったということです。

強力な江戸政権が後ろ盾となると、アイヌモシㇼに対して、松前藩のやりたい放題になりました。松前藩の上級武士に宛がわれた知行《ちぎょう》とは、アイヌのコタン（集落）に行き、そこで交易し、そこから上がる利益になりました（商場知行制《あきないばちぎょうせい》）。すると、アイヌは松前にさえ、交易往来することが認められなくなりました。そこで、知行主のいいような、交易価格が一方的に定められました。

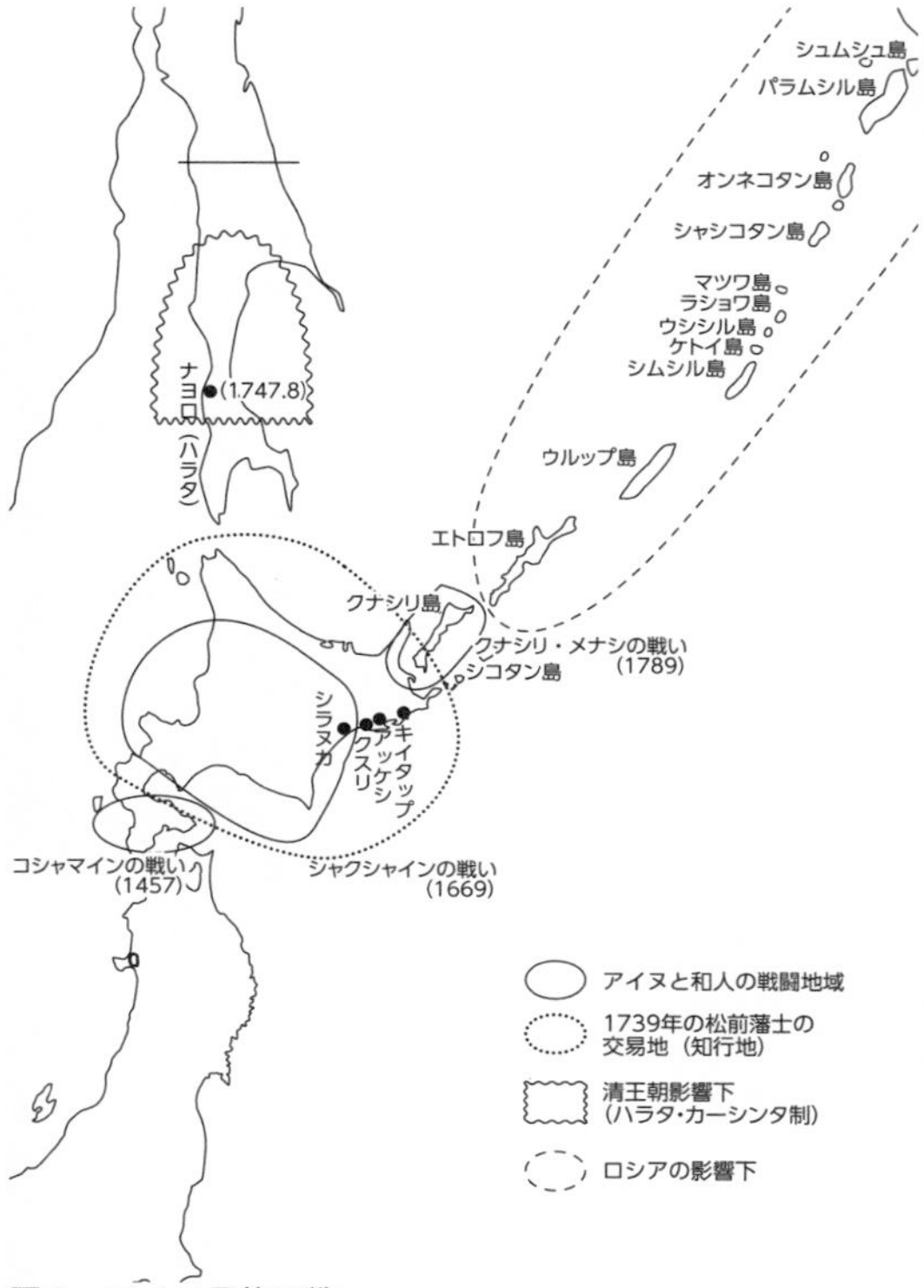

図3　アイヌ民族の戦い

松前藩の許可のもと、砂金が採れると言えば砂金掘りが入り（ゴールド・ラッシュ）、鷹《たか》が取れると言えば、鷹師が入り、水産資源があると言えば、漁師が魚を捕る、つまり、和人が自分勝手に、アイヌモシㇼに侵入し、資源を奪うようになったのです。アイヌと交易する権利を江戸政権に認められただけなのに、アイヌ民族を支配する権限を得たと、はき違えたのです。そこに利に群がる多数の和人が入ってきます。まさしく、アメリカ大陸で起きてきたような現象が起きてきました。

これに対し、アイヌ民族全体に向けて、抵抗戦争を呼びかけた人物が、シャクシャインです。勝手に交易価格を設定することに対し、知行主の商《あきな》い舟を襲撃し、砂金掘り・鷹師の侵出に対し、彼等を殺害し、その上で松前に攻め登り、自由な交易の形に戻そうというのです。オホーツク海岸を除く北海道の各集落は決起し、北海道はかつてない、紛争状態になりました（シャクシャインの戦い〜１６６９年）。

しかし、松前藩のバックには、江戸政権がいます。江戸政権は、津軽・南部・秋田の諸藩に援助を命じ、武器・食料が松前に届き、津軽藩は北海道南部にまで、援軍を差し向けました。

武器と食料の充実する松前藩は反撃に転じ、シャクシャインを騙《だま》して呼び出し、殺害しました。しかし、それでも、アイヌ民族の抵抗は終わらず、結局、戦いが終わるのは3年後の１６７２年のことです。

シャクシャインの戦いによって、和人のアイヌモシㇼ侵入は止まりました。鷹師の侵入はない、砂金採堀は道北のハボロ（羽幌）を除き、なくなり、交易価格はアイヌ側の意向によってやや回復し、アイヌが松前に交易に行くことも認めさせました。シャクシャインの戦いで争点になったことが、アイヌ側の意向に沿って、解決したのです。知行主の交易船がコタンに入るのは、一年の一定時期のみとなりました。

つまり、和人が勝手にアイヌモシㇼに入ることも拒否できました。これから、２００年間、北海道アイヌは交易相手を松前藩に絞りながらも、アイヌの独立は確保するという形になりました。

(3) ハラタ・カーシンタ制

清王朝の影響地域の最東部は、サハリン島です。

18世紀前半、満州族がサハリン北部に来て、西海岸のトルベイヌ、ウルトゴー、東海岸のトワゴーの某をハラタ

（族長）に、それ以外の首長をカーシンタ（村長）に任命します。これらの地域は北緯51〜52度に当たり、いずれもニブフ（ギリヤーク）族であろうと思われます。ただし、ニブフの集落は規模が小さく、彼らの社会が首長制にあったかどうかは疑問があります。家族を主体とした社会だったかもしれません。

満州族は、サハリンのナヨロのアイヌ首長ヤエビラカンがニブフやマングン（サンタン族〜現在のオルチャ族）の交易者を殺害したことに端を発し、樺太アイヌ（エンチウ）も影響下に置きました。１８０８年に間宮林蔵がサハリン「探検」に行ったときには、ハラタ（族長）はナヨロのヤエンクル、カーシンタはサハリン南部の各地域の首長が任命されていました。彼らはアムール川下流域のデレンにあった清王朝の出張所に、貢物を持っていくことで、ハラタ・カーシンタの位を認められたのです。

北海道は日本の影響下、サハリンの大部分の地域は、清王朝の影響下に入りました。それは、ニブフの大地（サハリン北部）、ウイルタの大地（サハリン中部）、アイヌの大地（サハリン南部・北海道）が、ヨーロッパ列強の侵攻から守られるという一面はありました。しかし、その大地が、日本や清王朝の影響の地とされるということでもありました。

（4）ロシア、日本の侵入と、クナシリ・メナシの戦い

アイヌ民族には、大きく北海道アイヌ、樺太アイヌ、千島アイヌがいます。このうち、千島列島には、「文明」圏の人たちが訪れることはなく、１６４３年に、オランダ船が「探検」に来たのが最初の記録です。

ところが、１６９７年に、ロシアのアトラーソフがカムチャツカ・アイヌと接し、戦闘になりました。以後、ロシアの勢力が北千島から南下していきました。

１７１１年に、ロシアは千島列島の最北のシュムシュ島、パラムシル島へ侵入、さっそく千島アイヌとイテリメン（カムチャダール族）の抵抗を受けました（２３４頁図３参照）。１７１３年には、北千島のアイヌから毛

皮税を取ることにしましたが、彼らは中千島に逃亡しました。それを追って、ロシア商人が南下し、１７６６年に商人ラストチキンはウルップ島まで南下し、毛皮税を取り立てました。１７６８年、彼の後継者のチエルニイはエトロフ島に侵入し、アイヌを締め上げる恐怖政治を行いました。

１７７０年、ウルップ島で、エトロフ首長の二人のアイヌがロシア人に殺害されました。翌年、エトロフ島のアイヌと、ラショワ島のアイヌが連携し、ロシア人を襲撃しました。以後、ロシアは強硬路線を止め、南千島のアイヌとロシア人がウルップ島で交易するようになりました。暴力を基礎にした勢力が逃げても逃げても追ってくる。結局そこに歯止めをかけたのは暴力だけなのか。パワーゲームという人間の世界の冷徹な一面です。

シャクシャインの戦いでは、道東のアイヌはシラヌカ（白糠）までが決起に参加しました。

それより東のアイヌは、18世紀になっても自立を続けていました。

彼らは、千島列島で獲れるラッコやアザラシの毛皮を、松前まで運びました（ラッコ交易）。北海道東部のキイタップ（霧多布）やアッケシ（厚岸）やクスリ（釧路）のアイヌは特に剛強な勢力でした。

ところが、このころ、松前藩は財政が悪化し、飛騨屋という商人に借金をしました。借金を返す気がない松前藩は、飛騨屋《ひだや》久兵衛に、クナシリ島のアイヌとの交易権を与え、肩代わりしました。飛騨屋はクナシリ島で漁場経営しようとしますが（１７７４年）、クナシリ首長ツキノエはこれを拒否しました。ところが、交易を失ったクナシリアイヌはジリ貧になり、１７８２年、やむなく飛騨屋を受け入れることにしました。

ここから飛騨屋の過酷な漁場労働が始まりました。１７８９年、クナシリ島と根室海峡を挟《はさ》んだメナシ地方（根室）の若いアイヌが決起し、飛騨屋傘下《さんか》の和人を襲撃しました（クナシリ・メナシの戦い）。しかし、クナシリ・メナシ地方のアイヌの長老に諭《さと》され、若いアイヌたちは矛《ほこ》を収めました。そこに松前藩の軍勢がやってきて、長老たちに若者たちの処刑を命じました。

こうして、クナシリ・メナシの戦いは終わりますが、アイヌモシㇼは分断され、ウルップ島以北の中・北千島はロシアの、南千島と北海道は日本が影響力を持つようになりました。国家が冷帯地帯にまで資源を求めて侵入し、そこに住む人々を痛めつけ、自分の領土と自称する、そういう時代が到来したということです。

おおまかに見ると、18世紀末までに、「北の文化圏」は、サハリンが清王朝、北海道・南千島は日本、北千島はロシアが影響力を持つようになりました。もちろん、そこに住んでいるのは、あくまで先住民族（アイヌ、ウイルタ、ニブフ）であったことは、確認しておかなければなりません。

三　南の文化圏（日本と清のはざまで）

1　台湾の場合

（1）台湾島をめぐる「文明」国の争い

16世紀末に、豊臣秀吉がルソン島侵攻を考え、入貢を促す親書を持たせました。このとき、秀吉は「高山国《たかさん》」という宛名《あてな》で、台湾にも親書を送っています。ただし、台湾には当然、受け取り手はいません。

その後、山田長政が台湾を「探索」、徳川家康も台湾東部を調査させました。さらに、家康は長崎代官の村山等安に、「台湾『経営』を任せる」という朱印状を与えました。村山の次男・秋安は4千人の兵で、台湾侵攻を計画しますが、琉球列島で暴風雨にあって、失敗しました。

近代前期（前葉）に、日本の統一政権が企《くわだ》てた、朝鮮侵攻、アイヌモシㇼへの朱印状・黒印状、琉球侵攻、家康の台湾朱印状……。それらは、オスマン帝国、ムガル帝国、清王朝と並ぶアジアの覇権国家がスペイン・ポルトガル、イギリス・オランダと並ぶ大航海時代の覇権国家と、いかに対峙したかを比較すべきでしょう。

さて、アジア貿易に目を付けたオランダは、ジャワ島に東インド会社を設立しました。さらに、オランダは澎《ほう》湖《こ》諸島を占拠しようとしました（１６２２年）が、翌年、明王朝の大軍に敗れました。しかし、明王朝の目は台湾に及んでいません。オランダは１６２４年、台湾南部の安平（現在の台南市）に城を築き、国を持つ人々が初めて（島の一部ではあるが）、台湾を占領しました。

しかし、ここには漢人も居住していたし、朱印船で和人も来ていました。そこで、オランダは先住民族たちを利用し、それに対抗しました。１６２６年には、スペイン艦隊が台湾北部（現在の基隆）を占拠、１６２９年に現在の台北市あたりに進撃しました。１６４２年、台湾（と言っても海岸部）をめぐって、オランダ・スペインが戦闘を交え、オランダが勝利しました。前近代では、王朝国家の領域としては対象外だった亜熱帯の島が争奪の地になりました。

（2）台湾は鄭《てい》政権から清王朝の領域へ

このころ、明王朝が清王朝に敗れます。福建の海上治安に当たっていた鄭芝龍は時代の流れを見て、清王朝に投降しましたが、息子の鄭成功はこれを拒否し、明王朝に付きました。福建省の福州で、隆武帝は鄭成功を見て、明王朝の伝統の姓・「朱」を与えました。以後、彼は皇帝から姓を賜ったので、「国姓爺《こくせいや》」とも呼ばれました。この鄭成功の母は、日本の平戸《ひらど》（長崎県）出身者でした。

鄭成功は、かつて父たちと関係のあった台湾を目指すことにしました。１６６１年3月、鄭成功軍が出兵、５月にオランダ軍と戦闘開始し、12月にオランダ軍は台湾から撤退しました。鄭成功は先住民族との対立を避けるため、彼らの土地には侵入してはいけないと命じました。

鄭政権は、１６８３年まで、台湾（沿岸部）を実効支配しました。１６７３年、中国の呉三桂と決起し、反清連合軍として、一時、大陸に侵攻しましたが、敗れて台湾に戻りました。清王朝の康熙帝《こうきてい》は、「台湾の独立を認めるので、大陸への侵攻をやめるように」という提案を出しますが、これを拒否します。しかし、その10年後、清王朝は台湾（と言っても沿岸部）を支配しました。ここに、台湾（沿岸部）は初めて中国王朝の領域に入りました。

（3）台湾の先住民族は

17世紀の台湾における、目まぐるしい争いは、外地の侵略者によるものに過ぎません。台湾には先住民族がいます。彼らは「文明」の侵攻でどうなったでしょうか。

台湾の先住民族は、外地の侵入者に対して、大きく二つのグループに分かれました。一つは平野にいて、やがては漢人に強い影響を与えられた民族で、平埔《へいほ》（平地人）と呼ばれました。日本領時代、平埔には10の民族があったと言います。オランダ統治時代には、年一回、平埔の各首長を集め、地方議会を開き、タバコや衣服・帽子を与えました。これは北海道の松前藩がアイヌの各首長に手土産《てみやげ》を渡す、ウイマムの儀式に似ています。

17世紀末に、清王朝が台湾（沿岸部）を支配すると、多くの大陸の農民が移住してきました。清王朝は先住民族の居住地に入ることを禁止しました。これも、松前藩が「和人地」と、アイヌ民族の「蝦夷地《えぞち》」を分けたのと似ています。

漢人に服さない先住民族は、主に山岳に住み続けました。彼らは日本領時代、9民族いましたが、そこは清王朝の支配地ではありません。先住民族の大地でした。

台湾は、石器時代から、いきなり近代前期（前葉）の、大航海時代の争乱の渦中に巻きこまれました。海賊、スペイン・オランダ・日本が奪い合い、鄭政権を経て、清王朝の拡張政策のもと、配下に入りました。この清王朝の配下に入った時点で、東アジアの海禁政策の王朝に支配され、近代前期（後葉）の時代に入ったと言ってよいでしょう。

つまり、台湾（沿岸部）は近代前期から「文明圏」の歴史に組み込まれたことになります。その一方で、山岳諸民族は、石器時代のまま、独立を保っていました。

2　琉球王朝の場合

(1) 琉球王朝の大交易時代

時代は、中世後期（後葉）にさかのぼります。

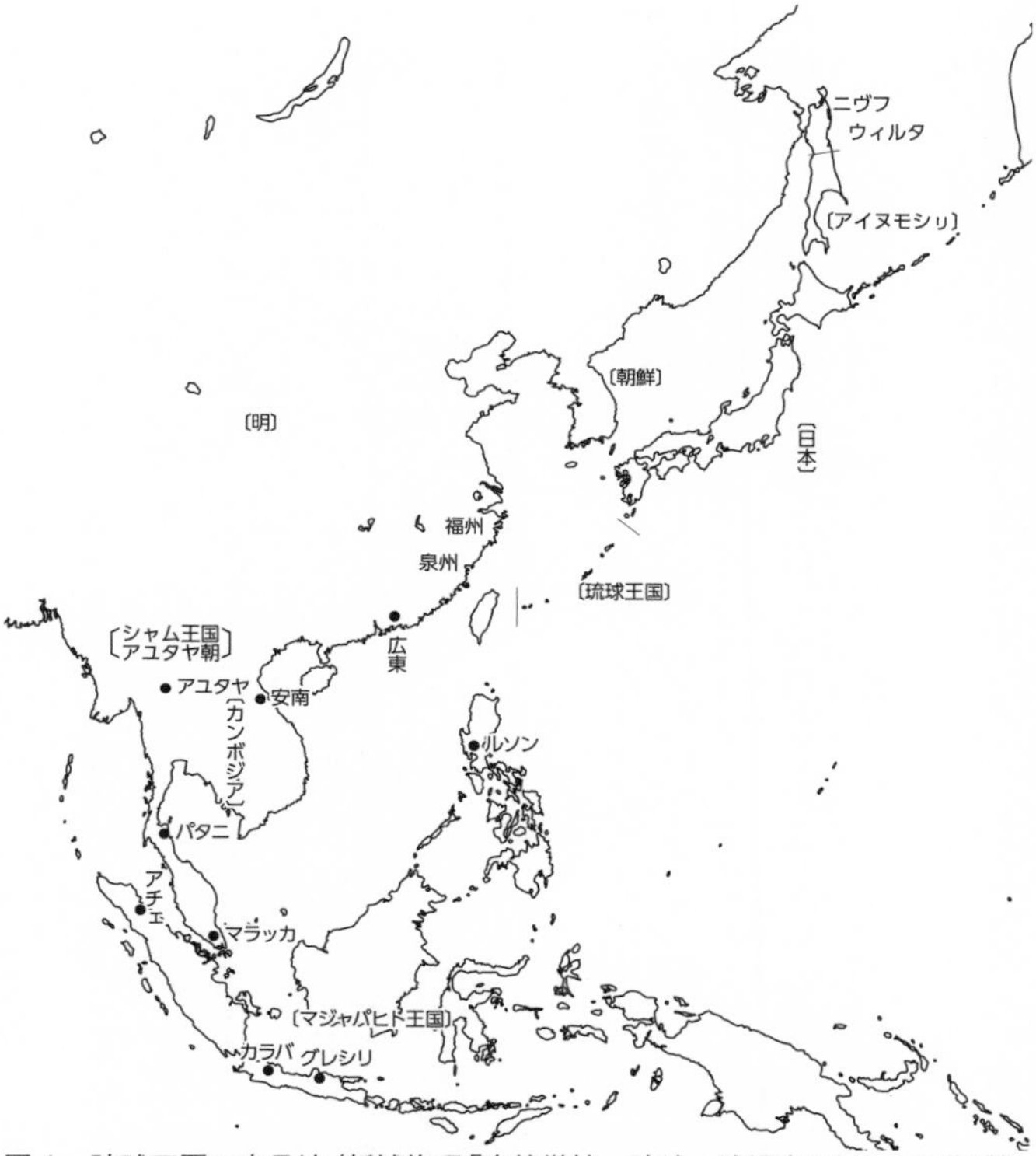

図４　琉球王国の交易地（新城俊昭『高等学校　琉球・沖縄史』をもとに作成）

沖縄は、日本・朝鮮・中国・東南アジアとの交易を行う上で、抜群の地理的環境にありました。

沖縄を統一した琉球王朝は明王朝に朝貢するとともに、日本や朝鮮、東南アジア諸国と交易を始めました。

日本へは、東南アジアや中国の生糸を仕入れて売る、中継ぎ交易を行っていました。また、日本から日本刀・漆《うるし》などを輸入しました。

１３８９年には、（沖縄統一前の）中山《ちゅうざん》王朝が高麗王朝に、前期倭寇によって捕らえられていた朝鮮人を送還しました。以後、高麗王朝から朝鮮王朝になっても交流が続き、ほぼ15世紀いっぱい交流しました。

14〜15世紀に、東南アジアで最も栄えていたのはアユタヤ王朝でしたが、１４１９〜１５７０年までの１５０年間に、少なくとも62隻の琉球船が派遣されました。琉球の交易船はさらに南下し、マジャパヒト王朝（ヒンドゥー教）のバレンバン、ジャワへ、さらに南アジアと東アジアの交易拠点のマラッカ王朝（イスラム教）にまで至りました。しかし、琉球王朝の大交易時代の栄華は、ポルトガル・スペイン船が往来し、日本商船が侵出する中で、衰退しました。

東アジア列島の歴史を見るときに、「北の文化圏」と「南の文化圏」は、「中の文化圏」（つまり日本）の影響下にあったものと見られやすいです。しかし、「北の文化圏」が主体的に北東アジアとも交流したように、「南の文化圏」も、主体的に南方との交流を行いました。

（2）薩摩藩の琉球侵攻

琉球王朝は16世紀後半になると、スペイン・ポルトガルなどの侵出の影響で、東南アジアと東アジアを股にかけた、大交易時代は終止符を打ちました。ただし、その後も、明王朝への朝貢外交は続けていました。「中の文化圏」が琉球王朝に直接、触手を伸ばしてきたのは、統一政権になってからです。豊臣秀吉が「中の文化圏」を統一すると（１５９０年）、琉球王・７代尚寧《ねい》は、方物《ほうぶつ》（その地の土産《みやげ》）を献上しました。ところが、秀吉からの返書は「２・３年以内に明王朝に侵入するので、それに参加するように」というものでした。尚寧は明王朝からは冊封を受け、皇帝〜王の関係にあります。しかし、「中の文化」圏では足利政権が島津氏に琉球を「下賜《かし》」したり、秀吉が亀井茲矩《これのり》を「琉球衛」に任じたり、まるで従属国の扱いです。そういう矛盾を抱える中、秀吉は薩摩・琉球合わせて１万５千人を朝鮮へ出兵させよと命令しました。島津義久は琉球に出兵は無理だろうと考え、食料７千人分を送るように言いました。対応に苦慮した尚寧は、秀吉の書簡を明王朝に通報しました。この必死の通報に対する、明王朝の回答は「秀吉を説得するように」という、何とも間が抜けたものでした。亀井は秀吉に「琉球」侵攻のお墨付きを迫りますが、秀吉は朝鮮侵攻を優先せよと言いました。

　大交易時代を終え、財力もなく、軍事力もない、しかも中国と日本の微妙なバランスの中で独立してきた琉球王朝は、日・明の戦闘の中で、どうしたらよいのか、立ち位置を翻弄《ほんろう》されました。

　一時期、九州の大部分を支配する勢力を持った島津氏は、豊臣政権に敗れ、薩摩《さつま》・大隅《おおすみ》2国だけの領国になり、さらに関ヶ原の戦いで西軍（毛利・石田方）に付き、外交によって何とか生き残りました。島津氏（薩摩藩）としては、どうしても琉球を通して、対明貿易の利を手に入れなければなりません。しかし、家康の許可がなかなか降りません。

　１６０９年、島津氏（総大将は樺山久高）は兵3千人、百艘の軍船で、奄美大島・徳之島・沖永良部島《おきのえらぶ》を攻略し、沖縄本島に侵入しました。尚寧は降伏し、薩摩へ連行され、島津家久に連れられ、駿府《すんぷ》（静岡市）の徳川家康、江戸の2代将軍・徳川秀忠と対面しました。その後、尚寧は帰国を許されますが、奄美大島は薩摩藩に割譲《かつじょう》され（結果、現在、鹿児島県に入る）、薩摩の下知のみによる中国との交易を認められました。

（3）日本・中国に服属し、独立もする琉球の位置

　１６０９年の薩摩藩の琉球侵攻によって、琉球王朝は薩摩に服属し、中国（明・清王朝）に朝貢しながらも、独立国として存続できました。琉球の国王の代替わりごとに、就任を感謝する使節（謝恩使）、将軍の代替わりごとにそれを祝する使節（慶賀使）を江戸に送りました。

　その後、琉球王朝は１６６６年に羽地朝秀《はねじちょうしゅう》（尚象賢）が摂政となり、体制に迎合する歴史認識「日琉同祖論」のもと、日本寄りの改革を断行し、以後、２００年間の琉球王朝の方向を決定付けました。

　薩摩藩による過酷な扱いが、琉球王朝の農民を苦しめますが、17世紀にはサツマイモとサトウキビが伝来し、王朝の生計を助けました。また、18世紀末には、北海道アイヌの過酷な漁場労働の結果、獲得したコンブが北前《きたまえ》

船《ぶね》（日本海周り）で大坂に運ばれ、そこで薩摩商人のもたらす砂糖と交換されました。アイヌモシㇼのコンブは琉球から中国に運ばれ、中国から生糸・反物《たんもの》などが輸入されるようになりました。

〔参考文献〕

・榎原雅治『室町幕府と地方の社会』（岩波新書『シリーズ日本中世史③』）２０１７
・村井章介『分裂から天下統一へ』（岩波新書『シリーズ日本中世史④』）２０１６
・藤井譲治『戦国乱世から太平の世へ』（岩波新書『シリーズ日本近世史①』）２０１６
・今谷明『戦国の世』（岩波ジュニア新書『日本の歴史』⑤）２０１３
・深谷克巳『江戸時代』（岩波ジュニア新書『日本の歴史』⑥）２０１６
・家永三郎編『日本の歴史３（封建制の確立、封建制の動揺）』（ホルプ出版）１９７８
・茂木誠『世界史で学べ！　地政学』（祥伝社黄金文庫）２０１９
・伊沢元彦『逆説の日本史』９（小学館文庫『戦国野望編』）２００７
・平山裕人『アイヌの歴史』（明石書店）２０１４
・平山裕人『地図でみるアイヌの歴史』（明石書店）２０１８
・喜安幸夫『台湾史再発見』（秀麗社）１９９２
・新城俊昭『高等学校　琉球・沖縄史』（東洋企画）１９９８
・三谷茉沙夫『波瀾の琉球王朝』（廣斉堂）１９９２

第五編　近代中期

第1章　近代中期の世界

一　近代中期とは何か

近代前期をもって、「ユーラシア文明圏」の西ヨーロッパ勢力が、世界各地に覇を唱えるようになりました。その結果、アメリカ大陸と、オーストラリア大陸と、シベリア地方は、ヨーロッパ列強の支配下に入れられていきました。一方、中世国家を経験した、頑強な東アジア諸国は、ヨーロッパ諸国との交わりを限定的にするか、まったく拒否し（鎖国、海禁政策。どちらも同じ質のものです）、ヨーロッパの侵入を止めました。

近代中期

	世界史	東アジア列島　中の文化圏	東アジア列島　北の文化圏	東アジア列島　南の文化圏
前葉	イギリス革命、アメリカ独立戦争、フランス革命、産業革命を経て、欧米に国民国家が成立。一方、スペイン・ポルトガルは衰退し、中南米の植民地が独立していく。	ロシアの南下と開国要求、イギリスやアメリカ船の来航が続く。江戸政権は「鎖国」体制堅持で乗り切ろうとする。	ロシアの南下策に対し、北海道・南千島を一時的に、江戸政権「直轄地」にする。ただ、そこに住むのはアイヌ民族である。	イギリス船、アメリカ船来航に対し、琉球王朝は「鎖国」体制で乗り切りを図る。

後葉
欧米列強がアジアの四大国に侵入、さらに東南アジア、太平洋、アフリカを争奪し、植民地にしていく。ドイツ・イタリアが新たな列強として台頭する。
欧米列強の脅威にさらされた。それを乗り越えるために、日本も新たな列強として、植民地争奪者になっていく。
ロシアと日本という列強が「北の文化圏」争奪をめぐり、何度も対立。日本が大部分を奪った。
清と日本が奪い合い、日本が「南の文化圏」を奪った。

近代中期は、国民国家成立、産業革命による資本制社会の出現という、二つの現象によって、世界は列強による各地域の争奪が激化します。これらの諸問題こそが、現代が抱える諸問題につながっていくのです。

二　近代中期～国民国家と産業革命

1　近代中期（前葉）の世界

(1) イギリス革命

近代前期（後葉）のヨーロッパには絶対王政という形の政体がありました。エリザベス1世や、ルイ14世が有名です。

エリザベス1世の後のイギリス王には、スコットランド王（スチュアート朝）のジェームズ1世がなりました。

ジェームズ1世の権限は、神から与えられたもの、だれからの制限も受けないという身勝手な王権神授説が彼の立場の「正当」性を示すものになりました。ジェームズ1世の次は息子のチャールズ1世が後継となり、ますます専制的になっていきました。イギリスは13世紀初頭のマグナ・カルタ、イギリス議会の成立、上下二院制の成立という伝統で、議会の力が王権を制御《せいぎょ》していました。しかし、そうしたイギリス風土を理解しないチャールズ1世は、議会を11年間も開きません。国内では、王党派（国教徒、貴族、高級聖職者、特権商人）と、議会派（清教徒、産業資本家、自営農民）が対立、さらに議会派は共和制（国の政治に君主はいらない、国民の意思で決定させる）を求める急進的な独立派と、王と妥協して立憲王政（君主はいるが、議会を通して国民の意思で政治を行う）を求める長老派が存在しました。イギリスは内乱状態になりました（１６４２年）。この対立の最終勝者がクロムウェルを指導者とする独立派で、清教徒革命を起こし、王を処刑し、共和制を敷きました。後世から見ると、共和制の意義は光りますが、時代が早過ぎ、無理をしました。この後、フランス革命のロベスピエール、ロシア革命のスターリンのように、一人の人間に権力を集中させる革命の指導者は、軍事独裁者になっていきます。クロムウェルの死後、穏健な長老派が権力を握り、チャールズ1世の子・チャールズ2世を亡命先のフランスから呼びました（王政復古～１６６０年）。

チャールズ2世の後、弟のジェームズ2世が王位に即位しました。しかし、彼はまたまた専制的で、カトリックを重視しました。ホイッグ党（進歩派。産業資本家、自営農民が基盤）と、トーリー党（保守派。国教徒の貴族・地主が基盤）とも、王の廃位を要求し、ジェームズ2世をフランスに追放しました。王の長女・メアリ2世と夫のオランダ総督・オレンジ公ウィリアムが共治し、二人は議会で決定した「権利宣言」を「権利の章典《しょうてん》」として認めました。議会は権力者（国王）の諮問《しもん》機関ではない、まして権力者の意向を具現化する機関などでもない、逆です。議会の決めたことに権力者（国王）が従うのだ！　この理屈がわからない軍事独裁者が、今もたくさんいます。この事件は、流血を見ないで、革命が成功したので、名誉革命と言っています（１６８９年）。イギリスは絶対王政から、議会の多数派が内閣（議員内閣制）を作る政体になっていきました。

（2）啓蒙思想家の考える社会の姿　1（イギリス）

16世紀まで、人間は狩猟社会、農耕社会、遊牧社会の、いずれかの場にいました。古来からその場（社会）の取り決め、あるいは上下関係があらかじめ定まっていて、それが正しいかのような前提（伝統）の中にいました。しかし、それは本当は仮のものに過ぎない、それでは理想とする社会とは何か、そして、そういう社会を創っていけるはずだという考えが登場しました。

つまり、西ヨーロッパでは、近代国家はどうあるべきかという思想が相次いで出現します。近代国家は、果たして誰のためにあるべきか。この思想が社会意志になって、国家の意味を規定していったのです。ただし、それは国家内にいる人々に対する見方であり、国家内に存在していても女性、さらには侵略される民族に対する見方が欠けていました。

イギリスのホッブス（1588～1679年）は、人間の自然状態は理性ではなく、利己的な感情、自己保存（快＝欲の充足）と見ます。結果、人は人に対して狼になり、社会は万人の万人に対する戦いになってしまうと危惧《きぐ》しました。そのためには、法による社会が必要だ、社会と契約しなければならないと考えました。

彼はさらに考えます。契約社会が成立した国家、それは皆の希望によって存在するのだから、個人はその国家に服従し、自己の自然権を国家に渡さなければならない、つまり、国家の元首の国王（主権者）に対して、絶対服従が必要だという結論を示しました。知の限りを尽くしても、立派なことを言っても、どこかでイカサマ論理を紛《まぎ》れ込ませ、とんでもない結論に導く、しょせんは時代を正当化するだけ、権力に迎合《げいごう》するだけ、いわば、絶対王政の正当性を示す理論になり下がりました。多数者の欲の充足は、近代の中核精神になります。

J・ロック（1632～1704年）は、一切の知識は経験によって与えられ、観念は感覚とその反省から成立すると見ます。そして、人間には自然権がある、それは人間が生まれながらに持っている権利、基本的人権で、具体的には生命を守る権利、行動の自由の権利、私有財産の権利などですが、ただし、それは他人の権利を守るという条件付きの権利だとも考えました。なるほど、ここまでは私たちにも言っていることがよくわかります。と言うか、それは逆で、私たちの常識は、ロックが発想したことなのでしょう。また、１６２８年のイギリス議会でチャールズ1世に対し、「いかなる自由人も理由を示さずに拘禁《こうきん》または拘留されない」と決議した（権利の請願）ように、イギリスの風土（基盤）として、培われてきたことなのです。

さて、私たちの生きる自然状態の社会は常に不安定です。それを安定なものにするため、各人の契約による権利を代表に信託する（ゆずる）ことが必要だとしました。それでは、ホッブスの結論と変わらないのではないか、途中まではいいことを言っているのにと思いきや、彼は王権神授説と一線を画す、驚くべき考えを披露しました。信託を乱用した場合、信託の権利を取り消すことができる、これを革命権と言うとし、さらに権力は分散しなければならない、そのために政治の役割を立法・司法・外交の三権に分離すべきだと言ったのです。人間はまちがいながら学ぶ動物で、矛盾、思い通りにならない状況がひしめきあっていることを通して、生き方を学ぶものです。それが一人の人間に権力を集中させることで、あやまちがパワーアップし、多くの人に害を与えます。権力を分散させることは、人間の性質上正しい「知恵」です。

権力には正統性が必要です。その権力の正当性をどう考えるか、絶対王政から議会制民主主義に移行するイギリスの思想家たちは考えました。

（3）啓蒙思想家の考える社会の姿　２（フランス）

場面をフランスに移します。

ブルボン朝を開始したアンリ４世が暗殺された後、幼少のルイ13世が即位しました。彼の懐刀《ふところがたな》には『三銃士』の敵役《かたきやく》リシュリュー卿がおり、ルイ13世の後継は太陽王ことルイ14世（在位１６４３～１７１５年）で、絶対王政を敷きました。彼はヴェルサイユ宮殿を造り、周辺の国々と戦争しました。

　このフランスの拡張期の思想家としては、まずデカルト（１５９６〜１６５０）があげられます。すべてを疑え、疑って、疑って、疑い抜いた結果、少なくとも、疑っている事実と、疑っている自分は存在する、自分の意識のみは存在する、つまり、「我思う、ゆえに我あり」ということだけは確かだと見ました。あらゆる外的な状況を排除しても自己が存在する、それが本質だと見つけました。デカルトは経験値から一般を見つけようというイギリスの帰納法《きのう》に対し、普遍的な原理から個々の事象を理解する演繹法《えんえき》を提示しました。

　ルソーは、自然状態では人間は本来、自由で平等で、理性的な存在だったと考えます。しかし、それを堕落《だらく》させたのはズバリ「文明」で、私有財産だと考えました。それでは、今、どういう国家を作るべきか、それは個人間の契約で、国家・社会を形成すること、自然権を社会に譲渡《じょうと》することとします。ああ、これではイギリスのホッブスと同じ論に陥ってしまいます。しかし、ここからが彼の真骨頂《しんこっちょう》です。高次の自由・平等を国家・社会に実現させるには、自己の利ばかりを追求する個人の意思の総計（総体意志）ではなく、一般意志を社会の構成原理にすることだと、理想を言います。そして、理想的な契約社会を建設するための人間の育成（教育）として、『エミール』を書きました。詰め込み教育を徹底して批判し、子どもの自然的能力を開花させるという理論はすばらしい、貧困な現代日本教育への当てつけのような、ルソーの直観力の面目躍如《めんぼくやくじょ》ですが、ルソーの子育てがことごとく失敗だったという私生活を知ったとき、理想と現実の違いに愕然《がくぜん》となります。そして、教育の力で人類の普遍となる社会意志を育てることは、「愛国」にはばまれて、未だにいかなる国もできていません。しかし、これからの教育の目ざすところは、ズバリここでしょう。

　以上、ホッブス以来、ルソーまでの啓蒙思想家を登場させたのは、彼らの思想が近代国家のよって立つ精神になっていくからです。

　彼等・啓蒙思想家が思索した社会が青写真になり、その成果を現在、私たちが受けているわけですが、その実現のためにどれほどの犠牲があったか、それが近代の歴史になっていきます。その一方で、彼らの思索の基盤に、ジョフラン夫人、デファン夫人、レスピナス嬢などのサロンがあるし、ボルテールやルソーの放漫は個人としては付き合いきれないという気持ちになります。「その人の人間性」と「歴史に果たしたその人の価値」は別物なのです。

(4) アメリカ独立戦争

北アメリカ大陸にイギリスの清教徒が移住し、1732年には、東部13州の植民地(アメリカ国旗の横線の数です)ができ、政治・社会・経済の自由・自治を求めて、議会を作りました。一方、イギリスはこの植民地に対して、本国の原料供給地、本国の製品販売市場としか捉えられておらず、ジョージ3世(在位1766〜1820年)は、植民地課税政策を進め、印刷条例を実施しました。さらに、鉛《なまり》、紙、ガラス、茶に輸入税もかけました。反発したアメリカの植民地人はボストンに来る茶(イギリス風ブルジョワジーの象徴的飲み物)を捨てました(ボストン茶会事件)。

アメリカは「代表なければ課税なし」という掛け声のもと、1774年、フィラデルフィアで大陸会議を開き、13州で対英国のための臨時政府をつくることを決議し、翌年、ワシントンが植民地軍総司令官になりました。「われに自由を与えよ、しからずんば死を与えよ」という声に励まされ、トマス・ペイン『コモン・センス(常識)』という冊子に意識を高め、1776年7月4日、ジェファソンの草案によるアメリカ独立宣言が示されました。

我らには生命、自由、幸福を追求する権利がある。それらの権利を確保するためにこそ、人類は政府を組織し、正当な政府は人々の同意に由来するものでなくてはならない。いかなる政府も、この目的に合致しないものは、人民はこれを改変し、新たな人民の幸せのための政府をつくることができるのだ!

この独立宣言は、歴史に残る金言《きんげん》と言えます。ヨーロッパの啓蒙思想、ロックなどの理論が影響し、それを政治的に実現しようというものです。「幸福」という主観は人によって尺度が違う、しかし、それを求めて、試練に挑む、それが人生ではないか！　私たちにはその権利がある、その実現のために国があるというのです。

独立戦争に対して、フランス・スペインは財政援助、ロシアは武装中立、やがて合州国軍がイギリス軍を圧倒し、勝利しました。1783年のパリ条約で、イギリスからの独立が承認され、87年に合州国憲法成立、89年にワシントンが初代大統領に就任しました。

アメリカ独立戦争は、単なる独立戦争ではなく、王政を打破し、市民による共和制をつくるという市民革命の特色も併《あわ》せ持ちました。メソポタミア・エジプトの古代王朝以来、数千年の王朝国家の形がここに消滅する第一歩となりました。王とか皇帝とか、天皇とか将軍がいない、あるいは権力を持たない、人民が主体となる国家（近代国家・国民国家）が初めて作られたのです。しかし、それほどの高い理想でつくられた近代国家が、人の手垢にまみれると、資源と領土と権益をめぐる醜い争いになってしまう。悲しいながら、これが人間の社会なのです。

（5）北アメリカのインディアンの抵抗戦

近代中期のアメリカ独立戦争で、初めて国民国家が成立しました。

人民は平等で、自由で、人民の権利を守るために政府がある、それを守らない政府は変えていい、という思想は、「何という斬新な」と思うでしょう。それを宣言で述べたジェファソンは何とかっこいいと思うでしょう。

しかし、そのジェファソンを含めた、ニューヨーク、ペンシルヴェニア、ヴァジニアの3州の商人・プランターが行った、インディアン政策は悲惨を極めるものでした。「文明」の側にいる人々は、「非文明」の人を「劣等」と断定し、いかに痛めつけても良心が痛まない、そういう社会意志がつくられていた、その結果と言えます。この社会意志はつい最近まで、いや今でもそう思っている人がいるでしょう。

図１　アメリカ・インディアンの居住圏（富田虎男『アメリカ・インディアンの歴史』（雄山閣）参照）

西部のインディアンは一斉に決起しました。１７６３年、オタワ族長ポンティアクはデトロイトを攻撃し、西部諸部族連合決起を進めました。これに対するイギリス司令官は天然痘菌のついた毛布を送ったらしく、そのせいかよくわかりませんが、やがてインディアンの間に天然痘が流行しました。

１７７３年には親英的だったミンゴ族長ローガンに対し、その一族が惨殺され、戦いになりました。ジェファソンは「こいつらがひとりでもミシシッピ川のこちら側に残っているかぎり、決して追及の手をゆるめたりはしない」と言って、インディアン諸族の村落を破壊し、畑を焼き払いました。これが、アメリカ独立戦争の、もう一つの姿だったことを私たちは忘れてはいけません。

さらに、19世紀初頭のインディアンの歴史を、付け加えておきます。

１８１１年、テクムシは単独部族、あるいは諸部族連合ではなく、インディアンすべての大同団結を呼びかけました。アメリカ南部諸州では綿花栽培のためのアフリカ系住民の奴隷（いわゆる「黒人」）労働が行われました。このころ、アメリカ合州国との戦いに敗れたインディアンはフロリダに逃げ、新たにセミノール族を作りました。そこに逃亡したアフリカ系住民も集まってきて、共生しました。１８１０年代、アメリカ合州国の軍勢が、セミノール族・アフリカ系住民の同盟軍と戦闘になり、１８４０年前後まで戦いは続きました。

一方、チェロキー族は、「文明化」による生き残りを図りました。自ら農耕民となって、白人「文明」に同化するというものです。チェロキー文字を作り、新聞を発行し、法律を制定し、１８２７年にはチェロキー国憲法を制定し、チェロキー共和国をつくりました。ところが、そうなると、同共和国はアフリカ系奴隷によるプランテーションを行いました。さんざん苦杯を舐《な》めたインディアンにして、人間が国家を作ると、収奪する側と収奪される側ができてしまうのかと、暗澹《あんたん》たる気持ちになります。国家とは何と、罪作りな仕組みなのでしょう。

（6）フランス革命

アメリカ独立戦争は、北アメリカの植民地がイギリス帝国からの独立を果たし、王や皇帝がいない、自分たちで首長（大統領）を選ぶ国家を作りました。しかし、それは本国から遠い植民地だからできたことも言えます。イギリスにとって、広大な植民地を失うことは大損害かもしれませんが、本国はそのままです。また、植民地の独立と言っても、植民地の先住民族が独立したのではなく、イギリスからの移民が独立したのであり、先住民族に対しては、騙《だま》し・裏切り・惨殺《ざんさつ》・差別を繰り返し、痛めつけました。

ところが、フランス革命は、ついに本国の王朝をひっくり返し、市民が政権を担う社会を作ってしまいました。本国まるごと、近代の国民国家を作ったのです。

１７７４年、フランスではブルボン朝のルイ16世が即位しました。フランスには、第一身分（聖職者）、第二身分（貴族）、第三身分（市民・農民）がおり、13世紀のルイ9世に始まる上からの議会（三部会）が存在していました。第三身分の市民は、商工業の発達によって力を蓄え、啓蒙思想の影響を受けて自由・平等・博愛を主張し、宮廷貴族や地方貴族、特権聖職者の支配する体制を突き破ろうという勢いを示していました。１７８９

年5月、貴族は王に迫り、三つの身分による三部会を招集させました。しかし、多数議員の第三身分なのに、身分ごとの議決方法のため、第三身分の意見は反映されません。第三身分は国民議会を作り、ミラボーが中心になり、ヴェルサイユ宮殿の球戯場《きゅうぎ》に集まり、新憲法の制定まで国民議会を解散しないことを誓いました（テニスコートの誓い）。王はこれを承認し、聖職者も、貴族も、国民議会に入って、憲法制定議会が開かれました。しかし、この流れに恐怖を感じた王は、ヴェルサイユ宮殿に軍を集め、議会に圧力をかけたので、7月14日、パリの民衆はバスチーユ監獄を襲い、やがて地方でも一揆が広がりました。

事態を重く見た国民議会の聖職者・貴族は、革命を防ぐために先手を打ち、国民主権、言論の自由、私有財産の不可侵を定めた人権宣言を発しました。しかし、王はこれを認めず、却《かえ》って武力で議会の弾圧をしようとしたので、パリの市民は、パンを求める女性を先頭に、ヴェルサイユ宮殿に向かいました。王はやむなく、人権宣言を認め、議会は封建的な地方制度や教会の財産を没収し、ギルド（同業者組合）も廃止しました。ただ、ミラボーらの急進的改革も、王政打破までは考えていませんでした。ミラボーの死後、王と王妃は国外逃亡を企て、連れ戻されました。そうすると、国王への信頼は失われ、共和制を求める声が広がっていきました。この人権宣言の対象には、女性は入っておらず、あくまでもフランス男性国民に限ったものでした。このとき、すでにオランプ＝ドゥ＝グージュによって、男女平等（女性宣言）の主張があったことは、注目に値します。

1791年憲法による選挙が行われ、一院制の立法議会が開かれると、立憲君主派（フイヤン派）が第一党になり、上層市民を基盤とするジロンド派、農民・労働者を基盤とするジャコバン派も台頭してきました。

フランス革命に、周辺の王朝国家は恐怖を覚えました。オーストリア・プロシアなどが革命反対の動きを示したので、ジロンド派はオーストリアに宣戦しますが、オーストリア・プロシア連合軍はパリまで侵攻してきました。すると、各地に義勇軍が決起し、ジャコバン派が主導権を握って、義勇軍はパリに集まってきました。国民軍の出現と言える状況で、彼らは「ラ・マルセイエーズ」を歌い、それがフランスの国歌となっています。

市民や義勇軍は王を捕らえ、王政廃止と共和制を宣言しました（第一共和制）。ジャコバン派は１７９３年、国王ルイ16世を処刑しました。

ジャコバン派が政権を握ると、ロベスピエールの恐怖政治が始まり、次々に処刑していきました。その一方で、封建領主から土地を取り上げ、農民に与え、革命暦、（今私たちが使う）メートル法、徴兵制が敷かれました。地球の円周の4百万分の1を１ｍとすること。つまり、地球レベルの視点が歴史上、初めて現れました。

しかし、やりすぎの恐怖政治は、民衆の支持を失い、１７９４年、ロベスピエール政権は倒されました。

いったん、成立した国民国家の強力さは、ナポレオンのヨーロッパ各国侵攻で証明されます。たびたび、フランスに対する各王国連合が圧力をかけ、フランス対、対仏《たいふつ》大同盟の戦いが続きました。しかし、身分制に裏打ちされた王朝国家の軍は国民国家のナポレオン率《ひき》いるフランスにことごとく敗れました。ウィーン会議（１８１４年）で、一度、ヨーロッパ各国の国王側が勝利しましたが、長い目で見ると、市民層の台頭は押さえることができません。１８３０年のフランス7月革命は、ベルギーの独立を引き起こし、ポーランド・イタリア・ドイツ・イギリスにも革命の余波が広がりました。このあたりの激動の社会をいかに真実に生きるのかを描いたのが『レ・ミゼラブル』です。

ナポレオンのほぼヨーロッパ全域への侵攻と失脚、ウィーン体制の中、スイスが永世中立国、スウェーデンが平和立国になります。ナポレオン戦争後、全ヨーロッパは第二次世界大戦までたびたび戦乱の渦に巻き込まれますが、それを乗り切った両国の、社会意志に注目します。

(7) イギリス産業革命

産業革命こそは、人類の「便利」を急加速させました。

産業革命の芽は、毛織物工業から始まります。

15世紀末～17世紀半ばにかけて、イギリスで第一次囲い込みという現象が起きました。大土地所有者が毛織物による利益に目を付けた結果、農地を買い占めて柵をめぐらし、ヒツジを飼いました。その結果、耕地を失った農民は締め出しを食らい、都市に移住していきました。そして、第二次囲い込みが起き、農民は都市に移住し、賃金労働者になっていきました。あたかも、インドや北アメリカから綿花が入り、工場制手工業から機械工業へと生産力が大幅に増加する中での、労働者となったのです。

紡績《ぼうせき》業の機械化は次のような過程をたどりました。

1764年に、一時に8本の糸を紡ぐ紡績機、1768年に水力紡績機、1779年に両者の長所を取り入れた紡績機が作られました。そして、1765年に、ワットが蒸気機関を動力に利用し、1785年に織機が蒸気力で生産できるようになりました。

この結果、木綿《もめん》工業の生産はすさまじい勢いで伸びました。この信じがたい生産力の増大を、産業革命と言っています。便利の代償に「機械が人間の生き方を決める」歴史の始まりです。

蒸気機関は交通機関にも影響を与えました。1807年に、アメリカで蒸気船が、1814年にイギリスのスティーブンソンが蒸気機関車を発明しました。

現生人類は、もともと狩猟採集を生業として生きていました。しかし、その中から、農耕や牧畜を行う人々が現れ、やがて国が作られていきました。農耕や牧畜が出現して、国家間の戦争、権力をめぐる戦争や争いは絶え間なく続きましたが、まだ歯止めがありました。

しかし、産業革命は人類にあわただしい利益・便利・快適・効率性を、そして際限のない快楽への欲を生じさせました。そして、そうした技術を手に入れた国だけが勝ち残る世界になりました。その勝ち残りをめぐって、国家間の争いはとめどもなくなりました。スペイン・ポルトガルに始まる世界貿易の戦いは、ますますエスカレートしてきます。機械技術を使って、より先鋭的な生産、武器を有する国こそが、世界の覇者になりました。そして、この道に一度足を踏み入れたら、もはや戻ることはできない、終わりなきレースになりました。

それでは、儲けまくっているイギリスの国民は、豊かな生活を送ったのでしょうか。

イギリスでは、マンチェスター（木綿《もめん》工業）やバーミンガム（機械工業）などの工業都市が出現しました。しかし、資本家（労働者を雇用《こよう》する企業の経営者）こそは大きな利益を得ますが、労働者は低賃金、長時間労働、過酷な女性労働・児童労働、貧富差を強いられ、現在にも通じる社会問題が激化します。また、資本制経済は、大量生産による、環境汚染の大量垂れ流しを引き起こしました。

産業革命以前の地球資源の利用は、多くの人々に取っては、石や木を利用した器材と、王侯貴族、大商人が珍しい宝石を所持するくらいのレベルでした。しかし、産業革命によって、新たに経済「成長」という魔性にとりつかれ、多くの人々が大量に石炭、後には石油、天然ガスを利用しての便利な生活となりました。その利権をめぐる国同士の争い、そして現生人類という一つの種のために、地球資源を奪い尽くす時代に突入したのです。

現在の私たちの便利な生活には、農耕・牧畜の上に、産業革命の恩恵を受けていますが、その方向は一気に人間らしい営みの破滅、そして長期的には人類の破滅への道にもつながるのです。人間には生物として生きるための「物欲」という装置があります。それがさまざまな自然の中で、ちょうどいい所で抑制されてきました。産業革命はその釣り合いを加速度的にゆがめたのです。

近代の二本柱～（国への帰属意識を持つ）国民国家作りと、産業革命を経験した国（近代国家）は、そうではない地域を蹂躙《じゅうりん》し、世界を暴力に基づく法で支配するようになりました。

（8）議会制民主主義

政治の意志を決定する場を「広い意味での議会」と呼んでおきます。

議会には歴史的に三つの形があります。

一つは、権力者の意志を各地域代表、各層代表の面々に、「指示・伝達、知らしめる場」の場合です。各代表は、「イエスかハイ」しかない、大拍手で賛同するしかない、「すばらしい」と承《うけたまわ》るしかない、せいぜいその方針について質問しかできません。これは人間の歴史の中では、もっとも多い形で、全体主義の社会、現在の世界の半数以上の軍事独裁国家がこの形です。

二つ目は、権力者が家臣たち、各地域代表、各層代表の面々の意見を聞いて、良い意見を取り上げ、あるいは調整して、最終決定するものです。鎌倉・足利政権初期の評定衆《ひょうじょう》・引付衆《ひきつけ》などがそうです。唐の太宗、江戸政権の徳川吉宗（目安箱《めやすばこ》）など、「名君」と言われた人ほど、自分の見えない視点を求めました。また、現在、さらに未来の指導者も含めて、暗君ほど忖度《そんたく》、太鼓《たいこ》持ちを優遇し、一つ目の形に近付きます。

三つ目が、議会制民主主義の流れとなります。権力は何をしでかすかわからない化け物なので、縛らなければならない、そして政治の意志を決めるものは民であり、民の意志を委《ゆだ》ねられた議員の話し合い（議会）なのだというものです。古代ギリシアのアテネの民主制（直接民主制。18才以上男性市民のみ。役人や裁判官は任期1年のくじ引き制）は、この先駆と言えます。

議会制民主主義を体現したのは、イギリスの議会の歴史です。失政続きのジョン王の権力行使を制限させたマグナ・カルタ（1215年）、議会の出現（1265年）、身分制議会へ、二院制議会へと、14世紀までに民の権利を主張する形ができました。

17世紀の清教徒革命（1642年）の後には、保守派のトーリー党、革新派のホイッグ党という政党ができ、名誉革命（1688年）の後には、議会が最高議決機関であるという（権利の章典）、議会政治・立憲政治の土台（議会制民主主義）が創られました。その後、選挙権・被選挙権の拡大、「個の幸せ（人権の獲得）のために、国があるのだ」という啓蒙思想の流れがあって、現在の立憲政治の形につながっていきます。

しかし、憲法は（権力者ではなく）国民を縛るものだ、効率化のためには上意下達が正しい、権力者の息のかかったメンバーの出来レースの審議会で、ものごとを決め、議会を形骸化させようという、反知性・非教養の政治屋が世界中に蔓延《まんえん》しています。また、民の側に主権者意識がなければ、立憲政治はたちまち腐ってしまいます。そして、多くの場合、民衆は知性よりも生活の損得で行動しがちです。

なお、立憲政治の国では、国民の意志によって政権交代が起こるので、内戦やクーデターは起こりにくいです。そういう意味では、立憲政治～議会制民主主義の形は人間の学んだ「知恵」と言えます。ただ、その「知恵」は「国の舵取り」が限界で、超大国のエゴが罷《まか》り通る「人間全体の舵取り」までは及んでいません。また、議会制民主主義の政治家は、自分の任期中、あるいはその数年後くらいのことしか考えないし、人々もそういう人を選びがちです。だから、「民意＝正しい」のではない、「民意＝正しいものとして仮定」して、権力を行使することになるのです。一方、軍事独裁国家はつねに異論や批判に恐怖し、監視と軍事力と情報操作で人々を黙らせるため、却《かえ》って力でひっくり返そうという内戦とクーデターの火種をかかえています。

(9) 中核「文明」から発する、人権思想、国民国家、議会、産業革命

前近代の中核「文明」の精神的支柱は、仏教であり、儒教であり、キリスト教であり、イスラム教でした。これらは、現在に至っても、人類に多大な影響を与えています。

近代前期において、スペイン・ポルトガルはキリスト教を世界に広げることを、使命にしながら、実際のところは異教徒を虐殺し、世界を侵略して回りました。ところが、キリスト教伝道の後に来る列強の侵略行為に気づいたアジアの諸国は、海禁政策（「鎖国」）を行い、彼等との交わりを拒否、あるいは最小限度にしました。

近代中期には、ヨーロッパで、啓蒙思想に基づく人権思想、国民国家作り、政治体制としての議会、産業体系を作るための産業革命が、フランスやイギリスを発信地に広がりました。そういう意味では、フランスやイギリスは中核「文明」の国になったとも言えます。これらを兼ね備えることが、近代国家の一員、列強の一

員となる条件になりました。そして、これらの啓蒙思想が近代国家を形作る社会意志になっていきました。

(10) マルクス・エンゲルス思想の登場

フランス革命は、市民層が中心になり、地方の農民層も巻き込んで、王・貴族・僧侶などによる封建領主層を消滅させた大事件でした。革命によって、市民が主人公の国家をつくることにしたのです。しかし、今度は新たに、都市市民層内に、資本家と労働者が現れました。マルクスとエンゲルスは、労働者が団結し、資本家の世をひっくり返す、労働者革命を思い描きました。フランス革命のような、都市市民層が起こす革命をブルジョワ革命と呼び、将来は労働者による革命、プロレタリア革命が起こるだろうと予想しました。

マルクスとエンゲルスは、壮大な世界史像を提示しました。まず階級の存在しない原始共産制を想定し、そこから生産力の発展により、生産を所有する階級と、労働を提供する階級の存在があることを突き止めました。そして、それを歴史段階として、古代奴隷制、中世封建制、近代資本制と進み、将来は生産手段を社会が所有する社会主義、社会的抑圧から解放される共産主義に至ると考えしました(唯物史観)。エンゲルスの『家族・私有財産・国家の起源』は原始共産制がどのように階級社会に至るかを、詳細に分析しました。

また、社会の発展は、一つの事象(正)に対し、矛盾となる事象が内在し(反)、矛盾する正と反の調和から(合)になる、しかし、その(合)も新たな(正)であり、そこには矛盾が内在し(反)、それが調和し、より次元の高い社会になる……という形(弁証法)で進むものと考えました。弁証法自体は、ヘーゲルの主張したもので、歴史を動かす原動力は絶対精神で、その本質は自由の実現であり、その実現のために英雄が登場すると見ました。

マルクスとエンゲルスは、世界を動かす根源は物質で、人の精神も、社会も、法律も、文化も、経済に乗っかったものと考えました(唯物論)。そして、唯物論を元にして、弁証法的に世の中は発展するものだと、それが歴史発展の原動力だと考えたのです(弁証法的唯物論)。

人間社会は物質によって規定するという見方は一面では当たっていますが（何せ食べなければ生きられない）、本書では社会意志という存在に注目してきました。社会は物質だけで規定されるなら、それは必然の流れになりますが、本書では、学問によって得られる「知性」、さまざまな失敗を克服した「知恵」に基づく社会意志を持つことによって、物質だけの歴史とは異なる歴史を歩む可能性を示していきました。そもそも、物質も意志をもって手入れしなければ、たちまち朽ち果てるものです。

また、人間社会が「発展」するという見方にも、将来は理想的な社会になるだろうという見方にも、懐疑的に歴史を見ていきました。人間の社会は絶えず不完全で、そのとき、そのときの新たな問題を理解して、世の中を変えていかなければならない、そのとき「栄華」「拡大」「成長」というように、欲望を追求する社会が果たして「発展」なのかどうか。そこで「発展」を選ばなかった民の歴史も紹介してきました。

歴史は革命によって変わる。言葉としてはかっこよくても、そこには体制派・反対派のむごたらしい流血が起きました。いったい、革命を信じて、あるいはその弾圧によって、20世紀を通して、幾万の人々が惨殺されてきたのでしょう。本書では、革命以外にも世の中を変えることがある。それを「歴史上の大画期」と呼び、革命もその一つに過ぎないと見てきました。

ただ、マルクスとエンゲルスの示した世界史像は、わかりやすく、また、プロレタリア革命をめざすため、労働者が団結しなければならないという理論も、劣悪な労働環境に苦しむ労働者たちに、将来への夢を与えました。マルクス・エンゲルス主義は、19世紀後半から20世紀末（１９８９年）までの、一方の地域における、中核「文明」の精神的支柱になっていきました。

(11) 中央・南アメリカ諸国の独立

中央・南アメリカ（中南米）は、スペイン・ポルトガルの植民地でした。

ブラジルや西インド諸島には、西アフリカから、すさまじい人数のアフリカ系奴隷が送られてきました。ポルトガルはほぼ17世紀いっぱい奴隷貿易の主要国を続けました。17世紀には、オランダの西インド会社がカリブ海に進出し、サトウキビを大量に栽培し、ここも労働者確保の名目で、奴隷労働の巣になりました。

中央・南アメリカは、スペイン・ポルトガルなど出身の大土地所有者、先住民族のインディオ、そして奴隷労働として強制移住させたアフリカ系の人たち、さらにその混血者たちが住みました。

そういう中、北アメリカでアメリカ独立戦争が成功しました。フランス革命に至る啓蒙思想の存在も知りました。それらの情報を得る中、ナポレオンがスペイン、イタリア、オーストリア、ドイツ、デンマーク、ノルウェーなどに侵攻したという事件は、中央・南アメリカ独立のチャンスになりました。宗主国のスペインがナポレオンに倒されたのですから。

コロンビア、ベネズエラ、ペルー、ボリビア、チリ、グアテマラ、エルサルバトル、ホンジュラス、ニカラグアなどが１８１０年前後に独立運動を始め、１８２０年前後には独立しました。また、ブラジルはナポレオン戦争に敗れたポルトガル王のジョアン6世が逃れ、ジョアン6世帰国後の１８２０年、王子のペトロ1世が独立宣言しました。メキシコは、スペイン人と先住民族の混血の度合いで、20もの身分がありましたが、メキシコ生まれでスペイン人（クリオーリョ）のアジェンデが独立運動をし、１８２１年にスペインから独立します。

このとき、中央・南アメリカに大土地所有者がいて、工業・農業の原材料を得て、大量生産し、アジア市場へ売りつけるというパターンができ上がりました。ヨーロッパの貧しい人々も雇用を求め、中・南アメリカに行くようになりました。『母をたずねて・三千里』はそういう時代のお話です。

中央・南アメリカでのスペイン・ポルトガルの凋落《ちょうらく》は、ヨーロッパの覇者が国民国家を形成したフランス、産業革命を始めたイギリスに、完全に交代したことを示しました。結果、ヨーロッパの復古体制、ウィーン体制をぶち壊す契機になりました。また、アメリカ合州国はヨーロッパ諸国がアメリカ大陸に政治干渉することを拒否しました（モンロー教書～１８２３年）。

2　近代中期（後葉）

（1）アジアの四大王朝の行方

16～17世紀（近代前期）に、南北アメリカとオーストラリアに侵攻したヨーロッパ列強は、アジアの王朝国家の壁には跳ね返されました。かれらは中世国家を経験しているので、強靱《きょうじん》だったのです。

ところが、19世紀（近代中期）になると、国民国家作りと、産業革命を達成した欧米列強がパワーアップし、再度、アジア・アフリカ地域に襲い掛かかります。欧米列強は、自国内においては、市民が人権を求め、闘争し、勝ち取っていきますが、アジア・アフリカ地域の住民に関しては、「劣等人種」として遇しました。

アジアには、オスマン帝国、ムガル帝国、清王朝、日本（江戸政権）が厳然たる力を持っていましたが、それぞれに欧米列強が侵攻していきました。

このうち、オスマン帝国にはロシアのニコライ1世が南下政策を取り、侵入を試みますが、中東へのロシアの権益拡大を防ぐために、イギリス・フランス・オーストリア・サルデーニャがオスマン帝国側に付いて、戦いました（クリミア戦争。１８５３～５６年）。この結果、ロシアの中東への南下政策は、いったん止まり、中央アジアや東アジアへの侵入になります。ナイティンゲールの看護師としての活躍は、このときのことです。ただ、ナイティンゲールの寸分の休憩も惜しみ、負傷者を救う活動は、尊敬に値する一方で、イギリス兵に限られたものであり、戦争自体への怒りにはなっていません。結果、「白衣《はくい》の天使」と称賛され、女性が従軍看護士として、戦争に利用される道を開くことにもなりました。

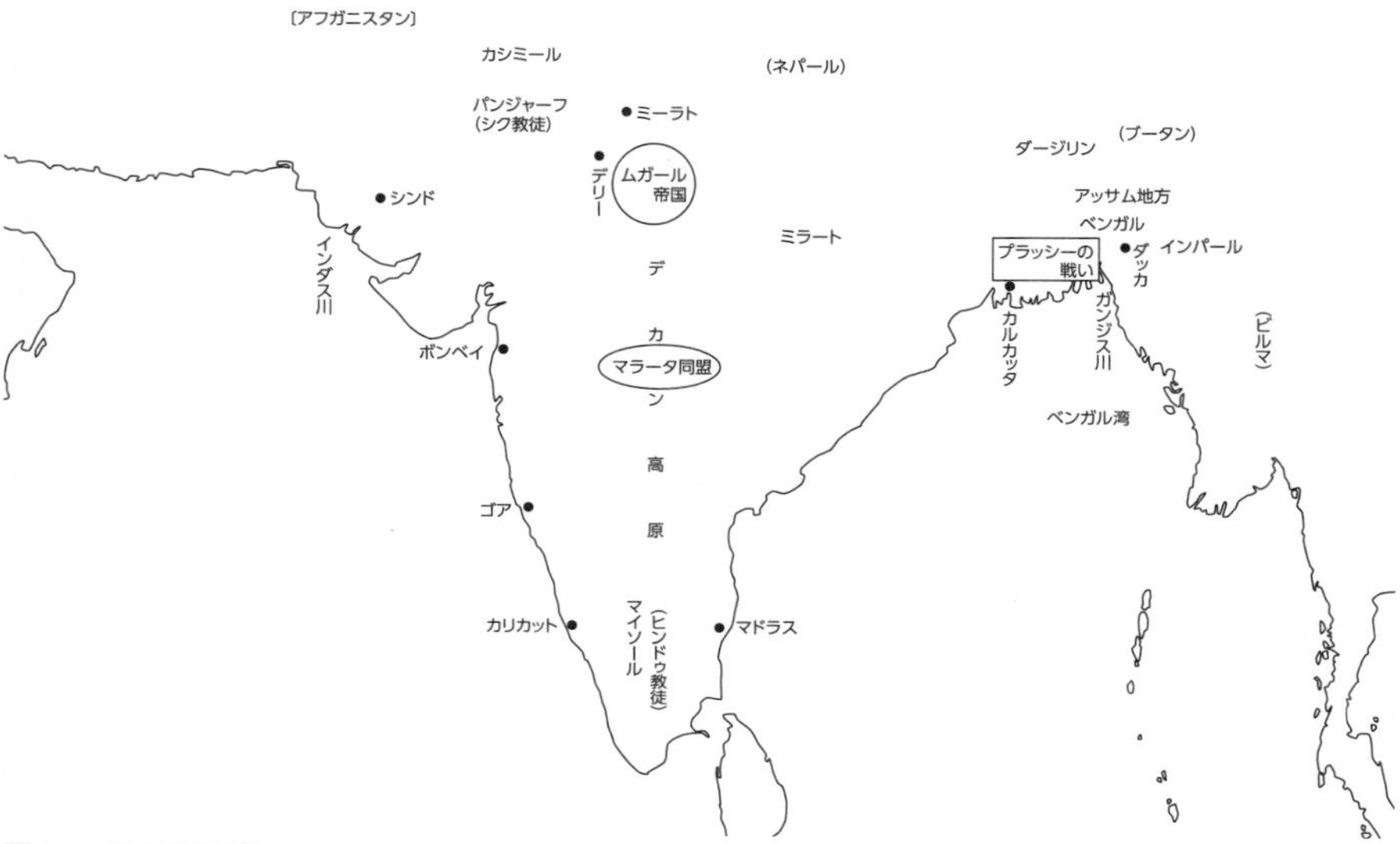

図2　インドの抵抗

(2) イギリスのインド侵略と、インド大決起

ムガル帝国はどうなっていったのでしょうか。インドでは、かつて「セポイの乱」と呼ばれた、「反英・インド大決起」が起こります。

インドのムガル帝国に、ほころびが見え始めたのは、6代アウラングゼーブ（在位1658〜1707）の死後です。皇位をめぐる争いが続出し、12代ムハンマド・シャーの時代（在位1719〜48）には帝国は解体に向かいました。

ここに植民地を求めて侵入したのがイギリスです。1757年、イギリス軍3千（うち、イギリス人950人）と、ムガル帝国のベンガル地方領主シラージ軍（歩兵5万、騎兵1万8千）の戦い（プラッシーの戦い）が起こりました。常識的には、シラージの圧勝という予想ができますが、イギリスへの内通者がいて、イギリス軍が勝利しました。イギリスは新たな新領主を立てながら、実質、ベンガル地方を植民地にしました。

南インドのマイソール王国（ヒンドゥー教）がイギリスに抵抗します。18世紀後半、4度に渡り、マイソール戦争を行いますが、力が尽きました。マイソール王国は四分の一の大きさになり、残った地域を傀儡《かいらい》政権にし、後はイギリスの東インド会社が支配しました。

イギリスは北インドに向かいました。インド人をシパーヒー（セポイ。傭兵）にし、その上に少数のイギリス兵士を置くという体制で、北インドの親英政権に保護条約を強要し、あるいはインド人相互を争わせる形で侵入していきました。19世紀に入ると、マラータ連合軍を攻撃し、１８４３年にはアフガニスタンにも侵入、１８２６年にアッサム地方・ビルマの海岸地帯に侵入、１８５２年にはビルマに侵入しました。

近代前期に勢力を誇ったインドが、産業革命を経たイギリスに蝕《むしば》まれ、ボロボロにされる、さらにイギリスはインドの周辺国にも領域を広げていったのです。統一王朝が衰退した後に分裂勢力にされ、各個撃破されていく、そうさせないためには民族意識が必要だ、国民国家が必要だという具体事例になりました。

１８５６年、新しくインドの総督になったチャーニングは、ベンガル兵を海外に出兵することを義務付けました。翌年、新たな銃に弾丸と火薬を入れるのに、摩擦《まさつ》を少なくするための油脂《ゆし》として、ウシとブタの濃厚な脂を使うことにしました。ウシはヒンドゥー教の「聖」なる動物だし、ブタはイスラム教の「不浄」な動物です。インド人の宗教文化への無神経さが、インド始まって以来の大決起の引き金になりました。

１８５８年3月、傭兵（シパーヒー。あるいはセポイ）たちが北インドから決起しました。シパーヒーは細々と政権を保っていたムガル帝国の首都（デリー）に入り、皇帝に「全インドの支配者として、皇帝復活」を要請しました。決起は北インドに広がり、マラータ族も決起、ムガル皇帝は「イギリス支配の終わり」の宣言を各地に伝達しました。しかし、決起の拠点が次々に陥落させられ、11月にイギリスのヴィクトリア女王がインド王に、インド総督が副王に就任することにしました。

インドの大決起は、それまで存在しなかった「インド人」の決起という一面を見せましたが、決起後の青写真はムガル帝国の再興という、古ぼけた形しか見出せませんでした。そして、オスマン帝国、ムガル帝国、清王朝、江戸政権といった、アジアの岩盤の一角が、欧米列強の手に落ちました。

（3）アヘン戦争と、太平天国

19世紀前半のイギリス・清王朝の貿易。清王朝は広州のみに限定した海禁政策を行っていましたが、ここでイギリスの東インド会社は大量の茶・絹を買いました。イギリスは銀・毛織物を輸出しますが、清王朝の輸出が多く、銀が失われていきます。そこで、イギリスが植民地化を進めていたインドから、アヘン・綿花を中国に売ることで、帳尻《ちょうじり》を合わせようとしました。綿花販売はイギリスの産業革命で、綿花生産が増大したことによりますが、今度は銀が清王朝から流出しました。だが、アヘン（麻薬）など欲しい国はありません。

１８３８年、清王朝の役人・林則徐はアヘン輸入を徹底的に取り締まりました。これに言い掛かりを付けたイギリスは、１８４０年、議会で可決し、艦隊を中国に送りました（アヘン戦争）。イギリスという議会制民主主義を創出した国にして、批判の目がなければ、暴力団の資金集めと同類の手を染めてしまうのです。外国に麻薬を売りつけるのをよしとする議会など、ろくなものではないと言えますが、「正義が勝つ」などは安っぽい物語だけのこと。実際は殺傷能力の高い武器を持ち、それを自在に使える軍隊を持つ国が勝ちます。清王朝はコテンパンに敗れ、香港《ホンコン》割譲や5港を貿易港とする南京条約（１８４２年）、さらに治外法権を認め、関税率を一方的に決められる条項を加えられ（４３年）、アヘン戦争に関係ないアメリカとフランスに同じ条約を結ばされました（４４年）。ただ、歴史の「正義」など、相対的なものです。イギリスの植民地としての香港の方が、中国に返還され、習近平の弾圧を受ける現在の香港よりも比較にならないほど、自由があるのですから。

１８５０年、洪秀全が兵を上げました。洪秀全は官吏を志し、7歳から塾通いしますが、ことごとく試験に落ち、キリスト教に目覚めました。しかし、本来のキリスト教に改ざんを加え、キリストは兄で、自分は弟だという、危ない新興宗教を立ち上げました。しかし、その目指す社会は画期的でした。唯一神のもと、国民は皆兄弟姉妹で、16歳以上の人に等しく土地を与えるべきだ、そして農耕と手工業で生産した物の中から、25戸で一社会単位とし、一年分の食料・種子、衣料を差し引いた分を貯蔵し、結婚・出産・葬儀などの費用をここから出費するという考えを持っていたのです。ここには、中国伝統の井田制、律令の均田思想がヒントにあるでしょう。その上に、太平天国作りを目指し、地主・富商を倒し、貧民に分配するとも言いました。すべて男女平等に分け、科挙試験にも女性の参加を認め、女性の纏足《てんそく》(小さい足が美人の条件とされたため、女性の足に布を巻き付け、成長しないようにさせた風習)を禁止することにしました。

中国では王朝のパワーが弱ってくると、赤眉《せきび》の乱(新王朝)、黄巾の乱(後漢王朝)、紅巾の乱(元王朝)など、民衆蜂起の伝統があり、太平天国もその流れにあるとも言えます。

太平天国は、インドの大決起と違い、戦いの目的がありました。しかも、それは革命思想です。アメリカ独立戦争や、フランス革命が啓蒙思想を理論武装にしたように、太平天国も、革命思想のもとに行われたのです。

太平天国の戦争は、１８５０～１８６４年まで続きますが、その間の１８５６年、イギリスが得意の悪質な言い掛かりを付け、清王朝に戦争を吹っ掛けました(アロー戦争)。ただちに、フランスもこれに乗ってイギリス側に付き、１８６０年には英仏連合軍は北京を占領しました。ロシアが調停に入り、清王朝と英仏は北京条約を結びます。清王朝はさらなる開港と、九龍をイギリスに割譲させられ、間に入ったロシアには、ウスリー江以東の沿海州を奪われました。イギリス・フランス・ロシアは経済力、軍事力では「先進国」であっても、その行為は単なるごろつき、ハイエナ、たかりとしか表現のしようがありません。

太平天国は、当然、こんな北京条約を認めません。すると、列強は清王朝に味方し、１８６４年、洪秀全は敗れ、自殺し、この戦争は終わりました。

なお、纏足《てんそく》について、私たちはどこまでが民族文化でどこまでが人権上、否定されなければならないか、考えなくてはなりません。和人の切腹《せっぷく》、アイヌ女性の入れ墨《ずみ》、和人のクジラ猟など、題材はたくさんあります。

「文明」の発祥地であり、近代国家に散々痛めつけられたインド・中国。両国は「現代」、膨大な人口を背景に、人間の未来を占う大きな問題を提起し、「成長」を続けています。

（4）アメリカ合州国の台頭　1（アフリカ系奴隷とインディアン）

海外侵攻する国に、ヨーロッパ列強の他に、アメリカ合州国が加わります。

アメリカの南部地域は、奴隷制度に基づく、タバコ・綿花などのプランテーション（大農園制度）を取り、イギリスとの自由貿易を必要と考えました。一方、北部地域は、資本制による近代工業を基盤にするため、「先進」資本制国家・イギリスに対しては保護貿易を必要とし、奴隷は必要としませんでした。

1860年の大統領選挙で、北部のリンカンが選ばれると、南部11州はジェファソン＝デーヴィスを大統領に立て、アメリカ連合国（連邦）を作りました。統一か、分離かで、ここにアメリカ南北戦争が始まりました。

ところで、アメリカの建国神話には、大きな間違いがあります。自分たちが「この国を選んだ」のではない、アメリカの国家作りの犠牲にされた人々が無視されていることです。それはアフリカ系奴隷（いわゆる「黒人」奴隷）です。仕事を遅らせる、道具を破壊する、食料を奪う、脱走するという抵抗運動、ナット・ターナーの決起（1831年）のような武力蜂起を起こしますが、奴隷主は鞭《むち》と暴力で答えました。

「知性」から言うと、そもそも「人種」は存在しません。すべての現生人類はアフリカから移住したホモサピエンスという一種なのです。そして現生人類20万年の歴史のうち、ヨーロッパ人が覇権を握っていたのは、近代の高々500年ほどに過ぎません。それを皮膚の色の違いで、「人種問題」をでっち上げ、差別し続ける。「知性」も「教養」もない、歴史上のおろかな現象と言えます。

しかし、アメリカは北東部から南部へ、西部へと領土を広げていき、そのたびに奴隷制の是非で対立し、妥協点を見つけてきました。

リンカンは、南北戦争が起きたとき、この戦争は連邦維持のためであり、奴隷解放のためではないと主張していました。個人としては奴隷解放の考えを持ちながら、政治家としての判断です。しかし、軍人、政党からの圧力で、奴隷解放宣言を発し（1863年）、戦争目的にしました。南北戦争最大の激戦地・ゲティスバーグでは、戦没者の霊に対し、リンカンは「人民の、人民による、人民のための政治」という、有名な言葉を演説しました。1865年、アメリカ南北戦争は北部の勝利で決し、アメリカは統一連邦国家として、固められました。アメリカでの奴隷制度は廃止され、彼らに市民権・選挙権は認められましたが、土地を得られたわけではなかったので、結局、大農場の小作や労働者として生きることしかできませんでした。

ストウ夫人『アンクル・トムの小屋』は、この時代の作品です。キリスト教を深く信じる人格者で、ひたすら主人に忠誠を誓う奴隷トム、その一生に感銘を受け、奴隷を自主的に開放するジョージ、いわば、人格者の奴隷が奴隷の生涯を全うし、人格者の「白人」が個人として奴隷解放するという形です。ただ、人格者ではない、生身の人間としてのアフリカ系奴隷と、奴隷主の姿は見えてきません。

アメリカの建国神話には、もう一つ、嘘があります。「この国を選んでいない人々」「この国の拡大による犠牲者」がいます。アメリカ・インディアンです。

1860～80年代の20年間、大平原を中心に、インディアンは最後の武力抵抗を続けていました。1876年には、スー族がカスター指揮下の大隊をせん滅しました。1886年には、ジェロニモが率いるアパッチ族が降伏、1890年には、第七騎兵隊がスー族の153人を虐殺、翌年、スー族との戦争が終わり、インディアンの武力闘争の歴史は終わりました。

現在の反知性主義者の「白人」層の中には、「黒人」差別に続いて、移民排斥に熱狂する人々がいます。しかし、「白人」自体が移民で、先住者をいたぶってきた歴史を忘れてはいけません。

アメリカはインディアンやアフリカ系の人々をいたぶってきた歴史のため、「つねに銃を持って身を守る」という、おろかな社会意志が抜けません。また、アフリカ系の人々をいじめ続けた結果、そのうらみを怖れ、警察がアフリカ系の人々を殺す事件が続きます。それは朝鮮人をいじめてきた日本人が関東大震災で朝鮮人を殺す、未だにヘイトが差別する社会意志と同質のものでしょう。

(5) アメリカ合州国の台頭 2(太平洋の支配)

アメリカ合州国の勢力が、太平洋岸に達すると、同国は広大な太平洋支配を進めます。アメリカがまずねらった地域は、南太平洋のポリネシア人のサモア王国です。1878年に、サモアの港を利用できる権利を得て、そこにイギリス・ドイツも加わり、三国が対立しました。やがて、イギリスが退き、アメリカとドイツで分割しました。

続いて、アメリカがねらった地はハワイです。アメリカの企業家が甘藷《かんしょ》(サトウキビ)やコーヒー栽培の利を得ようとしますが、『アロハ・オエ』の作詞・作曲家のハワイ王朝・リリオカラニ女王が立ちはだかりました。アメリカの甘藷栽培家たちが女王への反乱を起こし、アメリカ海兵隊も手を借し、イオラニ宮殿の女王を襲撃しました。そして、パイナップル栽培者のドルを大統領に仕立て上げ、傀儡《かいらい》国家「ハワイ共和国」を経て、1897年にアメリカに「併合」(植民地化)しました。日本帝国の満州国建設との違いは、侵略が成功したか、しなかったかということだけです。

1895年、スペイン領キューバで独立運動が起こると、アメリカはキューバを援助し、1898年には米西戦争(アメリカ・スペイン戦争)になりました。この戦争を利用し、老帝国・スペインを破り、フィリピンとグアム島を獲得しました。フィリピン人は独立運動を展開しますが、アメリカ軍は7万の兵を差し向け、弾圧していきました。1906年にモロ族が決起したときは、ウッド将軍率いるアメリカ軍は女性・子どもを含む600人を皆殺しにしました。S・ローズヴェルト大統領は「アメリカ国旗の名誉を高めた」と、ウッド将軍を賞賛しました。「偉い方」から賞賛されるとは、権力の犬になって尽くした、恥ずべきことになりかねません。

ロシアの広大なシベリア侵攻と、アメリカ合衆国の北アメリカ大陸と太平洋支配により、巨大な資源を自国

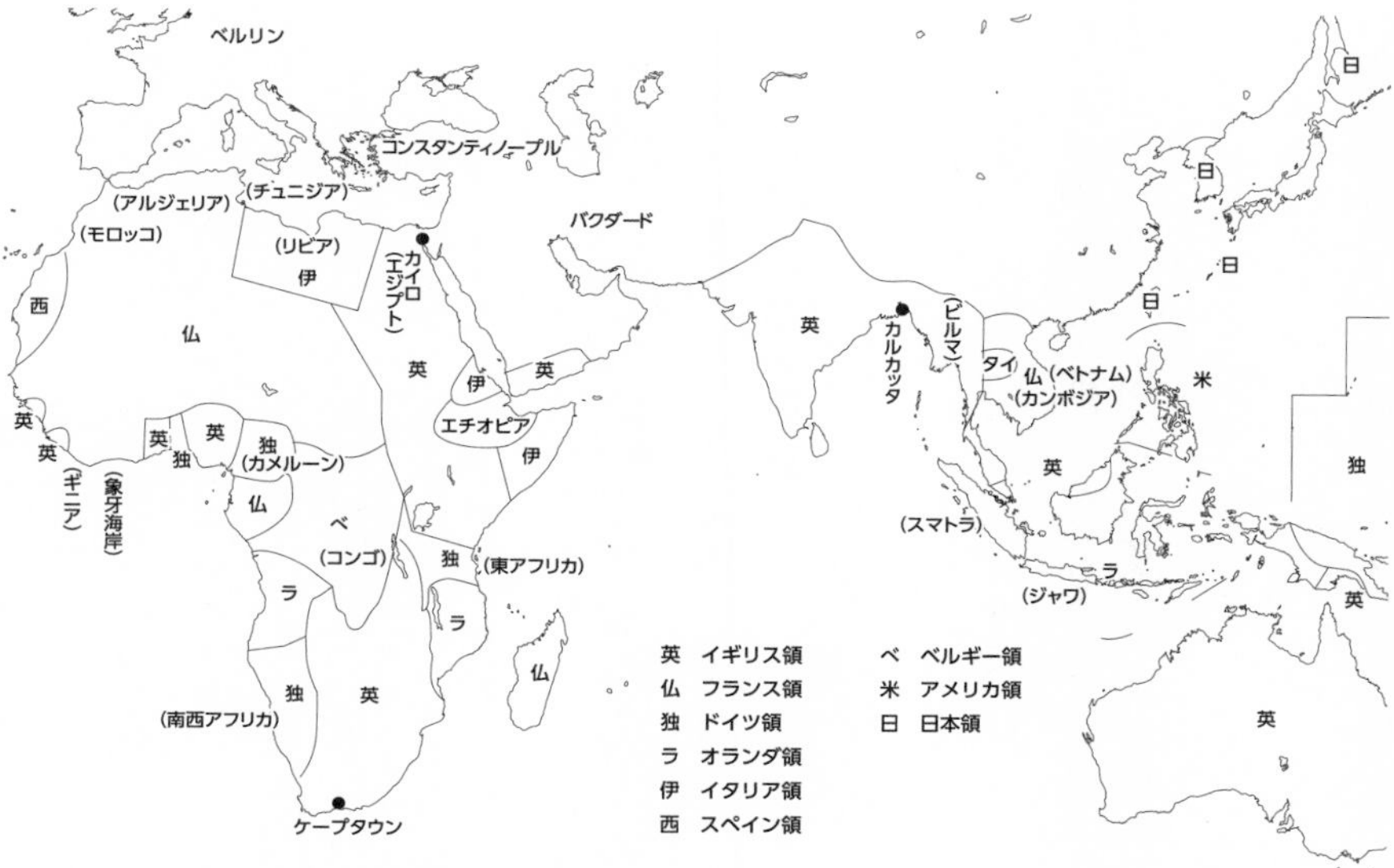

図3　アフリカ・アジア・オセアニアの分割

内に持つ、20世紀の二大覇者の基盤がつくられました。

(6)アフリカの分割

ヨーロッパ諸国は、まず南北アメリカ大陸とオーストラリア大陸、シベリアに侵攻しました。

続いて、アジアの王朝国家を餌食《えじき》にし、そのほとんどを侵攻し尽くすと、今度はアフリカに向かいました。その中心になったのは、イギリスとフランスであり、やや遅れてドイツが加わりました。

アフリカをケープタウン周りに1周しなくてもヨーロッパ〜アジアにつながる航路はないのか、それがエジプトのスエズ運河です。フランス人レセップスによって開かれました(1869年)。そこにイギリスが進出して来て、エジプトを保護国にしました。さらに、南アフリカのケープ植民地(1852年)を拠点に、南アフリカやローデシアに侵攻しました。ケープの北方には、オランダ人植民者の子孫のブール(ブーア)人がいましたが、ここに金・ダイヤモンドが産出することを知ると、ブール人との間に戦闘を起こし(ブーア戦争、南アフリカ戦争)、ついに両国を支配しました。イギリスは、カイロ〜

ケープを結ぶアフリカ南北横断鉄道を造り、それにインドのカルカッタを結ぶ3C政策を行いました。

一方、フランスは1830年にアルジェリアを征服し、チュニジア・ギニア・象牙《ぞうげ》海岸など西海岸を占領しました。そして、ここからサハラ砂漠を縦断し、アフリカ東海岸に向かいました。

アフリカの南北を結ぼうというイギリスと、東西を結ぼうというフランスは衝突し、一時期、英仏戦争が起こりかけます。しかし、新興国ドイツの拡張が著《いちじる》しく、フランスはイギリスとの対立を回避し、譲歩します。その結果、1904年、英仏協商が成立しました。イギリスがエジプトの権益を持ち、モロッコはフランスが権益を持つという妥協ができましたが、そこにはエジプト人とモロッコ人の存在はありません。

ドイツのビスマルクはヨーロッパの中では協調主義を保っていましたが、帝国主義の「後進国」として、まだ列強の勢力が確定していないアフリカに目を付けました。東アフリカ・南西アフリカ、カメルーンなどを支配し、モロッコを狙い、フランスと対立しました。さらに、ドイツはヴィルヘルム2世の時代になると、中東の進出も試み、斜陽のオスマン帝国に目を付け、ベルリン・コンスタンチノープル（ビザンチウム）・バクダードを結ぶ3B政策を行いました。

他に、イタリアはエチオピア侵入を目論みますが失敗し、リビアをオスマン帝国から奪いました。また、ベルギーはコンゴを奪い、20世紀初頭にはアフリカは大部分が列強の植民地として、分割されました。

この結果、20世紀初頭までに、世界のほぼすべての地域が、欧米列強の支配地域、あるいは影響下になりました。欧米列強が「拡大」を続け、世界を支配する形、近代の完成形、絶頂期～それは支配される側から言えば苦難の頂点～に、いたのです。地球という限られた空間をめぐって、列強が群がり殺し合う。列強には正装した紳士たちによって議論した議会がありました。その決定が「国益」のための空間と資源の分捕りなのです。議会制民主主義の限界、そしてその代表を選んだ国民の限界にほかなりません。それは文明の行き着いた先、近代とは何か、私たちはどこにいるかを考えることになります。私たちはしょせん○○国民であり、人間に成り切っていないということです。

〈参考文献〉

・富田虎男『アメリカ・インディアンの歴史』（雄山閣）　２００２
・ローラ・インガルス・ワイルダー『大草原の小さな家』（福音館）　１９７６
・エンゲルス『家族・私有財産・国家の起源』（岩波文庫　白１２８－８）　１９７６
・清水博・山上正太郎『市民革命の時代』（教養文庫『世界の歴史』10）　１９９２
・桑原武夫・河野健二・上山春平・樋口謹一『フランス革命とナポレオン』（中央公論社『世界の歴史』10）　１９６３
・岩間徹『ヨーロッパの栄光』（河出書房『世界の歴史』16）　１９６９
・遅塚忠躬『フランス革命』（岩波ジュニア新書２９５）　２０１８
・川崎敏『南北アメリカ・アフリカ』（古今書房）　１９７８
・石崎英雄・山上正太郎『帝国主義の時代』（教養文庫『世界の歴史』11）　１９７９
・波多野善大編集『東アジアの開国』（新人物往来社『東洋の歴史』10）　１９６７
・ジョナサン・アール『アフリカ系アメリカ人の歴史』（明石書店）　２０１１
・別技篤彦『理解されない国ニッポン』（祥伝社　ＮＯＮ　ＢＯＯＫ２８１）　１９９０

第2章　東アジア列島の近代中期

一　「中の文化圏」が「北の文化圏」「南の文化圏」を植民地にする

1　近代中期（前葉）

（1）ロシアの南下と田沼意次

徳川家康が打ち立てた江戸政権は、徳川（将軍）家を首長にしながらも、老中《ろうじゅう》を頂点にした官僚が政治を執り続けました。江戸政権は、統一政権の敷いた路線を基盤にしながら、17世紀いっぱい安定した時代を迎えました。しかし「北の文化圏」から、新たな歴史のうねりが到来してきました。

ロシアのアトラーソフがカムチャツカ半島に来て、カムチャツカ・アイヌに会ったのは、１６９７年のことです。ここで、アトラーソフはアイヌにも毛皮税を求め、アイヌが拒否したため、戦闘になりました。

その後、ロシアは千島列島を南下し、南千島のエトロフ島まで侵入しますが、１７７１年、エトロフ島・ラショワ島のアイヌがウルップ島で逆襲します（２３４頁地図参照）。このため、ロシアの侵入は、ウルップ島以北（北千島）で止まりました。

同じころ、ロシア南下の情報が江戸政権に入ってきましたが、取り組もうとはしませんでした。

それから十年余りたって、仙台の医師・工藤平助がロシアの南下の件を『赤蝦夷風説考《あかえぞふうせつこう》』（１７８３年）に書き、これを読んだ老中・田沼意次《おきつぐ》が、北方「探検」と、「開発」を思い描きました。

１７８５年、日本の「探検隊」は「北の文化圏」のうち、一隊がクナシリ・エトロフ・ウルップ島へ、もう一隊はサハリン中部のクシュンナイにまで至りました。そして、試験的に江戸政権による「御試交易《おためし》」を行い、北海道（そこにはアイヌが住んでいる）を農業地帯にし、「非人《ひにん》」（和人社会で差別されてきた人々）を移住させようと構想を練りました。

これはアイヌ民族から見たら、アイヌモシㇼを植民地にしようという構想になります。「非人」から見たら、とんでもない悲劇が起こされるところでした。一方、日本（中の文化圏）から見たら、北方を「開拓」しようとした壮大な計画（次代の植民地政策の先取り）になります。

しかし、まもなく田沼は失脚し、新・老中・松平定信は「鎖国」政策に戻しました。定信はロシアの南下を見なかったこと～臭い物にふたをする～にしたのでした。

(2) レザノフ事件とその余波

ところが１７９２年、ロシアのラクスマンがアイヌモシㇼのネムロ（根室）に来ます。エカチェリーナ2世（女帝）の国書を持って来て、国交を求めたのです。定信は北海道の松前で交渉させ、国交は拒否、次に来るときは長崎に来るようにと、信牌《しんぱい》を持たせました。定信は頑迷《がんめい》な朱子学の徒であり、秩序の固定化に熱心で、世界情勢に目を向ける気概はゼロでした。ただ、ロシアの侵攻がいつ起こるかもしれないということで、松平定信失脚後、北海道太平洋岸（東蝦夷地）を江戸政権の「直轄地《ちょっかつち》」にしました。これはアイヌモシㇼを日本の一部にしようという企《たくら》みの始まりとなります。

ラクスマン来航から12年たった１８０４年、ロシアの使節・レザノフが約束通り、信牌を持って、長崎にやってきました。このとき、ロシア皇帝・アレクサンドル１世の国書と、贈り物を持ってきました。

ところが、日本に田沼意次や松平定信のように、意志決定できる人物がいません。レザノフは長崎に数ヶ月も留め置かれ、信牌も奪われ、まともな回答もなく、帰国させられました。レザノフの部下たちの怒りが爆発しました。エトロフ島と、サハリンのクシュンコタン（大泊）を襲撃して帰国しました。

これは大変だ！　江戸政権は遠山景晋（遠山の金さんの父）らに北海道日本海岸を調査させ、ここ（西蝦夷地）も江戸政権の「直轄地」にしました（１８０７年）。

ロシアの船隊はどこから来るのか。江戸政権は松田伝十郎・間宮林蔵にサハリン「探検」を命じ（１８０８年）、翌年、間宮はサハリンからアムール川下流域まで「探検」し、そこにいた清王朝の役人に会いました。

先住民族にとって、「文明」国の「探検」とは何か、「領土宣言」とは何か、15世紀末にコロンブスがカリブ海の西インド諸島を「探検」し、ローマ教皇が地球を真っ二つに分け、スペインとポルトガルに「分け与えた」現象が、東アジア列島にまで広がりました。

１８１１年、ロシアの海軍少佐・ゴローニンがクナシリ島へ着くと、松前に連行されました。翌年、今度はエトロフ島沖で商人・高田屋嘉兵衛《かへえ》がロシアに連行され、カムチャツカに行きました。

こうなると、ロシアと日本がアイヌモシㇼを舞台に衝突か、両国が勝手に「北の文化圏」を奪い合うという状況が生まれました。

ところが、ここでロシア軍人・リコルドと、日本の商人・高田屋嘉兵衛の間で互いの人格を認める友情が生じ、両国の衝突は避けられ、ゴローニンは解放されました。「外交」とは「切り札」を隠しつつ、かけひきとだまし合いというイメージがありますが、真逆の形もあったのです。

ただ、この外交解決を、道徳の教科書に載るような「甘い友情物語」にしてはいけません。当時、ロシア本国ではナポレオンが遠征してきて、存亡の危機にありました。ロシアにとって、東のはずれの日本との国交に構う余裕もなくなっていたのです。

外圧が消えたので、江戸政権は北海道沿岸部を「直轄地」にする意味がなくなり、松前藩に返しました

（1821年）。

江戸政権は再び時代錯誤《さくご》の「鎖国」体制に戻し、「外国船打ち払い令」を発し、それを実践し（モリソン号事件）、それを批判する人々を弾圧しました（蛮社《ばんしゃ》の獄）。おろかな「お上」が先を見抜く「知性」を弾圧する、歴史上たびたび見る姿です。

（3）江戸政権の諸改革の「知恵」

16世紀後半～17世紀前半にかけて（織田・豊臣政権～徳川家光）つくられた幕府と藩（大名）による支配体制。これが18世紀には、ほころびが見えてきます。

江戸政権下では、5代徳川綱吉《つなよし》の改革、新井白石《はくせき》の改革、8代徳川吉宗の改革（享保の改革）、田沼意次の改革、松平定信の改革（寛政の改革）、水野忠邦（天保《てんぽう》の改革）と続きます。

これらの中には、時代を超えた「知恵」がいくつもありました。特に「知恵」が目立つのは吉宗の改革です。人材を抜擢し、民の意見を直接聞く「目安箱《めやすばこ》」を設置しました。火消しの制度、貧しい人たちへの無料の診療所、飢饉対策のサツマイモ栽培、キリスト教以外の洋書の解禁（蘭学の出現に道を開く）など、「知恵」が冴えています。無料診療所（小石川養生所《ようじょうしょ》）の創設は、町医者・小川笙船《しょうせん》が目安箱に投書したものです。徳川吉宗は小川を養生所の世話役とし、後、御殿医《ごてんい》（幕府お抱《かか》え医師）に推挙しますが、小川はキッパリ断る、市井《しせい》の名医の面目躍如《めんぼくやくじょ》と拍手を送りたいです。

松平定信は朱子学の教条主義に凝《こ》り、時代を見抜く眼力がくもっていますが、ホームレスの人たちへの職業訓練場（人足寄場《にんそくよせば》）、飢饉に備えた囲米《かこいまい》（備蓄《びちく》米）の制は、時代を超えた「知恵」と言えます。

その一方で、江戸政権の改革は、権力のいやらしさも露呈《ろてい》しました。その根っこには朱子学があり、水野忠邦の改革で頂点に達します。民のささやかな楽しみまでを片っ端から奪い、民が政権批判しないか、本当に権力者に従っているか、極端な監視を続けました。そして、権力に阿《おもね》て、民をいたぶる鳥居耀蔵《ようぞう》（朱子学の家元・林家の三男）のありようは、人間の悲しい性を示します。徳川吉宗も水野忠邦も同じ緊縮政策ですが、吉宗を目安箱で批判した浪人・山内幸内に意見を言わせ、褒美まで与えたのと比べると、人の器の差を感じます。

2　近代中期（後葉）

（1）東アジア列島にとっての近代中期（後葉）とは

東アジア列島の近代中期（後葉）とは、「中の文化圏」が日本帝国として、列強の仲間入りを目指し、その仲間入りをする中で、「北の文化圏」と「南の文化圏」の領域を、我が物顔に奪っていく時代です。

したがって、近代中期からは、日本帝国の歴史の中に、「北の文化圏」「南の文化圏」の歴史も入れられていきます。日本帝国は、北海道・沖縄、そして千島列島、台湾、サハリン南部から、さらに朝鮮半島へと、領域を広げます。「中の文化圏」の大膨張（＝侵略）です。アジアでただ一国、列強の帝国主義の一員に加わり、東アジアの侵攻を行いました。しかし、欧米のようにはるか遠い地を奪ったのではない、その原型が統一政権の拡大しようとした地域にあったことは、すでに触れています。

（2）幕末の動乱～ペリー来航から戊辰《ぼしん》戦争まで～

１８５３年、アメリカのペリー艦隊が、大統領の国書を持って、江戸湾の浦賀に来ました。

当時、アメリカの勢力は北アメリカの西海岸に達しており、太平洋でクジラ漁を行ったり、中国を視野に入れた太平洋貿易を行うのに、どうしても補給地が必要でした。食料・水の他に、蒸気船ならば石炭も補給しなければなりません。いよいよ、太平洋に進出というときに、日本の地理的位置が重要になったのです。

１７９２年にロシアのラクスマンがアイヌモシㇼのネムロ（北海道）で「開国」を求めて以来、江戸政権はことごとく「開国」要求を拒否してきました。ペリー来航についても、オランダからの通報はありましたが、まともに聞く耳を持ちません。ところが、実際に見るペリー艦隊の実力は、想像を絶するものでした。

ペリーに来年まで待ってほしいと言い、いったん引き取ってもらいます。それまで、譜代大名《ふだい》（関ヶ原の戦いの前から、徳川氏に従い、大名になった者）を中心とした幕閣だけで、政権を担っていた江戸政権は、対応を一気に拡大し、諸大名に問いますが、よい解決策が浮かびません。実はよい解決策は、日本も欧米列強に対抗できる国作りをするしかなく、そのためには江戸政権の仕組み自体を否定しなくてはいけません。しかし、それを最初から認識していたのは勝海舟《かいしゅう》くらいで、それを理解するまで、日本は幕末という大混乱の時代を迎えます。しかし、この大混乱というエネルギーがあって、初めて平氏政権以来の武家政権をぶち壊す必要を理解していくのです。何せ、思考の前提に、日本型朱子学と国学（仏教・儒教が伝来する前の「本来の」日本の形を知ろうという学問）がありますので、その範囲の対応しか思い浮かびません。欧米列強と戦うと、「アヘン戦争の二の舞のなる」という現実判断だけが、「やむなし」と、少しずつ、彼らの要求を受け入れることになったのです。翌年、ペリーが来て、下田（静岡県）・箱館《はこだて》を開港するという日米和親条約を結びました。

危機感を持った江戸政権は、人材の抜擢《ばってき》や、人材の育成、西洋式の技術の導入を図ります。しかし、幕藩体制という王朝国家や、支配者（武士）と被支配者（農民・町人）という身分体制は維持したままです。これを取っ払わなければ、日本は欧米列強の保護国・植民地への道は不可避《ふかひ》です。以後、江戸政権はさまざまな取り組みをします。しかし、有能な政治家の改革くらいでは、治まるものではありません。結局、そこに至るには、多大な国内の血を流さなければなりませんでした。

１８５８年、大老《たいろう》（老中の上に臨時に置いた、江戸政権の最高職）・井伊直弼《なおすけ》は、アメリカから開国を求められます。しかも、日本型朱子学＋国学が日本の知識層の常識になっているこの時代、孝明天皇の勅許《ちょっきょ》が必要です。当然、「勅許が出る」と思っていた江戸政権でしたが、「『夷』（この場合、外国人）と関わることを毛嫌いしている」孝明天皇は、勅許を拒否しました。超保守派の井伊直弼にして、国力比較から考えて、「開国」という現実的な対応をせざるを得ません。そこで勅許なしで、日米修好通商条約を強行しました。この条約内容はアメリカの他に、英・仏・蘭・露とも結んだので、「安政の五カ国条約」とも言っています。孝明天皇には世界情勢と、その中の日本の位置はまったく見えていませんし、見ようともしません。そうした人物の勅許を奉じることの問題、これが現在の視点です。ただ、これは、尊王《そんのう》思想・攘夷《じょうい》思想（天皇の意志こそが大事。外国人を国内に入れるなという思想）を持つ志士たちには、不正義・腰砕け・弱腰そのものに映りました。

反・井伊派は、天皇の勅許がない（手続きが不備だ）、外国の言いなりだ、日本としての誇りはないのか、祖先以来の鎖国を守れ、攘夷だと責め立てます。超保守派の井伊は断固とした「開国」を決断し、進歩派の面々がそれを批判するという、後世から見ると、ねじれの図式になります。井伊は、反対派を一斉に、粛清《しゅくせい》しました（安政の大獄《たいごく》）。その反動が翌年、井伊直弼の暗殺につながりました（桜田門外の変）。

それでは、雄藩連合による政治はうまくいくのか。島津久光の幕政改革も、長州（山口県）藩の朝廷工作も、日本の誇りも、薩摩（鹿児島県）とイギリスとの戦争（薩英戦争）、長州と英・仏・米・蘭との下関戦争で、木っ端《こ》みじん《ぱ》に吹き飛ばされました。英明な藩主を集めた雄藩連合という形は、幕藩体制下の、常識で考えられる限界ですが、その程度の進歩派の改革では、もはや対処できなかったのです。どういう社会を目指すか、それは日本国内の社会思想にはありません。欧米列強をモデルにするしかない、王朝国家を解体し、国民国家をつくるしかなかったのです。

長州、薩摩、会津、江戸政権をめぐる駆け引きで、目まぐるしく変わる政局、暗殺、戦争は、互いの不信、憎しみを増殖しました。特に、外国の連合艦隊に敗れ、京都での政局に敗れ、孝明天皇からは「賊軍」にされ（八月十八日の政変、蛤御門《はまぐりごもん》の変）、江戸政権からは全国の大名に攻め立てられ（長州「征伐」）、さんざん追い込まれている長州の憎しみは、募《つの》るだけでした。そこに急転直下、坂本龍馬らの「最新」武器の購入、（敵対していた薩摩と長州を結びつける）薩長同盟構想、大政奉還（江戸政権が政権を天皇に返す）構想と、逆に江戸政権が追い込まれていきました。そして、政情不安と貿易による物価高に苦しむ民衆の世直し一揆、打ちこわし（都市で富裕な質屋・米屋などを襲う一揆）が王朝国家の根元からゆさぶったのです。

日本を内乱に陥れた戊辰《ぼしん》戦争は、1年5か月続きました。薩摩・長州・土佐を中心とした新政府軍が、今度は天皇への「賊軍」・徳川政権を討つという形を取りました。江戸政権の王都・江戸は、勝海舟の胆力《たんりょく》と、西郷隆盛の器に救われました。まさしく「勝てば官軍」、西日本の各藩が雪だるま式の大勢力になり、東日本、東北地方の諸藩を圧倒し、破る形で、終局しました（１８６９年）。ただ、新政府軍も、反政府軍も、天皇のもとでは日本人（和人）は平等だ（一君万民思想）という考えを持っており、戊辰戦争の中に、外国勢力を入れませんでした。特に最後の将軍・15代徳川慶喜は英明と言われた個人的資質よりも、（日本型朱子学＝『大日本史』を編纂し続けている）尊王の総本山・徳川光圀（水戸黄門《みとこうもん》）を祖とする水戸徳川家出身で、天皇の「賊軍」になることへの拒否感（社会意志）が勝りました。その結果、最終的に、天皇のもとの国家作りとして、「中の文化」は統一されました。天皇（古代王朝の神官）を、御簾《みす》（すだれ）の外に引っ張り出し、奇跡的に戦禍《せんか》を逃れられた江戸の官僚機構を活かすために、天皇の王都を京から江戸（東京）に移しました。

ここで、天皇という存在。それは近代中期において、二つの意味を持ちました。

一つは、インドや清王朝、東南アジアが欧米列強の植民地、半植民地になっていく中で、「天皇のもとにまとまる」という思想のもと、アジアで数少ない独立につながったということです。ただし、そこには、日本はアマテラス神の子孫の天皇が中心にいる神国（日本神話）だという狂信的な国学思想があることを、忘れてはなりません。この狂信性が欧米列強からの援助という、「甘い誘惑」を振り切りましたが、その後の日本帝国の歴史に暗い影をもたらします。第二次世界大戦後、教育での日本神話復活は常に警戒され、グリム兄弟がドイツ人を形成するのに、民話を集め、それが世界中から愛されているのと対象的です。

もう一つは、ドイツがヴィルヘルム1世のもとに、イタリアがヴィットーリオ・エマヌエーレ2世のもとに、統一戦争を行い、「遅れて列強国」に参入したように、日本も、明治天皇を旗印に統一戦争を行い、「遅れて列強国」に加わりました。新たな世に移行するために、人は痛い目に会わなければならない、多くの血、多くの犠牲が必要だ、そうしなければ新たな社会意志が共通認識にならないという、人間の歴史の一面が示されます。しかし、社会意志は多くの血によりつくられるのではなく、知性に基づき方向性を示し、知恵をめぐらせ、叡智につなげることができないのか、人間にはそういう行為はできないのか、これは本書を上程する大きな理由です。だからこそ、ドイツ・イタリア・日本が列強国の一員になるために、背伸びし続けた結果が、その後、どういう事象を引き起こすかは、注視しておく必要があります。

(3)アイヌモシリを勝手に線引き・日露通好条約

ペリーと日米和親条約を結んだ1854年(日本の公的機関や教科書は、政府の「北方領土の日」に忖度《そんたく》し、1873年以降に実施する新暦を使い、1855年と記します)、江戸政権はロシアとも日露通好条約を結びました。ここで、日本とロシアの領土も確定しました。つまり、北海道・南千島は日本、北千島はロシア、サハリンは日本とロシアの両方の領土だというのです。

しかし、ここに居住しているのは、和人でもロシア人でもありません。北海道・全千島・サハリン南部にはアイヌ、サハリン中部にはウイルタ、サハリン北部とアムール川下流域にはニブフが住んでいました。その領有をめぐって、日ロ両国が勝手に線引きをしました。東アジア列島の「北の文化圏」への、日ロ両国での争奪戦が始まったのです。

当時、清王朝はアヘン戦争に敗れ、太平天国が決起し、アロー戦争が起こされ大混乱でした。ロシアはそのドサクサに愛琿《あいぐん》条約を押し付け、「アムール川以北の地」を手に入れ、1860年には烏蘇里(ウスリー)以東の地も奪いました。結果、清王朝はサハリンの先住民族への影響力も失いました。

北海道と南千島が勝手に日本領にされても、ここにいる住民はアイヌです。それでは、勝手に国境を引かれただけで、アイヌの生活には大して影響はなかったのか、あるいはアイヌをロシアから守ってくれて、アイヌの生命・財産・生活は守られたのでしょうか。

どちらも大違いです。アイヌ民族の歴史で、この時代ほど、苦難に満ちた時代はありません。和人の漁場経営者がニシン漁などの利益を得るため、アイヌの人たちを酷使する、労働人口が足りなければ、他地域のアイヌを強制連行して働かせる、その間に、男性労働者の妻を和人が奪う、和人から写された天然痘《てんねんとう》や性病で多数の人が死亡するという、まさしく「地獄の苦しみ」が、もたされました。知性を失った人間の欲を野放しにすると、落ちるところまで落ちるという、残酷な事実です。アイヌの人口が最も減少したのが、この時代でした。

ニシン粕《かす》は、藍《あい》や綿など、西日本の商品作物の原料になりました。これは植民地〜プランテーション〜児童労働という、カカオに代表される現在の問題と同質なのです。

国家にとって、自国民以外の民の生命などどうでもいい、ましてそこに国のパワーが存在しない、先住民族の大地ならば、全く痛みを感じない、これは近代国家が全世界の先住民族の大地を奪った社会意志でした。イギリスのアボリジニ虐待、スペインのインディオ虐待、合州国のインディアン虐待というように。そして、労働力確保のために、アフリカ系住人を強制連行したように。だから、私たちは知らなければなりません。北海道・南千島が日本領だと主張する大本《おおもと》は、すさまじいアイヌ虐待の結果、得られたものだということを。

１８６８年、戊辰《ぼしん》戦争のさなか、江戸政権の海軍を率いた榎本艦隊は箱館《はこだて》五稜郭に入城し、北海道南部を支配しました。榎本政権が一時的に誕生し、七飯《ななえ》をガルトネルに貸し、プロシアの植民地になりました。しかし、翌年、新政府軍が侵攻し、榎本政権を降伏させ、北海道・南千島は新政府の領域に入りました。七飯も多額のお金で取り戻しました。北海道・南千島が新政府に占領されたのです。

（4）ねらわれる琉球王国

ペリー艦隊が浦賀に来航したことは有名ですが、その前に、琉球に来航しています。ペリーは状況によっては、琉球を占領することも考えていました。アメリカとの交流について、琉球が「小さな島国のため、貿易は無理だ」と説明しているのに、ペリーは傍若無人《ぼうじゃくぶじん》にも構わずに、２００人を引き連れて、首里《しゅり》城に入ってきました。無人の家にドカドカと土足で入り込むという例えがピッタリでしょう。

その後、ペリー艦隊は浦賀に行きますが、江戸政権の「一年、猶予《ゆうよ》を」という回答を受け、香港《ホンコン》に戻ります。そして、翌年、琉球を経て、再び江戸に向かいます。

このとき、アメリカと琉球王国の間に、琉米修好条約が結ばれました。薪や水など補給物資の供給を認めさせました。これは、アメリカが琉球王国を独立国として見ていたことになりますが、その一方で、琉球の陰に日本の姿があることを知っていました。ペリー艦隊は、「中の文化圏」の王都・江戸、「南の文化圏」の王都・那《な》覇《は》、「北の文化圏」の中心都市・箱館に来航したのでした。

１８６６年、最後の琉球王・尚泰が即位ました。清王朝から冊封使を迎え、清王朝と琉球王朝の冊封関係を確かめる儀式になりました。

（5）明治新政府

ペリー艦隊が浦賀に来航し、江戸政権が崩壊し、欧米列強型の新たな国家作りを模索する間を明治維新と言います。戊辰《ぼしん》戦争によって、薩摩・長州・土佐（高知県）・肥前（佐賀県）などの旧武士出身たちによる、政府が成立します。これを明治（新）政府と言っています。ただし、明治政府の官僚には、旧江戸政権の役人が多数採用されました。また、明治政府によって出現した国家を、天皇を首長とする日本帝国と呼ぶことにします。

明治政府の目標は、欧米列強に侵略されないこと、それはアジア諸国が軒並《のきな》み、侵略され、植民地にされていることを、目の当たりにしているから、当たり前のことです。しかし、単に欧米列強に侵略されないだけではない、日本帝国も欧米列強と肩を並べ、侵略し、植民地を増やすこと、それが日本帝国の「発展」とされます。

日本が近代国民国家になったのは、明治維新からです。日本史に限定して、「国がどういう仕組みになったら、こういう時代区分で呼ぶ」という、一国史の分析の仕方は、あり得ます。だから従来の明治維新から「近代」と呼ぶ手法は否定しません。しかし、本書は「人間の歴史」のうねりをもとに、時代区分をしており、東アジア列島の歴史もそこから位置付けしてきました。人間の歴史としての普遍性を追求したいのです。

さて、身分制に基づく封建領主（大名）が、「中の文化圏」に300人もいます。それをどうやって、天皇を長とする中央集権的な国家に変えられるでしょうか。明治新政府は、大名（藩）がまず土地と人民を名目上、天皇に返すという版籍《はんせき》奉還（1869年）を行い、2年後には薩摩・長州・土佐の藩兵を東京に集め、一気に藩（大名制）を廃し、全国に中央から派遣する長官のもとの、県を置きます（廃藩置県〜1871年）。これは、鎌倉政権以来続いた封建領主制を、ちゃぶ台返しでひっくり返し、天皇のもとに中央集権制を敷き、官僚機構によって、国家の運営を行おうというクーデターです。なぜ、こんな乱暴な社会変革が可能だったのか、それは大名たちが借金まみれで、大名の制度では立ち行かなくなっていた、限界に来ていた、そこにこのクーデターが起きたのです。武士と、農民・町人にあった身分差もなくし、すべての国民が苗字を持つようになりました。旧・武士は、刀の所持権を取り上げられ（廃刀令）、江戸政権下の認められていた知行（サラリー）も、退職金と引き換えに、取り上げられました（秩禄《ちつろく》処分。四民平等）。

これらは「歴史上の大画期」を求めるエネルギーを土台にし、貴族も武士も登場する前から、そもそも日本の支配者は天皇だったという、（国学による）知識層の「常識」が、受け入れる精神的素地としてありました。

強力な中央政府ができると、国民国家づくりです。1872〜73年にかけて、国のすべての子どもを対象にした教育（学生の発布）、税を米から金納にする（地租改正）、国民皆兵（徴兵令《ちょうへいれい》）など、矢継ぎ早の政策を打ちました。各地の農民は、働き手を失う、これらの政策に一斉に反対し、一揆を繰り返しました。しかし、それは国民すべての教育へ、すべての男子が兵役へと、時間の経過とともに変わっていきます。これらの施策は、政府の中枢（岩倉使節団）が欧米視察に行っている僅か1年数か月の間に、西郷隆盛を中心にし、肥前藩（佐賀県）出身者の頭脳（１８０８年にイギリス軍艦が長崎に強行突入し、佐賀藩が責任を取らされたフェートン号事件以来、洋学に力を入れてきた）をもとに、留守《るす》政府が断行しました。

一方、兵としての役割を取り上げられた旧・武士（士族）の不満は多大なものがありました。特に、戊辰戦争に敗れた東日本、東北地方の諸藩の武士は、どんな政策も受けざるを得ませんでしたが、「勝利した側」の西日本の諸藩は、命がけで勝ったのに特権を失っていく不条理が根底にあり、維新政府の権力闘争（明治六年の政変）に大久保利通に敗れ、下野した幹部をリーダーにし、相次いで、「反乱」を起こしました。そして、「反乱」の最大のものが、西郷隆盛による鹿児島の西南戦争でした（１８７７年）。

明治維新の諸改革は、仮に民主主義の手続きを取ったら、圧倒的多数の人が反対し、成立しなかったでしょう。おそらく、「なぜ、こういう改革が必要か」と説得しても、やはり多くの人たちには理解不可能だったと言えます。「民主主義が定着する」とは、単なる多数決の結果ではない、知性ある市民の存在が前提なのです。当時の日本（中の文化圏）の民衆は、文化的には（浮世絵《うきよえ》、読本《よみほん》、権力へのあてこすりのお芝居《しばい》、狂歌など）江戸文化を享受した「教養人」ですが、市民社会の理解についてはほとんどなかったと言えましょう。ただ、「教養人」だったことは、「市民社会」を理解するための基盤になりました。

(6) 自由民権運動

ところが、「市民社会」の意味を理解させようという一派が登場します。

明治政府の政策は、薩摩・長州・土佐・肥前各藩の開明的な指導者が進めたものですが、肥前・土佐出身者の多くが脱落します（明治六年の政変）。板垣退助らの土佐出身者は士族の「反乱」ではなく、言論に訴えて、明治政府にもの言うという方法を取りました。その内容は、単に軍事的に欧米列強に負けないのではない、国会を開いて、国民の代表による政治を行えというものでした。欧米の議会制度を学び、ルソーら、啓蒙思想家の思想を学び、薩摩・長州出身者ではなく、国民が国を作るという考えに立ちました。この考えは、土佐出身の士族から、やがて全国の地主層の人々にも広がり、自由民権運動になっていきました。土佐藩は、江戸政権下、進駐軍（山内氏）の上士が原住（長宗我部氏）の下士を二百数十年いじめぬいた歴史があり、平等への強いあこがれがありました。明治政府は、上からの革命政策を打ち出し、その意味を介さない国民に苦慮しましたが、いったん、国民が「国民国家」の形を理解し、そこには国民の意志が反映されなければならないことを知ると、ただちに弾圧に走りました。

自由民権運動が燃え上がると、明治政府は当座しのぎのため、国会を10年以内に開くと約束して、そのための憲法作りを進めることにしました。自由民権側は板垣が自由党、明治十四年の政変で敗れた大隈《おおくま》重信は立憲改進党を作り、国会開設に備えました。この間、自由民権運動は農民の悲惨な生活状況のもと、革命政府に憧《あこが》れ、暴動化する（秩父《ちちぶ》事件など）こともありました。

こうしてできた大日本帝国憲法（明治憲法）は、民権運動家の意に反し、伊藤博文らの意向で、プロイセン（ドイツ）憲法を見習い、皇帝（天皇）の権力を強大にした憲法になりました（１８８９年）。アジアで、一早く、近代国家体制を敷いた日本帝国。そこには、朝鮮の金玉均、中国の孫文、蒋介石などが学んだり、亡命に来たりしました。ここには、限定的ながら、人権を学べる場があり、国民国家作りが進められ、議会があり、産業革命も進んでいきました。ということは、アジアの中核「文明」の拠点国家になれる可能性がありました。しかし、実際の日本は、そうはなりませんでした。

(7) 北海道が日本の一部にされる

1869年は、北海道と南千島が日本の一部になった年です。アイヌモシㇼの大部分が、完全に日本帝国の植民地になった、日本帝国「拡大」の基点になったとも言いかえることができます。

この年の8月、松浦武四郎の建言を受けて、蝦夷島を「北海道」と改称しました。

ここから、和人が自由に居住できるようになりました。ただ、松浦の想いとは裏腹に、これ以降、アイヌ民族は先住民族となり、多数者の和人に生活圏を奪われていきます。日本がアイヌ民族にさせようとしたこと、それは以下に述べる民族解体です。

1872年、北海道土地売貸《ばいたい》規則・地所規則により、和人に一人10万坪までの土地を払い下げました。しかし、先住者のアイヌはそこに含まれません。1877年には、アイヌの居住地の中には官有地にされ（北海道地券発行条例）、行政のいいように、強制移住の対象にされる地も現われました。

アイヌ民族の生業と言えば、シカ猟とサケ漁です。しかし、「北海道鹿猟《しかりょう》規則」でシカ猟は人数制限の免許制にされ、毒矢を禁止、各地の川でのサケ漁も禁止になりました。その上、十勝《とかち》地方に出現したバッタの大群が（北海道西部の）日高《ひだか》・胆振《いぶり》・石狩《いしかり》地方に襲撃し、アイヌの農耕・採集生活にも打撃を与えました。

アイヌ民族に、日本式の創氏が強制され、耳輪・入れ墨・家焼きなどの民族の風習が禁止になりました。名前と文化と、生業と土地が奪われ、さらに「北海道土地払い下げ規則」（1886年）、「北海道国有未開地処分法」（1897年）で和人に多大な土地を与え、アイヌ民族の存在が追い込まれていきます。

1871年、開拓使（北海道「開拓」の役所）の次官・黒田清隆は北海道10年計画を立てました。お雇《やと》い外国人の指導のもと、主にアメリカ風の「開拓」地を目指し、産業を興そうとしました。幌内《ほろない》（三笠）〜手宮《てみや》（小樽）に鉄道を走らせましたが、これは石炭〜鉄道〜港を結ぶものです。いわば、植民地の資源を、鉄道で運び、それを船で全国に運ぶというシステムに他なりません。さらに、北海道内部まで和人が移住し、農業を始めますと、内陸の農産物が港を通して全国へ運ぶシステムに「拡大」していきました。

北海道「開拓」は、薩摩閥《ばつ》の黒田清隆が次々と拓殖政策を進めますが、北海道の官有物を同郷の五代友厚《ごだい》に格安で払い下げるという事態が明《あか》るみになり（北海道開拓使官有物払い下げ事件）、開拓使の時代が終わります。その後、新たな方向として、富裕な民の資本を引き入れて「開拓」を広げようというようになっていきます。

さんざん追い込まれた北海道アイヌには、和人に良好な土地を与えられた後ですが、一戸あたり1万5千坪までの未開地を農地に限り「下付《かふ》」するとした、「北海道旧土人保護法」が成立しました（１８９９年）。

(8) 千島・樺太交換条約

サハリン（樺太）島に居住していたのは、アイヌ・ウイルタ・ニブフですが、日露通好条約（１８５４年）では、ロシアと日本の両国の領土とされました。しかし、国力の差で、ロシアの力が押してくるばかりです。

１８７５年、箱館《はこだて》戦争（戊辰《ぼしん》戦争の最終戦）で、新政府に抵抗し、その後、降伏した榎本武揚《たけあき》は、今度は新政府の代表として、ロシアと交渉しました。結果、サハリン全域はロシアに、千島全域は日本という、千島・樺太（サハリン）交換条約を結びました。しかし、この条約には、そもそも、樺太アイヌや千島アイヌの意志は全く入っていません。かれらにとっては、頭越しに勝手に外国が領有したことになります。

そして、歴史的に、日本とのつながりがあったサハリン南部の樺太アイヌの大地は、突然、ロシア領にされ、歴史的にロシア人とつながりのあった千島アイヌの大地は、突然、日本領にされました。

二千数百人程いただろう樺太アイヌのうち、８４１人は苦渋の選択を迫られ、（サハリンの対岸の）宗谷《そうや》移住を希望しました。しかし、黒田清隆はそれさえも認めず、江別の対雁《ついしかり》に強制移住させました。そこにコレラ・天然痘が流行し、わずかの期間に三百数十人が病死しました。

北千島のアイヌに対しては、ロシア国籍を希望した人はロシアに移住しましたが、北千島に残りたいとした人は、その希望を認めませんでした。北千島の97人を根室沖の色丹島《しこたん》に強制移住させました。ここでも、北千島とのあまりの生業・風土の違いに、多数が死亡しました。

(9) 琉球王朝の滅亡

日本帝国は、「北の文化圏」だけではない、「南の文化圏」も、領域に入れていきました。

1871年、岩倉具視《ともみ》や大久保利通・木戸孝允《たかよし》など、明治新政府の重鎮《じゅうちん》が、欧米列強の視察に行きました（岩倉使節団）。留守を預かるのは、西郷隆盛を中心にしながらも、肥前藩・土佐藩出身者が多かったです。

留守政府は、1871年11月から73年9月までの2年弱の政権でしたが、積極的な外交も行っていきました。それは東アジア侵略の第一歩とも言えます。

1872年、琉球王・尚泰は、明治新政府誕生のお祝いに、慶賀使派遣を行いました。それに対する明治政府の返答が「汝・尚泰を藩王として、華族に列す」という一方的なもので、いきなり、日本の一部の、琉球藩という位置づけを言い渡しました。

日本と清王朝の関係は、李鴻章《りこうしょう》と伊達宗城《むねなり》の交渉を経て、副島《そえじま》種臣が日清修好条規を結びました。これは、倭の奴国《なのくに》、邪馬台国の卑弥呼《ひみこ》以来、日中外交史で初めての、互いが確認し合った、対等な日中関係でした。

さらに、朝鮮王朝に、「開国」も求めました。しかし、朝鮮王朝は、国王の父・大院君のもと、鎖国政策を続けており、アメリカやフランスの「開国」要求も拒否してきました（丙寅《へいいん》教獄・丙寅洋擾《ようじょう》・ジェネラル・シャーマン号事件）。留守政府は、士族（元・武士。明治政府の政策でその身分を奪った）の不満が沸騰《ふっとう》していることもあり、武力も辞さず「開国」を迫ろうとし、西郷が朝鮮使節に行くことを決定しました。そこに、岩倉使節団が帰国し、征韓派（西郷隆盛・江藤新平・板垣退助ら）と、「内治優先派」（大久保利通・木戸孝允・岩倉具視ら）が対立し（明治六年の政変）、「征韓派」が敗れました。この後、下野《げや》した「征韓派」が、士族の反乱や、自由民権運動を進めていくことはすでに説明しました。

征韓論の前の1871年、宮古島の船が台風で台湾に漂着し、乗組員66人中54人が台湾の先住民族に首を斬られる事件がありました(牡丹社《ぼたんしゃ》事件)。台湾は中国の一部か、そうではないのか、琉球は、独立国か、中国の冊封国か、日本の一部か、台湾も琉球もファジーな形で、存在していました。そこに、留守政府が「台湾出兵」を検討し、大久保ら「内治優先」派のはずの一派も、これに乗りました。結局、士族の不満が爆発寸前で、どこかに戦争のはけ口をもって行くしかなかったのです。こうして、西郷従道《つぐみち》による台湾出兵が行われました。

このときの明治政府の言い分は「日本国属民」の琉球人が襲われたことを理由にしました。実は、このとき、琉球は日本の一部ではなかったのにも関わらず、清王朝はこの理屈を認めてしまいました。

1875年、明治政府は、松田道之を琉球の「処分」官にしました。琉球王朝内は、松田らに賛同する「開化」派と、それを拒否する「頑固」派に分かれ、激論になりました。琉球を日本の植民地にすることを「処分」、それに賛成する派を「開化」、反対する派を「頑固」という用語自体が、日本の侵略政策を「善」とする史観であることを指摘しておきます。そして、1879年、松田は軍隊と警官を伴い、藩王・尚泰を東京に移住させ、廃藩置県を強行しました(琉球「処分」)。これにより、15世紀以来続いた琉球王朝は滅びました。

日本史関連本では、この段階で、南西諸島も、日本の一部になったと見なします。しかし、ことはそうは簡単ではありません。琉球王府の幸地《こうち》親方や富川《とみかわ》親方が中国に渡り、「琉球王国」復活の活動を進めました。八重山《やえやま》や宮古島でも、日本化反対の運動が起きました。日本帝国は清王朝と交渉し(1880年)、沖縄以北を日本領、宮古・八重島を中国領にするという案を提示しました。清王朝は、奄美以北を日本領、沖縄諸島は琉球王国復活、宮古・八重島は中国領という三分割案を出しました。どちらにしても、そもそもこの交渉には当事者の琉球王朝の代表が入っていません。

この日清の交渉は、日本案の方向で決着しかかりましたが、清王朝が調印をためらいます。そのうちに、日清戦争が起き、尖閣《せんかく》諸島を含む、琉球は日本の一部とされました。尖閣諸島、竹島、「北方」領土をめぐり、日中韓ロが互いに国家を背負って「正義」を主張しますが、国境の画定《かくてい》などはちょっとした風向きで変わってしまう、曖昧《あいまい》なもので、尖閣諸島（南の文化圏）と「北方領土」（北の文化圏）はそもそも日本ではなかったのです。琉球王朝やアイヌモシㇼの一部を、日本と中国やロシアが奪い合った結果に過ぎません。

二　台湾・朝鮮・サハリンへの侵攻

（1）日清・日露戦争

朝鮮、琉球、ベトナム、シャム（タイ）、ビルマ、コーカンド、グルカ（ネパール）は、清王朝を宗主国とする、朝貢国（属国）でした。このうち、コーカンドはロシア、ベトナムはフランス、ビルマはイギリス、琉球は日本の植民地になっていきました。

一方、朝鮮王朝は国力があったので、簡単には植民地になりませんでした。日清戦争の後、朝鮮王朝は清王朝からの「属国」を離れ（韓王朝と改名）、ロシアを挟《はさ》んで、独立を模索します。しかし、日本帝国は抵抗する王妃の閔妃《びんひ》を暗殺し（これ、逆に日本の皇后が外国人に殺されたら大騒ぎしませんか）、ロシアの勢力も追い出し、日露戦争後、ついには韓王朝（朝鮮王朝）を日本の植民地にしてしまいました。

その経過は日本帝国の負の歴史として重要ですが、ここは細かなやりとりにとらわれず、台湾・南サハリン・朝鮮半島がどうなったかということに焦点をしぼります。

(2)台湾・南サハリン

日清戦争では、台湾が日本に占領された事実がないのに、下関条約(日清戦争の講和条約)の政治判断で、日本領にされてしまいました。ここにいた漢人の役人は、それに納得できず、唐景崧《とうけいしょう》を総統とする台湾民主国を成立させ、独立宣言しました。しかし、日本はまず東郷平八郎率いる日本軍艦が偵察、乃木希典《まれすけ》に派兵させ、台湾民主国はたちまち滅ぼされました。漢人の役人たちは、大陸に逃亡しますが、ここからが台湾人の抵抗が激しさを増しました。日本軍5万のうち、戦死者164人、病死4600人、病気で帰国2万人。出典によって数字は違いますが、いくつかの文献の最大公約数を見る限り、台湾人では1900年前後の数年間で、8千人ほどが逮捕され、3千人ほどが死刑、数千人が法律によらずに、処刑されたようです。

日本軍はゲリラが現れると、すぐに出撃します。ゲリラは一般民衆に紛《まぎ》れ込み、日本軍は一般民衆ごと殺戮《さつりく》します。この結果、一般民衆の憎悪が増すということになりました。

さて、台湾人のうち、山岳諸民族による抵抗が火を噴きました。1898〜1901年まで、日本軍は恒春や新竹の先住民族を攻撃、先住民族も反撃に出て、日本一般民衆の被害は、毎年、500人を越えました。樺山資紀・桂太郎・乃木希典と、3代の台湾総督時代は、武力弾圧一本槍で、台湾人の抵抗戦は激しさを増すだけでした。古武士風に人格をつくり上げた乃木が、戦争では作戦のまずさから死体の山を残す、日露戦争における旅順の戦いにつながる事象です。しかし、4代・児玉源太郎は自首すれば刑を減じると、懐柔策に転じ、日本「進駐」への抵抗戦は一段落しました。

1910年代には、山岳諸民族の武器を没収し、彼らの居住地に道路を造ろうとしますが、直ちに山岳諸民族の反撃が起きました。

1930年、霧社《むしゃ》地域のマヘバ社の首長・モーナルダオが決起。霧社公学校の運動会に集まった日本人を襲いました。227人の日本人のうち、143人が亡くなりました。日本軍は2千人の軍隊・警察で攻撃し、山岳諸民族の死者は６５８人に及びました（霧社事件）。

現在、台湾からは、韓国ほど、日本の植民地支配への責任を問う論があるわけではありません。それをいいことに、「日本は台湾でいいことをした」「ダムを造り、学校も造り、台湾人は有難がたがっている」と宣伝する人々。ただ、日本のためのインフラ整備と、台湾人を同化するための教育だったということで、戦争によって、他民族の領域を奪うという大前提を忘れて、「いいこともした」はありません。


日露戦争後のポーツマス条約の結果、サハリン南部にはたくさんの日本国民が移住し、そこにいた先住民族・アイヌをいくつかの地域に強制集住させました。また、北海道の江別（対雁《ついしかり》）に強制移住させられた樺太アイヌも日露戦争前後から、サハリンに戻ります。ここはロシア人や先住民族の徹底抗戦はなかったのですが、先住民族には民法も刑法も認めない、戸籍も認めないという差別扱いをしました。

（3）韓帝国「併合」

韓帝国「併合」の歴史評価に対して、日本と韓国の見方が対立しています。いわば、植民地にしたのが、合法か否かということです。しかし、相手国の喉元《のどもと》に剣を突きつけた加害者が形式的に合法も何もあったものではありません。韓帝国「併合」までに何があったのかを記します。

１９０４年の日露戦争に対しては、韓帝国は中立を主張しました。しかし、日本軍はそれを無視し、たちまち京城《けいじょう》（ソウル）を占領し、韓帝国の役人を買収、あるいは反日派の役人を軟禁し、「第三国（ロシアでしょう）の侵略や内乱に対し、日本政府は必要な措置を取る」などを示した日韓議定書《ぎじょうしょ》を結ばせ、半年後、日本政府の推薦する財政顧問、外交顧問を強制し、外交は日本と協議することを押し付けました（第一次日韓協約）。

１９０５年の日英同盟において、条約の範囲をインド洋まで広げ、日本が韓帝国を「指導」「保護」する対象であることを確認、桂太郎首相は、アメリカのフィリピン支配と、日本が韓帝国を「保護国」にすることを、アメリカと認め合いました。9月にポーツマス条約があって、11月、伊藤博文が韓帝国皇室への「慰問《いもん》」と称して、京城へ行きました。皇帝が日本の政策に不満を述べると、「誰のおかげで生き残っていると思っているのか。保護国になれ」と言い、それから数日して韓帝国の首脳に「保護国」になることを認めさせました。このとき、参政（総理）大臣・韓圭卨《けいか》は拒否し、失神しましたので、参政大臣抜きで決まりました（第二次日韓協約）。そして、翌1906年、伊藤博文が初代韓国統監になりました。この間、日韓両国の間にある無人島の竹島が、日本の閣議決定（当然、韓帝国との話し合いもなければ、日本の議会の決定でさえない）で、島根県に編入されました。（※ただし、第二次世界大戦後、日本が弱っているときをねらって、李承晩政権が一方的に竹島を軍事占領しました。それを韓国国民がこぞって熱狂的に支持する姿は、日本へのうっぷんばらしでしょう。）

1907年6月、韓帝国皇帝の密使が、オランダのハーグで行われた第2回万国平和会議に行き、現状を訴えました。しかし、列強は日本の韓国支配を認めていました。7月、さらに、密使の事実を知った伊藤博文は「堂々と宣戦布告したらどうだ」と迫りました。まもなく、韓帝国皇帝は譲位となりました。8月、京城の韓帝国の軍隊の解散式を決行、大隊長の朴性煥《せいかん》は自殺、参加者1812人中1350人ほどが脱走しました。

こうなると、朝鮮人の反植民地運動に火が付きます。義兵として、1907～12年の5年間に14万余りが参加し、朝鮮人の戦死者1万6千人余り、負傷者3万7千人ほどになりました。1909年には、侵略の象徴である伊藤博文が、ハルビン駅で安重根に殺害されました。安重根は朝鮮人ですが、外国である日本の裁判で裁かれました。1910年、寺内正毅が第3代統監になり、軍艦数十隻で押し寄せ、李完用を呼んで、韓帝国「併合」を認めさせました。

北海道・沖縄・台湾・サハリン南部・朝鮮半島の植民地支配。この時代はそういう時代だった。まさしく、その通りです。しかし、それは列強の言い分であって、かれらに抵抗し、蹂躙された人たちの声ではありません。

〈参考文献〉

・平山裕人『地図でみるアイヌの歴史』（明石書店）　2018
・新城俊昭『高等学校　琉球・沖縄史』（東洋企画）　1998
・田中彰『明治維新』（岩波ジュニア新書『日本の歴史』7）　2016
・由井正臣『大日本帝国の時代』（岩波ジュニア新書『日本の歴史』8）　2017
・井上勝生『幕末・維新』（岩波新書『シリーズ日本近現代史』①）　2017
・牧原憲夫『民権と憲法』（岩波新書『シリーズ日本近現代史』②）　2016
・原田敬一『日清・日露戦争』（岩波新書『シリーズ日本近現代史』③）　2017
・喜安幸夫『台湾史再発見』（秀麗社）　1992
・井沢元彦『逆説の日本史』（小学館文庫『官僚政治と吉宗の謎』）　2012
井沢元彦『逆説の日本史』（小学館文庫『西南戦争と大久保暗殺の謎』）　2019
・『明治維新』（家永三郎編『日本の歴史4』ホルプ社）　1977
・『明治国家と民衆・日本の資本主義とアジア』（家永三郎編『日本の歴史』5　ホルプ社）　1977
・『大正デモクラシー・戦争への道』（家永三郎編『日本の歴史』6）　ホルプ社　1977
・波多野善太『東アジアの開国』（新人物往来社『東洋の歴史』10）　1967
・王育徳『台湾』（弘文社）　1983
・隅谷三喜男『大日本帝国の試煉』（中央公論社『日本の歴史』22）　1967

第六編　近代後期

第1章　近代後期の世界

一　近代後期とは何か

近代とは、欧米列強諸国が世界制覇を始め（前期）、すべて世界を奪い尽くし（中期）、それが解体していく（後期）というサイクルの時代を言います。つまり、近代後期とは、列強諸国が世界のすべての地域を侵食していった（これを帝国主義と言う）、その後の時代を指します。

ここには、二つの表裏の現象が起きて、列強（帝国主義国）の世界制覇を解体させていきます。

一つは列強の世界制覇が終了すると、「拡大」に限界が来て、あるいは「拡大」し尽くして、列強の中で同盟を組み、それぞれの同盟同士が対立し、列強同士のすさまじい奪い合い（戦争）になったということです。イギリスを中心とする同盟と、ドイツを中心とする同盟の戦い（第一次世界大戦）、英仏米を中心とする同盟と、ドイツ・日本を中心とする同盟の戦い（第二次世界大戦）、アメリカを中心とする同盟とソ連を中心とする同盟の戦い（米ソ冷戦）と、大きく三度のステージを経て、現在に至ります。

もう一つは、列強支配をぶち壊そうという動きです。第一次世界大戦によって、民族自決の方針をもとに、東ヨーロッパの国々で独立が相次ぎ、アジアで独立運動が激しくなります。第二次世界大戦によって、民族自決の方針をもとに、アジア、そしてアフリカの独立が相次ぎます。米ソ冷戦の終結を機に、東ヨーロッパの国々が民主化し、先住民族の民族自決、国家から虐げられた人々によるテロ活動、あるいは大移動が起きています。

そして、列強の世界支配の基盤になってきた資本制社会は、経済「成長」のため、利益を追い求め、大量生産・

大量消費・大量廃棄の体制を拡大していくものですが、その行きつく先が限りある地球環境を犯し、地球を狂わせる元凶になることがわかってきました。近代の体制をぶち壊すのは、国家のひずみを受ける人間からの反撃だけではない、地球環境そのものからの破滅的な反撃も起きているのです。「成長」は限界、それではどうしたよいのか、現生人類の「知性」と「知恵」、その根底にあるべき「叡智」を求められる事態になっています。

〈世界の近代後期〉

列強が世界を奪い尽くした後、その配分をめぐり、三度に渡り、対立する。

そして、現代（近代後期後葉）は、人間による、とめどもない覇権争い、経済「成長」の手段としての「効率化」が何をもたらすのかを考え直す時代になっている。

	世界史	東アジア列島		
		中の文化圏	北の文化圏	南の文化圏
前葉	列強が世界中の大地を奪い尽くし、その大地の配分をめぐって、第一次世界大戦、第二次世界大戦を引き起こす。	日本帝国が、北サハリンを除く北の文化圏の大部分（アイヌモシㇼ）と、南の文化圏のすべてを支配し、天皇を盟主とする近代化を押し付ける。第一次世界大戦前後から、朝鮮半島を領域にし、さらに満州・中国大陸・東南アジア・太平洋地域を奪おうという大戦争（アジア・太平洋戦争）を引き起こす。		
中葉	列強の植民地だったアジア・アフリカ地域が独立していく。代わって、米ソが対立して、ヨーロッパでは冷戦、アジアでは代理戦争を引き起こす。	米ソ冷戦の中、アメリカ側の国となり、対外戦争を拒否し、経済「成長」を重視していく。	日本とソ連（ロシア）で、「北の文化圏」を分離する。日本は一部の返還を求めている。アイヌ民族が先住権を求める。	中国を撤退した国民党政府が台湾、南西諸島をアメリカが占領する。その後、台湾は民主化する。沖縄は日本の一部にされるが、広大な米軍基地を日本も承認している。
現代	米ソ冷戦が終わり、アメリカに追いつこうとする中国、ついでインドが台頭。国家を越えようとする動きが出てくる。	自民党一党支配が終わり、停滞・衰退の時代となる。「戦争できる国」をめざす。		

二　近代後期（前葉）

近代後期（前葉）においては、現代の形づくりに直接つながるだけに書きたいことがたくさんあります。しかし、紙数に限りがありますから、ここは第一次世界大戦と第二次世界大戦がなぜ始まったのかということと、アジア最初の共和国をつくった辛亥《しんがい》革命、20世紀の一方の雄をつくったロシア革命、非暴力の抵抗を示したインドの独立運動にしぼって説明します。

（1）第一次世界大戦

帝国主義列強による世界の奪い合いは、いたる地域で軋轢《あつれき》を起こし、収拾《しゅうしゅう》不能な状態になっていきました。

１９００年段階では、ドイツ・イタリア・オーストリアの三国同盟、ロシア・フランスのロ仏同盟（後にロ仏協商）、光栄ある孤立のイギリスの三極だったのが、日英同盟、日露戦争を経て、流れが変わります。イギリス・フランスの英仏協商（１９０４年）、イギリス・ロシアの英ロ協商（１９０７年）となり、三国協商が成立しました。皆、自分の勢力拡大だけを目標にし、利害関係に基づく同盟を作る、そこに抑制の論理はありません。

バルカンをめぐる、ロシアとオーストリアの対立、そのバックには三国協商と三国同盟がある、そして、「先進」帝国主義国のイギリスとそれに追いつこうとするドイツ、国境を接するドイツとフランスの歴史的対立、こういう諸々《もろもろ》が対立の糸を複雑に絡《から》ませました。しかも、ロシアは欲張りにも、トルコ・オーストリア・ハンガリー支配下のスラブ人もロシアの下に置こうという汎《はん》スラブ主義運動も進めます。

バルカン内の小国家の合従連衡《がっしょうれんこう》と、その裏にいるオーストリアとロシアの対立は、１９１４年6月、セルビアの一青年がオーストリアの皇太子夫妻を暗殺することで、火が付きました。この暗殺は一暗殺事件ではない、大戦争に至る空気が充満する中での導火線になりました。軍事力のバランスがあれば、戦争にならないという論がありますが、不満と不信感のエネルギーは偶発事件から、とてつもない事態を起こします。7月28日に、オーストリアがセルビアに宣戦し、1週間で連合国（三国協商）と同盟国（三国同盟。ただし、イタリアは中立国から連合国になる）の、全ヨーロッパの世界大戦になりました。

第一次世界大戦の本質は、列強の「拡大」の結果、世界中から奪う地域がなくなった。それでは後はぶつかり合って奪い合うしかないということです。「拡大」の行き着いた先の戦争なのです。

この戦争は近代、つまりコロンブスの航海以来の「拡大」の結果であるばかりでなく、「文明」、特に古代に「領域国家」が出現して以来の到達点でもあります。

(2) 辛亥《しんがい》革命

中国・清王朝は太平天国の戦争後、王朝を補強する方法で、生き続けました。そこでは、王朝の衰退を直視せず、贅沢三昧《ざんまい》を続ける実質権力者・西太后のもと、李鴻章《りこうしょう》が手腕を発揮しました。外交も軍事も李鴻章の個人技に頼りっきりでした。あちこちで雨漏りしている王朝を、応急処置（洋務運動、変法運動）でしのぎました。しかし、王朝という体制がもはや時代の波に付いていけません。清王朝の絶頂時代に築いた、周辺地域への影響力が、羽をむしられるように、奪われていきました。ベトナム、琉球、朝鮮での、宗主国の立場が消えました。日清戦争の敗北後、列強の利権貪《むさぼ》りと続き、北清事変での対応で、清王朝は方向を見失ってしまいました。

1905年、「中国革命同盟会」が日本でつくられました。もはや王朝体制は無理だ、そういう主張が各地で起き、そのまとめ役に知識人で、早くから革命運動を続けてきた孫文が選ばれました。孫文は王朝崩壊の後は共和制をつくり、周の井田《せいでん》制、北魏《ほくぎ》の均田制以来の理想、土地所有の平等化などの思想を打ち出しました。

このころ、清王朝では、産業資本を持つ人々が従来の王朝体制の壁をぶち破ろうとしました。こうした後押しと、孫文の運動が一体化したとき、革命に結び付きました。

四川《しせん》省の鉄道建設をめぐって、民衆の反対運動が起きました。清王朝は武漢の新軍をこれに当たらせました。ところが、新軍の中に、革命組織が作られていました。1911年（辛亥《しんがい》の年）、武昌で蜂起が起き、そこに駐留していた軍は、革命軍に変貌しました。この知らせを聞いた各地域も、独立しました。同年12月、孫文は南京に集まった17省の代表者による選挙で、臨時大統領に選ばれました。ここに、（夏）・殷・周以来の王朝国家は倒れ、中華民国が成立しました。

一方、これに不快感を持つ人物がいました。北京にいる俗物・袁世凱《えんせいがい》です。袁は対抗する政府（北方派）を北京に作り、南京の孫文の共和国作りの邪魔をします。中国革命同志会は中国国民党となりますが（第二革命）、目先の権謀術数の技にかけては、はるかに袁が上手です。孫文は日本に亡命し、袁は皇帝になると宣言し、洪憲という元号まで作成しました。しかし、時代に逆行しすぎたため、北方派をも含め、多くの支持を失い、雲南省が決起し（第三革命）、袁は退位、意気消沈し、まもなく病死しました（1916年）。これはいかに手練手管《てれんてくだ》の限りを尽くしても、歴史の方向はもはや王朝国家に戻すことはできない、「歴史の性質」を示す事例となりました。

このように、中華民国の国づくりは前途多難で、なかなか進みませんが、実質、アジアで初めて共和制の国ができたということは、植民地支配に苦しむ、アジア・アフリカ地域の大きな一歩になりました。日本帝国はアジア・アフリカで唯一の帝国主義列強の道を歩み、アジア侵略者の一員になったので、アジア解放・王朝支配の打破の芽は、日本からではない、辛亥革命から始まったと言えます。

(3) ロシア革命

ロシアにとって、クリミア戦争の敗北は、資本制経済、国民国家、民主主義の体制を広めつつあったイギリス・

フランスに対して、皇帝（ツアー）の専制支配のもと、未だに領主制と農奴《のうど》を社会の基盤に置く、差異を実感させました。1861年、アレクサンドル2世の治下、不徹底ながら、上からの農奴解放を行い、領主制を廃止しました。さらに圧倒的な勝利になるはずだった日露戦争では、近代化を著しく進める日本帝国に敗れ続け、生活苦が続くなか、ペテルブルグの労働者が請願書を持って行進し、軍が一斉射撃する事件が起きました（血の日曜日。第一次ロシア革命）。日露戦争は日本とロシアの、南満州・朝鮮半島をめぐる植民地の奪い合いに過ぎませんが、「アジア人がヨーロッパ人に勝てるんだ」という意識（希望）も形成させました。

このころ、ロシア内で、レーニンとプレハーノフらによって、ロシア社会民主労働党が結成されていました（1898年）。同党は、労働者と農民が中心のボルシェヴィキと、都市市民階級が権力を握るメンシェヴィキに分裂しました（1903年）。ロシア政府は議会を作る一方（1906年）、ストルイピン首相のもと、革命運動を弾圧しました。

革命の指導者となるレーニンは、本国での活動が弾圧されていました。彼は3年間、シベリアで流刑、獄中で『ロシアにおける資本主義の発達』を執筆、ロシア社会民主労働党を作った後にも弾圧を受け、ロンドンへ移住、第一次世界大戦ではスイスに亡命し、チューリッヒで『帝国主義論』を執筆しました。

1917年、第一次世界大戦で打ち続く敗戦と食料事情悪化の中、首都ペトログラード（ペテルブルク）で、労働者の、決起が起きました。軍隊も民衆側に付き、国会は臨時委員会＋労働者・兵士の代表（ソヴェト）によって形成されました。皇帝ニコライ2世は譲位させられ、皇太子らは後継を拒否し、ロマノフ王朝は断絶しました（3月革命。ロシア暦2月革命）。翌年ニコライ2世と家族は殺害されました。臨時政府は、普通選挙による議会、言論・出版の自由、スト権の宣言、第一次世界大戦参加は続行と決めました。ボルシェヴィキのレーニンはただちにスイスから帰国しましたが、社会革命党のケレンスキーが権力を握り、ボルシェヴィキを弾圧、レーニンはフィンランドへ亡命しました。

ところが、革命はここで終わりません。プロレタリア（雇用労働者）独裁と武力革命を主張するボルシェヴィキが武装決起し（11月革命。ロシア歴10月革命）、ケレンスキーは女装して国外に亡命しました。こうして行われた選挙は、第一党が社会革命党、第二党がボルシェヴィキ党でしたが、ボルシェヴィキ党は議会を封鎖し、ボルシェヴィキ党以外の党を禁止しました。結果、ロシア革命によって、プロレタリア独裁の体制が出現し、1918年3月にはプレスドリトブスク条約によって、第一次世界大戦から離脱しました。このような政権奪取は民主的手法としては、正当性がないと言えます。しかし、革命時や大変革時で社会が大きくゆれ動き、流動性が激しいときは対抗勢力を陰謀によって、あるいは暴力的に消滅させることはよくあります。

また、一党独裁は、イタリアのファシスト、ドイツのナチス、日本の大政翼賛会、中国や北朝鮮の共産党に連なる、人類の間違った体制であることを指摘しておきます。人間は必ず過ちを犯すものなのに、一人の人間、一つの政党に権力を集中させることで、媚びる人、忖度《そんたく》する人が蔓延し、異論・正論を言う人を排除、甚だしい場合には殺害する、これは歴史の教訓（知恵）です。また、社会主義の国々は決まって、創始者やときの首長を崇拝させ、一党独裁し、言論弾圧と恐怖政治を強い、人々は表面上は体制を賛美し、実際はやる気を失せるパターンを示しました。人間から、「知恵」「知性」を奪い、権力への隷属だけとなった社会はどうなるかを示した、壮大な実権です。一方、民主主義も決して人類の理想などではない、しかし、要は四六時中、人類がまちがいを起こすので、まちがいに気付いたときに暴力なしに方向転換できる仕組み（知恵）だということです。しかし、民に知性がなければ、無責任な勇ましい主張、目の前の損得、うっぷんばらしに幻惑されて、おかしな政権を支持することになります。

なお、ロシアに成立した社会主義国家は、その後、勢力を増し、第二次世界大戦後は、世界を二分する一方になっていきます。ただし、社会主義体制はマルクスの予想と違い、「先進的」な資本制社会からは生まれませんでした。むしろ「先進的」な資本制社会を独裁体制によって一気に追い抜こうという手法だったのです。

(4)ヴェルサイユ体制

第一次世界大戦は千万人に及ぶ戦死者、しかもその期間に、実際はアメリカのカンザス州から流行したらしい「スペイン」風邪で、4・5千万人の病死者も出して終わりました。

なお、この間、オスマン帝国はアルメニア人を虐殺し、その死者は70万～120万人に及んだと推定されています。しかし、こうした加害の事実は、第二次世界大戦に対するドイツ、日本、ロシア(ソ連)などと同様に、自国民に知らせたくないことなので、「虐殺はなかった」とか、死者数を減らすとか、「虐殺」という言葉を用いさせないなどの、小狡《こずる》い「愛国者」が後を絶ちません。

1918年9月にブルガリア、10月にトルコ、11月にオーストリアが降伏し、ドイツでは革命が起き、ドイツの共和政府(社会民主党)によって、降伏を申し出ました。

大戦後の姿は、アメリカのウィルソンがすでに提案しています(十四か条の平和原則)。そこには、オーストリア・ハンガリー帝国内、トルコ内の民族自治、バルカン諸国の独立などが含まれていました。この原則に沿って、1919年1月には世界の首脳がパリに集まり、ヴェルサイユ条約を結びました。このとき、フランスが隣国・ドイツへの恐怖と憎しみのせいで、過酷な報復を提案し、実施されることになったのは、次の大戦のもとになっていきます。他国への憎悪、他民族への憎悪、他身分への憎悪、そして恨みという社会意志は、とてつもないエネルギーを持っているのです。歴史は生産力や軍事力など、目に見えるもので論理を組み立てますが、この憎悪という目に見えないもののパワーの恐ろしさも忘れてはいけません。

ヴェルサイユ体制では、アジア・アフリカに、実質上、民族自決権は認められていません。敗戦国の所有していたアジア・アフリカの植民地は、戦勝国の委任統治領に再分割されました。旧トルコ領の西アジアは、イギリスとフランスの委任統治領にされました。

ドイツへの厳しすぎる制裁(特に膨大な賠償問題)、アジア・アフリカの再植民地化は、その後の歴史の火種《ひだね》になります。第一次世界大戦で、帝国主義列強の植民地奪い合いはひとまず妥協ができましたが、いつでも新たな再編成を求めての戦争になりかねないものでした。とりあえず、「もう戦争はこりごりだ」という思いは世界中で共通のものだったので、アメリカのウィルソンの提案で、国際連盟がつくられ、スイスのジュネーヴに本部が置かれました。国際連盟は国際協調主義の思想のもと、英・仏・伊・日が常任理事国になりました。言い出しっぺのアメリカは議会の賛同が得られず、参加できませんでした。

フランス革命は、国王のためではない、国民こそが国の主人公だという認識を生み出しました。しかし、国の繁栄こそが第一だという認識が強すぎ、その行きついた先が第一次世界大戦でした。そこでは、国と軍と武器製造企業が結びつき、戦車・毒ガス・飛行機・潜水艦などが使われました。「国の繁栄」第一主義は、王朝国家ではあり得なかった、国民を総動員した、とてつもないパワーが悪（大量殺人）となることを証明しました。そのために、国際協調主義の考えが示されますが、それは余裕のあるうちはいいが、自国に不利な事態があれば、たちまち取って変わられるような弱いものでした。私たちの目を曇《くも》らせる要注意は「愛国心」です。「国の繁栄」（国益）第一主義は21世紀の現在、私たちの側に、それを乗り越える新たな社会意志が必要なのです。

（5）非暴力・不服従

第一次世界大戦で、イギリスは植民地・インドに協力を求め、戦後の大幅な自治を約束しました。しかし、帝国主義列強は、同じ「白人」の列強に対しては約束を守っても、「有色人種」に対してはその場限りの嘘を列挙しても、何とも感じません（人種差別）。イギリスは、約束を守るどころか、令状なしで逮捕、正規の裁判なしの禁固ができるローラット法を通し、インドの独立運動を認めない意志を示しました（１９１９年）。

このとき、登場するのがガンディーで、やせた体で、杖《つえ》と手織りの白衣だけの服装、野菜とヤギの乳だけの生活。この仙人のような人間が、独立運動の中心に立ちました。ローラット法に対し、「真理に従い、生命・人格・

財産に対する暴力は行わない」ことを訴えました。「暴力を行わない」とは、ローラット法に従うことではありません。暴力を使わないけれど、ローラット法にいっさい服従しないということです。

ガンディーは暴力を使わず、全インドに向けて、商店も工場も、何もかも仕事を休むことを求めました。イギリス当局は、彼を逮捕しました。これに対し、民衆が暴動化すると、彼は非暴力を訴え、断食しました。

１９３０年、ガンディーは塩の専売制を破るため、４００㎞に及ぶ徒歩デモを始めました。海岸に着くと、塩を作り、こうなると、全インドで「違法」の塩を作り始め、イギリスから与えられた栄誉職の返上、イギリス官立学校からの自主退学、イギリス裁判のボイコット、外国製布地のボイコットと、非協力運動が進みました。

時代を第二世界大戦まで進めますが、１９４２年、「イギリスはインドから出て行け」宣言を出し、イギリスはガンディーらを投獄しました。彼は3週間の断食を始め、これはたちまち世界のニュースになりました。民衆はガンディーのために祈り、イギリスの非道は明白なものになりました。

圧政や理不尽な権力に対しては、怒りと暴力による反撃が当たり前だし、今までの歴史もそういう事実を多数示してきました。しかし、ガンディーの指導したような闘い方もあったことを紹介しておきます。この抵抗法は、アメリカのキング牧師に引き継がれます。私は、ガンディーの晩年の側近女性に対する不可解な対応を知っており、彼を「アジアの聖者」と、神聖視することは避けます。しかし、同時代を生きた孫文やレーニンと同様に、人類の優れた指導者だということに異論はありません。

アジアでは、インドだけではない、広く独立運動が起きました。

東南アジアでは……。ビルマはイギリス領インドからの分離を望み、１９３７年に分離のみはできたものの、さらにアウンサンのもと、独立運動を行いました。ベトナムは１９３０年、ホー・チ・ミンらによるベトナム共産党が成立しました。インドネシアでは、１９２７年、スカルノがインドネシア国民連盟を作りました。フィリピンでは、アギナルドらが運動し、１９３４年、10年後の独立を約束され、フィリピン共和国として認められました。

中東では……第一次世界大戦に敗れたオスマン帝国は、多くの領土を失い、シリア（フランス委任統治領）、パレスチナ、イラク（イギリス委任統治領）などが成立しました。オスマン帝国はスルタン制をやめ、滅亡し（１９２２年）、共和制となった後、カリフ制もやめました。エジプトは１９２３年、立憲君主国になりますが、イギリスは撤退しません。ペルシアはパフレヴィ朝が成立し（１９２５年）、国号をイランにしました（１９３５年）。アフガニスタンはイギリスから独立し、１９２９年、立憲君主国になりました。アラビアでは１９３２年、サウジ・アラビア王国を作りました。

立憲君主制など王朝国家時代の残片、やりたくもないのに君主一族にされた人の気持ちも考えてみろ！　まさしくその通りですが、バラバラになりがちな国をまとめておく、過度期の装置なのです。私たちには、21世紀にもなって、即位式・葬儀のたびに、身分制の華《はな》やかさをありがたがることへの批判が必要です。

アジアの各地域が独立運動を起こし、自治権や独立を勝ち取って行く、それが１９２０〜３０年代の各民族の闘いでした。日本帝国がこうしたアジアの台頭にいかに鈍感だったかということは、第2章で示します。

（6）国際協調か、軍事拡大か

もう二度と、第一次世界大戦のような、戦争を繰り返したくはない。

１９１９年、敗戦国ドイツは国民主権、20歳以上男女の普通選挙権、国民投票による大統領制、労働者の団結権・団体交渉権などの、当時、考えられるだけの民主的憲法（ヴァイマル憲法）を制定しました。１９２６年には国際連盟に入りました。

列強は、アメリカを中心にして、たびたび海軍軍縮会議を行いました。１９２８年のパリ・不戦条約は「国際紛争解決のため、および国策遂行の手段としての戦争を放棄する」（１９２８年）というもので、戦争は永久に起こらないのではないかと思われるものでした。この条約には、日本もドイツも調印しています。日本は日本国憲法第９条と同質の、この条文に賛成しているのに、大戦争を引き起こす当時者になってしまいました。それは、この条文への強い思い入れがなかった、社会意志ではなかったということです。

第一次世界大戦で、膨大な賠償を背負ったドイツの不満、第一次世界大戦で戦勝国でありながら、大した利を得ることができなかったイタリア、軍縮会議に対する軍人の不満が高まる日本など、国内で不満が渦巻いていました。しかし、アメリカが圧倒的な力を見せ、そのリーダー性のもとの協調路線が上回って、それらの不満は抑えられていました。

１９２９年10月、そのアメリカのニューヨークで株価の大暴落が起き、それがたちまち全世界に広がる大恐慌になりました（世界恐慌）。これを乗り越えるために、列強は多大な努力を要しますが、うまく行きません。ここで、協調主義と、自国の権益をどこまでも主張しようという国家主義の力関係が逆転します。

（７）全体主義と第二次世界大戦への道

世界恐慌を乗り切るために、アメリカはＳ・ローズヴェルトによるニュー・ディール政策、イギリスはブロック経済を行いました。前者は、公共事業による雇用拡大と、労働者の権利を大きく認めるもので、イギリスの経済学者ケインズの理論に則《のっと》ったものです。後者は自国のみの保護貿易・統制経済を行い、当座を凌《しの》ごうとしました。

実は前者は人間の新たな歴史の始まりです。巨大なモノを造り、それを破壊してはもっと巨大なものを造り、雇用と利益を生み出す。道路・ダム・空港・新幹線・風力発電、もっともうかるものは戦争による武器。破壊と造築をくり返すことで経済「成長」し、地球環境をひたすらむしばんでいく歴史が一気に加速しました。

第二次世界大戦で「拡大」路線は否定されますが、そこから経済「成長」という新たな形が登場しました。それは現在の私たちを拘束して離さない社会意志です。私たちは絶えざる「成長」を生み出すため、涙ぐましい努力を強いられ続けています。これを払拭《ふっしょく》することが、近代を乗り越えることなのです。

一方、フランス・ドイツ・イタリア・スペインは極端な左派と右派による政権で、政治が不安定になりました。フランス・スペインは左派による人民戦線政府ができましたが、スペインは右派のフランコ将軍による独裁政権になりました。

この時代は、世界恐慌をどう乗り切るかということと、もう一つ、ソ連が広げようとしている社会主義にどう対峙するかということも、問題になりました。後者を重視した結果、ドイツ・イタリア・日本の全体主義〜侵略戦争の流れを初動のうちに止めることができなかったと言えます。

それでは、ソ連の社会主義はそれほどに魅力的なものだったのでしょうか。

ドイツ・イタリア・日本は第二次世界大戦の敗戦国だから、その流れを批判され、ソ連は戦勝国だから批判されないだけで、スターリン（共産党）のソ連、ヒトラー（ナチス）のドイツ、ムッソリーニ（ファシスト）のイタリアは、自国民への弾圧と外国侵略の残虐さは変わりません。彼らは「殺人狂」とでも言うしかありません。

ソ連はレーニンの葬儀をスターリンが取り仕切ります。急死した前代の権力者の葬儀を大々的に行うことで、自分の「後継者としての正統性」をアピールする。信長亡き後の秀吉などに見る王朝国家風の政治演出です。そして、ライバルのトロツキーを失脚させ、国外追放し、ついには逃亡先のメキシコまで追いかけ、見つけ、暗殺しました。その後も、ライバル勢力を殺害し、そのライバルを殺害するために味方にしたグループを次の標的にして、粛清《しゅくせい》することを繰り返しました。ソ連は社会主義理論による計画経済（第一次五か年計画）を行ったので（1928年）、世界恐慌の影響を受けませんでした。第一次五か年計画の総決算が発表されたときは、出席者たちは「偉大な理論家」「天才的な思想家」「我らの敬愛する指導者」と持ち上げ、この大会を「勝利者たちの党大会」と呼びました。いい「大人」がここまでゴマすりをして、自己嫌悪に陥らないのか、スターリンもこんなゴマすりでいい気になるのかと情けない限りですが、これは今でも権力者の資質では日常的に起こり得ます。しかし、それでスターリンは満足したかというと、この大会参加者１９６５人のうち、後に１１８０人が逮捕され、１３９人の中央委員のうち、98人が逮捕・銃殺されました。さらに、ウクライナの共産主義者、ウズベクの共産主義者、ポーランドの共産主義者も逮捕・銃殺されました。ここまで来ると、下手な政権批判は銃殺を意味し、お上に迎合しても、本音を見透かされ、目立たないことだけが生き残る道になります。何せ、オベッカを使って、出世しても、自分に取って変わるつもりではないかと疑念を持たれ、消されるのですから。ソ連の大量殺戮数ははっきりしませんが、ウクライナでは４００万人近くの人々が殺害されたとも言います。

ソ連のスターリンによる集団殺戮の情報は、周辺国に伝わっていませんでしたから、自国の宙ぶらりんな政権に愛想を尽かした青年たちは、社会主義に理想を追いました。それが、周辺国にとって、社会主義勢力への恐怖になったのです。私たちは、スターリン、毛沢東、金日成の国作りを「この世の理想」と信じ、「アジア・太平洋戦争」の侵略を「聖戦」と信じさせられた、純粋な若者たちの過《あやま》ちから、学ばなければなりません。

イタリアとドイツは、少なくとも民主的な手段で、化け物のような権力を生んでしまいました。国民がムッソリーニやヒトラーのいかがわしさ、恐ろしさに気づけば、この化け物も成長させずに済んだということになります。私たちは、どこで気付くべきだったのか、何を認めてはならないのか、結果のわかっている現在ならば、検証できます。国民主権は目的ではなく、手段なのです。その手段を使って、人権が認められる社会をつくるのか、人権が抹殺される社会をつくるのか、それはひとえに人々の、知性に基づく社会意志によります。

第一次世界大戦前、インフレと失業に悩むイタリア。社会主義政党が分裂しながら躍進しますが、それらを統合するリーダーがいません。そこに乱暴な不良少年時代を過ごし、職業も転々とし、社会主義活動にまい進したムッソリーニが登場します。第一次世界大戦中に、愛国主義・軍国主義者に転向し、１９１９年、ヴェルサイユ体制打破を目指すファシストを結成しました。世間を騒がせてやれ、世の中をあっと言わせてやれというムッソリーニですが、社会主義の拡大を怖れる資本家たちは、あろうことか、ファシストを助けました。１９２１年には国家ファシスト党を結成し、党員は黒シャツを着て、熱狂しました。翌年、イタリア国王はムッソリーニに組閣を命じました。

１９２４年、統一社会党のマッテオッティーは「ぼくの葬儀演説を用意しておいてほしい」と言って演説をし、ファシズムに対する最後の抵抗をしますが、十数日後、死体になってみつかりました。こうなると、社会主義者だけではない、自由主義者も一網打尽《いちもうだじん》、全政党は解散、労働団体も解散。１９２７年、ムッソリーニは一党独裁を決め、首相・外相・内相・陸相・海相・空相・労働相、ファシスト大評議会の議長、ファシスト党首を兼ねました。

第一次世界大戦の敗戦国・ドイツ。ヒトラーは高校落第、転校、退学。造形美術大学の二度の受験失敗、徴兵検査は「身体虚弱、不合格」という青年時代を歩みます。コンプレックスの塊《かたまり》は肉体派を装い、第一次世界大戦では志願兵、戦後は極右民族主義・反ユダヤ主義のドイツ労働党に入りました。

想像を絶するインフレに遭遇したドイツは、社会主義政党と極右政党が躍進します。誰でもいい、こんな世の中をひっくり返してくれということです。資本家たちは当然、極右政権を選び、１９３３年、右翼連立内閣がつくられ、ナチスのヒトラーが首相に任命されました。ヒトラーは直ちに国会を解散し、ヒトラー配下のゲーリングは財界から膨大な選挙資金をもらいました。そして、プロイセン警察にナチ党員を大量に入れ、警察はドイツ共産党本部を襲い、クーデター計画を発見したとでっち上げました。さらに、選挙期間中に国会議事堂に放火し、共産党が放火したと宣伝しました。

このとき、ナチスが与党になるには、国家人民党と中央党の力が必要だったし、ヒトラーの上には大統領ヒンデンブルグがいました。ここでナチスは国会でナチスに独裁権を与える「全権委任法」を提出しました。不完全な一個人や、一政党に全権を与えるなどとんでもない、ここがナチスの異常な暴走を許す、決定的な曲がり角になりました。社会民主党のオットー・ヴェルスは猛反対しますが、「合法的」手続きで、ヒトラーの独裁は認められました。次いで、ヒトラーは諸政党を解散させ、ナチス一党独裁とし、ヒンデンブルク大統領が亡くなると、それも兼任し、総統と呼ばせました。

国民が一つの方向に熱狂して、「愛国心」に酔いしれ、「個の幸せ」とは真逆の方向を支持し、人類にとてつもない殺戮と人権侵害をもたらす全体主義への道、それがどのように形成されたか、私たちはよくよく見ておかなければなりません。このとき、見る対象はヒトラーではない、それを選んだ国民なのです。近代後期のような科学技術が進んだ時代にして、こういうことが簡単に起こるのですから。ヒトラーの懐疑・劣等感という個人的な性格が、ドイツの未曽有の不景気に合致し、人類を恐怖のどん底にもたらす負のエネルギーになりました。

ドイツの場合、第一次世界大戦で奪われた誇り、それに対する憎悪という負のエネルギーの、強大なパワーに目を向けなければなりません。一党独裁は危険だ、一人の人間に権力を集中させるのは危険だ、一人に全権委任などあってはいけない、「愛国」ではなく、政権は批判的に見るべきだというのは、歴史から学ぶ教訓です。人間の知性とも言えます。しかし、憎悪のエネルギーと、それに根差した集団の熱狂は、たちまち、知性を乗り越えて、恐怖の歴史にいざないます。

あの当時の最高の民主憲法(何せ、男女20歳以上の普通選挙)、ヴァイマル憲法が、なぜ簡単に、ファシズムに取って変わられたか。それは第48条、つまり、大統領に非常権限の力を与えたことに尽きます。人間はさまざまな勢力や苦手があって、足かせがあって、好き勝手ができないものです。だからこそ、その中で学び、苦しみ、成長するのです。しかし、その枠を取っ払うと、たちまち増長し、そこに憎悪のエネルギーをぶつけて大膨張し、集団内、集団外に多大な加害を与えることがあります。日本国憲法に、非常事態権限を付加しようという論が絶えずありますが、議論をテーマに上げる人間自体が、歴史を学ばない、非知性の「極致」と言えます。

１９４０年に発表されたチャップリンの『独裁者』は、ヒトラーとムッソリーニを徹底して「笑いの種」にし、風刺し、しかも最後に理髪師に自由の大切を演説させる、勇気ある作品です。熱狂をさまさせる、優れた作品と言えます。国にも国民にも病気があります。軍事独裁国家病が。

イタリア・ドイツ・日本は、「誇るべき歴史」を探し、国民の社会意志として強制させました。イタリアの「大ローマ帝国の復興」、ドイツの「神聖ローマ帝国」「ビスマルクのつくったドイツ帝国」に次ぐ第三帝国、日本のアマテラス神（高天《たかま》が原《はら》を司る）を始祖とする天皇神話です。歴史を知性として、学問として見なければ、いい大人がこんなバカげた歴史理解に加担してしまいます。

日本・ドイツ・イタリア三国の、平和協調外交への挑戦は目に余るものでしたが、誰もそこに有効な手を打てずに、ズルズルと彼らの侵略を許すことになります。この初期段階でも、彼らの動きを止めるにも膨大な人命と物資を失うことになるので、安易に手出しはできなかったのですが、結果、彼らの暴走は歯止めが利かなくなったというジレンマを起こしました。

（８）原爆投下

第二次世界大戦の末期に、アメリカによって行われた原爆投下は、新たな人類の、誤った歴史の始まりです。人間が「知」の使い方を誤り、野放図に武器をつくり続けた結果、人類自身を滅ぼすほどのエネルギーを手に入れてしまったのです。原子力の「平和」利用も含め、人間にはそれを制御《せいぎょ》できるほどの理性はありません。

私たちは、どういう経緯で、原爆製造のマンハッタン計画が行われ、なぜヒロシマ・ナガサキが狙われたのか、歴史を学ぶことで知ることができます。しかし、スティーヴン・オカザキの記録映像『ヒロシマ・ナガサキ』に見る、ヒバクシャ14人の証言は、そんな歴史の解釈など、いかに薄っぺらいものかを実感させます。目がとび出す人、皮膚が垂れ下がる人、内臓や脳が飛び散る人……、ここには歴史学という知性の無力を見ます。しかし、それでも、私たちはなぜそういうことが起きたのかという、知性を頼りにしなければなりません。そして、歴史学という知性と、あまりに残酷な事実を兼ね合わせたときに、私たちは内面深く、「叡智」を働かすことができるのです。こんなバカげたものをつくる「知」とは何なんだ！と、魂がふるえます。

中沢啓治『はだしのゲン』は万人に核の恐ろしさを伝える優れた漫画です。それ故、権力に媚びる木《こ》っ端《ぱ》役人達が子どもの目に触れさせないように、「忠勤」に励んでいます。自分が歴史上、何をしようとしているのか考えようともしない人たちです。

さて、いったん、坂を転げ落ちた暴力・大量殺人のための「知」、その「知」を使っての殺戮、殺戮を「正義」と信じる人たちの愚かさは、そのエネルギーが完全にしぼむまで続いた、これが第二次世界大戦でした。行きつくところまで行かなければ根本的な仕組みは変えられない、人間の知性の敗北と言わざるを得ません。

核をたくさん持つ国が世界の「指導国」だ、原子力発電は安全だというこんな仕組み自体が知性の敗北です。

三　近代後期（中葉）

(1) 国際連合の成立

第二次世界大戦の後、どういう世界秩序をつくるかということは、世界の首脳の中で、戦争中から話し合われてきました。

ローズヴェルト・チャーチル・蒋介石によるカイロ宣言（１９４３年11月）、ローズヴェルト、チャーチル、スターリンによるテヘラン会談（１９４４年６月）とヤルタ会談（１９４５年２月）と、着々と話し合いが持たれました。また、国際連盟に代わる新たな国際組織をつくろうと、米英ソ中の４カ国宣言（１９４３年10月）、そして国際連合憲章がサンフランシスコ会議で調印され（１９４５年４～６月）、10月24日、国際連合が成立しました。国際連盟の失敗を反省し、多数決にし、決議に強制力を持たせ、武力制裁も認められました。国際連合は、戦勝国を中心にした国際組織なので、米英ソ仏中の戦勝五大国が安全保障問題の権限を持ち、五大国は拒否権も持ちました（常任理事国《じょうにんりじこく》）。

しかし、そもそも、中国を除く四大国が近代の戦争をたびたび起こし、ソ連については大量の国民を虐殺したこと。21世紀になっても、大量破壊兵器があるというデマ情報をもとに始めたアメリカのイラク侵攻、ロシアの度重なるウクライナ侵攻、中国のウイグル人や香港《ホンコン》市民弾圧など、彼らの暴挙は終わりません。五大国中、唯一の帝国主義戦争・被害国の中国が、大国になったら傲慢《ごうまん》になる変わりよう。

野党党首毒殺を試みるロシア、歴史上、一度も民主主義を経験していない中国が拒否権を持つなど、彼らの暴虐《ぼうぎゃく》を追認させる、不当な権利です。しかし、彼らの暴虐を野に放たない、彼らを国際連合にとどめておく悲しい必要悪なのです。第二次世界大戦前の国際連盟では、日本帝国を非難し、野に放ってしまいましたから。

「愛国」に基づく国家第一主義はレベルの低い正義で、高次な正義から見たら悪になってしまいます。しかし、より高次な国際連合を超える新たな組織作りには、相当なエネルギーが必要で、それは第二次世界大戦級の、手痛い目に遇い、平和を望む切迫感と社会意志がなければ、そのエネルギーは生まれません。

（2）ヨーロッパにおける米ソ冷戦の始まり

第二次世界大戦の終了は、枢軸国《すうじくこく》（ドイツ・イタリア・日本側の国）との講和の形、世界平和の形とともに、連合国としてともに戦った米ソの間の勢力争いも始まりました。世界平和の形は、国際連合の出現に象徴されます。枢軸国との講和は、イタリア・ブルガリア・ルーマニア・ハンガリー・フィンランドは１９４６年のパリ平和条約で、軍備の制限・賠償・領土の一部消滅として、結ばれました。しかし、日本・ドイツ・オーストリアとの講和は延期されました。そして、ニュルンベルクでドイツの、東京で日本の国際軍事裁判が行われました。前者はドイツの、後者は日本の戦争犯罪人が罰せられましたが、実質、戦争を引き起こしたスターリンや、原爆投下時のリーダーのトルーマンは、戦勝国のために罰せられず、敗戦処理に利用できるため、戦争を最終決断できる権限を持っていた昭和天皇も罰せられませんでした。

ドイツの敗戦処理・講和をめぐっては、米英仏ソで話し合われますが、米ソの対立で物別れになりました。アメリカ大統領のトルーマンは反ソ・反共の「封じ込め政策」を進め、反共軍事同盟を内に秘め、ヨーロッパ経済復興計画を目的としたマーシャル・プランを提案しました（１９４７年６月）。一方、ソ連は東ヨーロッパ諸国を影響下に置き、コミンフォルム（共産党情報局）を結成し、対抗しました。ソ連こそは、ロシア革命という形の、自国で社会主義体制をめざしましたが、他の東ヨーロッパ諸国で社会主義など望んだ国はなく、米ソ対立の中で、ソ連の影響下に半強制的に入れられたものです。

資本制社会の西ヨーロッパと、社会主義社会の東ヨーロッパはガッチリ国境で対立し、イギリスのチャーチルは「鉄のカーテン」と呼び、また米ソ間では本格的な戦争にならず、対立を続けたので「冷たい戦争（冷戦）」と呼ばれました。

ドイツは東ドイツがソ連、西ドイツは米英仏が占領し、西ドイツ政府樹立の計画を立てると、ソ連はベルリン封鎖を行いました（１９４８年）。１９４９年、アメリカ、西ヨーロッパ連合条約国（イギリス、フランス、オランダなど）、カナダ、デンマークなど12カ国の防衛同盟（北大西洋条約機構～ＮＡＴＯ）が結ばれました。また、ベルリン封鎖が終了した後、資本制国家の西ドイツと社会主義国家の東ドイツが成立しました。

(3) ベトナム戦争

ヨーロッパにおいては、西ヨーロッパは資本制社会、東ヨーロッパは社会主義の、「冷たい戦争」で固められた時代は、1989年のベルリンの壁崩壊まで続きます。

一方、アジアでは「冷戦」どころか、米ソの代理戦争が起きます。アメリカ・ソ連は直接戦争をしないが、アメリカが支援する勢力と、ソ連が支援する勢力が戦争させられるというパターンです。中国・朝鮮半島・ベトナムで戦争になりました。どれも日本の植民地になったり、日本軍が「進駐」「侵攻」した国々です。日本の支配でかき乱され、日本が敗戦でいきなり引き揚げた軍事空白地域が、米ソ「代理戦争」の修羅場にされたのです。ここでは代表して、ベトナム戦争を取り上げます。

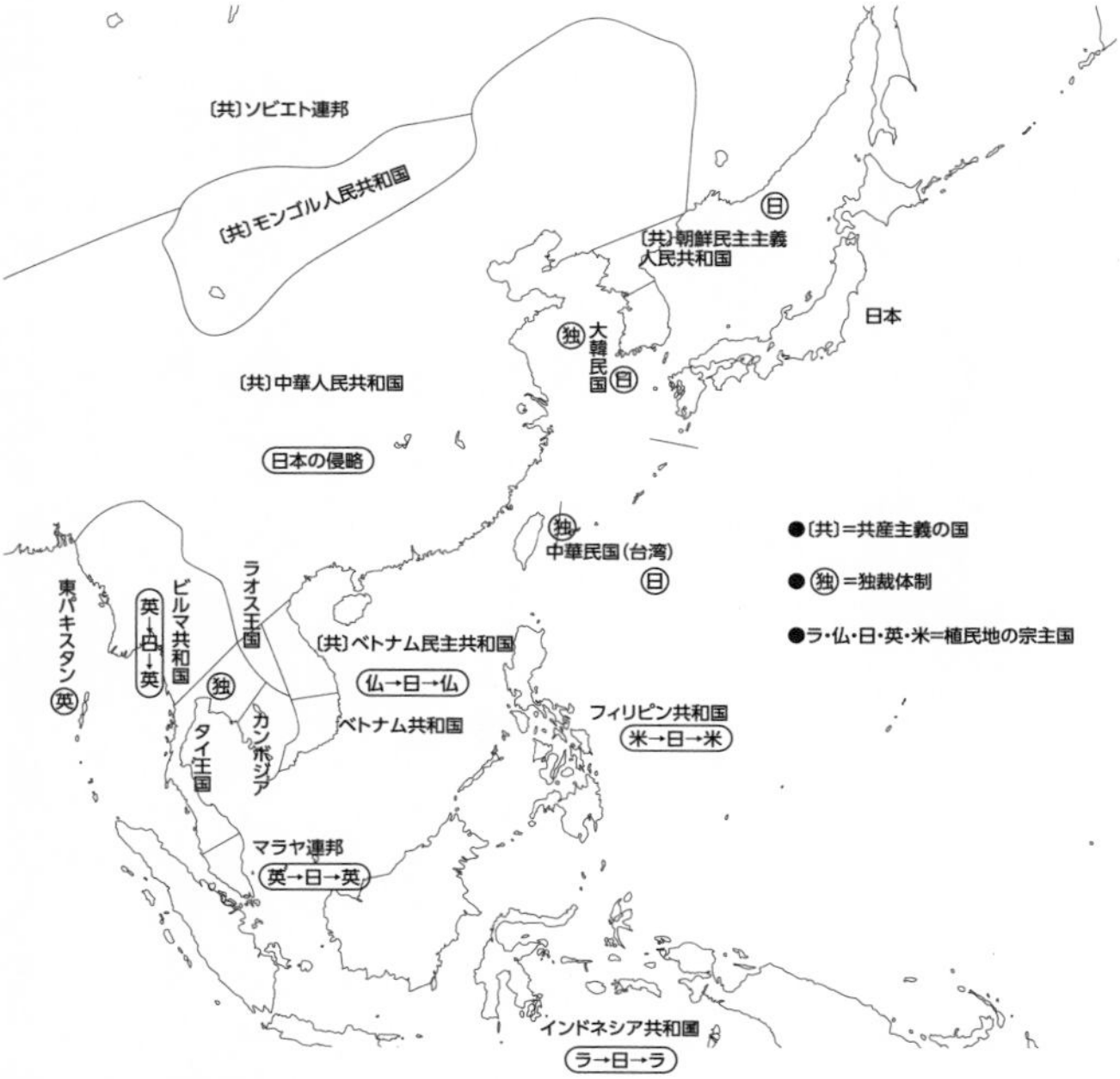

図1　1950年代の東アジア・東南アジア

ベトナムの北は中国で、社会主義体制と資本制体制の境界地域になります。ここを植民地にしていたのは戦勝国フランスでした。

ただし、第二次世界大戦の最中は、日本軍が「進駐」していました。フランスで共産主義を学び、ベトナムの民族運動を進めていたホー・チ・ミンは、1945年9月、日本帝国の降伏と同時に、ベトナム民主共和国を成立させ、政府主席になりました。ホーはフランスと独立の協議に入りますが、フランスは認めません。それどころか、フランス軍が続々とベトナムに戻ってきました。1946年11月、フランス軍はハイファン市街を艦砲射撃、12月にハノイで戦闘になりました（第一次ベトナム戦争）。

ホーには成立間もない中国から多くの武器が送られ、フランスはアメリカの全面援助を得ましたが、1954年、フランスの拠点・ディエンビエンフーが陥落しました。フランス・ベトナム民主共和国・ベトナム国・ラオス・カンボジアに、米英ソ中が話し合いのテーブルに付き、ジュネーヴ休戦協定が成立しました。ベトナムを北緯17度で南北に分割、ラオス・カンボジアは中立化しました。

アメリカは南ベトナムを共産圏に組み入れないため、反共主義者で、カトリック教徒のゴ・ディン・ジエムをベトナム国首相にさせ、翌年（1955年）、国民投票をして、ベトナム共和国（南ベトナム）を成立させました。米ソを主軸とする東西冷戦とは、社会主義社会と自由主義社会の対立と見られています。しかし、旗頭《はたがしら》はそうかもしれませんが、実態は植民地主義によらない、新たな米ソの世界支配の対立と見た方がよいと思います。米ソとも、自分の勢力拡大のため武器や兵隊を送り続けました。

そもそも、台湾も、韓国も、南ベトナムも、「自由」主義国家ではありませんでした。反共・軍事独裁国家で、どこにも自由などありません。その事情は社会主義国も変わりません。金日成にしても、毛沢東にしても、ホー・チ・ミンにしても、「英雄」軍事独裁国家の首長です。だから、アジアにおける米ソ代理戦争とは、反共・軍事独裁国家と、共産・軍事独裁国家の戦いでもあったのです。

さて、南ベトナムのジエム政権は、共産主義者だけではない、反対勢力も弾圧していきました。弾圧によって、殺害されたものは9万人以上いたと言いますが、自由主義を標榜《ひょうぼう》するはずのアメリカはこんな政権の応援を続けます。こうなると、南部抵抗戦士同盟が結成され、これが南ベトナム民族解放戦線になりました（1960年）。さらに、カトリック教徒のジエムは人口の9割を占める仏教徒にも弾圧をかけ、結果として、さらに民衆が離れていきました。圧倒的多数の民衆が独裁政権を見限った、ここが鍵《かぎ》となります。

「栄華」の後には「衰退」が来る。これは王朝国家の性質ですが、近代における軍事独裁国家の独裁者にも、この論理はあてはまります。

対応に苦慮したアメリカは、トンキン湾の駆逐艦《くちくかん》（小型の軍艦）が北ベトナムに襲われたという、でっち上げを発表し、ベトナム泥沼戦争を起こしました（１９６４年。第二次ベトナム戦争）。アメリカ軍の破壊行為と、民族解放戦線の抵抗は激しさを増しました。このとき、ゲリラがたてこもると見立てた森林に枯葉剤《かれはざい》を撒《ま》き、「しょうがい」を持つ子どもが多数生まれました（ベトちゃん・ドクちゃんが有名）。人間は勝つために、ここまでやるのです。それも、自由と民主主義が売りのアメリカが……。しかも、上から指示された人間がものを考えず、それを実行します。学ばなければ、人は何をさせられているのか、善悪がわからなくなるということです。

結局、超大国・アメリカは戦争に勝てず、１９７３年、ベトナムから追い出されました（ベトナム和平協定）。

(4) 東南アジア・南アジア諸国の独立

東南アジアと南アジアは、旧宗主国が復権を目論《もくろ》み、そこに米ソ・米中による新たな帝国主義の対立とからみながらの、独立となります。主な国々の独立の流れをかいつまんで見てみましょう。

・インドネシア……１９４５年９月、インドネシア共和国が成立し、スカルノが大統領になりました。オランダはこれを認めず、戦争になりますが、国連の調停で独立が承認されました。
・フィリピン……１９４６年７月、アメリカから独立し、フィリピン共和国が成立しました。抗日ゲリラ時代から続く、共産主義武装集団がそのまま反政府抵抗を続けましたが、それを鎮圧し、アメリカと相互防衛条約を結びました。
・ビルマ……アウンサンらがイギリスからの独立を求め、１９４８年、ビルマ連邦共和国を結成しました。

・マレーシア……イギリスの植民地だったマラヤ諸国は１９５７年、マラヤ連邦となり、１９６３年、マレーシア連邦となりました。１９６５年、マレーシア連邦から、シンガポールが独立しました。

・インド……インド独立をめぐる運動の分断策としてイギリスは、イスラム教徒の多い地域と、ヒンドゥー教徒の多い地域の対立を煽《あお》ってきましたが、いよいよ独立というときになって、それが表面化しました。１９４７年、イスラム教徒の多い地域のパキスタンと、ヒンドゥー教徒の多いインドに分かれ、独立しました。その対立を鎮めるために全国行脚《あんぎゃ》したガンディーは暗殺されました。さらに離島のセイロンが独立し、１９７１年のインド・パキスタン戦争の結果、東パキスタンはバングラデシュとして独立しました。

アジアでは、インドネシアのスハルト、フィリピンのマルコス、台湾の蔣介石、韓国の朴正熙、シンガポールのリー・クアンユー、イランのパフレヴィ2世といった、経済開発を効率的に進めるための、軍事独裁政権が相次いで成立しました。これらの国々では、１９８０年代には高度経済成長をめざすようになりました。それに対し、日本の大企業は自国で認められない、劣悪な労働賃金と労働環境を強い、公害の垂れ流し、無雑作な森林破壊を行い、旅行会社が買春ツアーを行ったことは、現在の日本の本にはほとんど触れられていません。

(5) アフリカ諸国の独立

第二次世界大戦直後、アフリカ大陸で独立していた国は、リベリア、エチオピア、南アフリカ連邦、エジプトだけです。リベリアは、アメリカで解放された原地人が１８２１年に土地を買い取って誕生した国で、アメリカはアフリカの経済進出のために、建国への援助をしました。エチオピアは紀元前2世紀から続いた王朝で、１９３６年に一時的にイタリアに占領されますが、独立を勝ち取りました。

エジプトはイギリスの保護国にされていましたが、１９２２年、王国として独立、３６年に完全独立します。しかし、イギリスと軍事同盟を結ばされ、軍事基地を置かれ、スエズ運河を押さえられていました。現在の日米安保条約の形です。ただ、日本と違う点はこうした体制を、国を挙《あ》げて拒否したということです。１９５１年、エジプトはイギリスとの同盟破棄を声明しました。そして、ナギフ将軍がクーデターを起こし、国王を追放し、共和制を宣言しました（１９５３年）。その後、ナセルが大統領になると、米英がアスワン・ハイダムの建設援助の約束を撤回し、ナセルはスエズ運河国有化で対抗しました（１９５６年）。同年、英仏軍とイスラエル軍がスエズに出兵し（スエズ戦争〜第二次中東戦争）、国連緊急総会が即時停戦を決議し、さらにソ連が英仏に対抗し、ミサイル報復を警告したため、英仏軍は撤退しました。国連の常任理事国が中東の石油利益に群がり、紛争に介入する、これが中東の不安定な基盤になっています。１９５８年、エジプトとシリアが合併し、アラブ連合共和国が成立しました。

たえずアメリカの鼻息をうかがい、アメリカの傘のもとに卑屈《ひくつ》に生きてきた戦後日本に比べ、エジプトははるかに自立心・独立心・誇りを持っていますが、皮肉にも何度も戦争の渦中に巻き込まれました。

さて、エジプトの動きに刺激されて、アフリカ諸国の独立が広がりました。それはエジプトに隣接する北アフリカの国々から始まりました。リビアが王国として独立（１９５１年）、１９５６年には英領スーダン、仏領モロッコ・チュニジアが独立しました。さらにサハラ以南の英領ガーナ、仏領ギニアが独立しました。１９５８年には、ガーナで全アフリカ人民会議が開かれました。ガーナが独立したとき、エンマルクは「ガーナ独立は全アフリカ大陸の解放と結びつかなければ無意味だ」とまで言いました。１９６０年には、植民地主義の反対、紛争の平和的解決を求める、アフリカ統一機構が成立しました。

英仏帝国主義の実力が衰退すると、１９６０年代にアフリカ諸国の独立は一層広がりました。１９６０年には一気に17国が独立し、「アフリカの年」と呼ばれました。この場合、旧宗主国との関係が問題になり、旧宗主国に依存しながら独立した仏領セナガル、仏領中央アフリカ、英領ウガンダ、旧宗主国と協調しながら独立したチュニジア、ケニア、旧宗主国に徹底抗戦して独立を勝ち取ったベルギー領コンゴ（ザイール）、仏領アルジェリアがありました。また、ガーナ、ギニア、タンザニアなどは社会主義政策を進めました。1975年に、アンゴラがポルトガルから独立し、世界中の地域が独立国家の枠組みに入りました。

近代を支配していた欧米列強の「拡大」という指向にストップがかかりました。ただ21世紀になっても、ソ連時代の「栄光」をひきずるロシアと、中華帝国の再現を試みる中国はその残影を追っていますが。

ところで、アフリカの大部分の地域は、前近代国家を経験していません。部族社会に生きていた、アフリカの諸民族の地域に、いきなり、ヨーロッパ列強が植民地つくりを始めたのです。そして、独立後は、ヨーロッパ列強が各民族の居住範囲を無視して、定規で測ったように機械的に国境を定め、また、欧米の下請けとしてのモノカルチャー経済を強いられています。これが独立後も続く、内戦や独裁国家が続く原因です。

ルワンダ内戦（1990〜94年）ではフツ族とツチ族が対立し、死者80〜100万人、難民250万人、1997年のコンゴ内戦では死者540万人以上、難民330万人以上と言われています。

これが欧米（「白人」社会）で起きた事件でないため、世界の関心事になりません。21世紀の現在でも、欧米と、アジア・アフリカの人たちの命の重さが違う、これが現実です。さらに、今では、軍事独裁国家の世界的なリーダーの中国が、アフリカの軍事独裁国に、融資を通して、影響力を強めています（経済植民地の罠《わな》）。

(6) 社会主義圏の崩壊と、中国の「発展」

世界においては米ソの対立と冷戦、東アジアにおいては、社会主義圏の中での中ソの争い、これが1980年代までの形でした。

1950年代、共産主義革命に成功した中国では、毛沢東をカリスマにしながら、ソ連を手本にし、重工業重視の第一次五か年計画を行い、さらに農業において、個人所有から集団化を進めました。急激な変革に、劉少奇などの穏健派がブレーキをかけようとします。すると、「百花斉放」「百家争鳴」という掛け声で、自由な政治発言を呼びかけ、発表が出そろうと、たちまち政治批判者をあぶりだし、一斉に弾圧しました。こうして、毛沢東の取り巻きだけによる「大躍進《だいやくしん》」政策を行いましたが（1958年）、経済政策のセオリーを無視し、思い付きと人海戦術だけの政策だったため、多数の餓死者を出す、大失敗に終わりました。毛沢東は革命の指導者であり、大衆を引き付けるカリスマ性は抜群《ばつぐん》ですが、経済政策は失敗続きでした。その失敗を覆い隠すため、失敗を指摘されると、自らの権力を守るために、民衆を巻き込み、大混乱を引き起こして、チャラにしてきました。

毛沢東の「大躍進」の失敗を受けて、劉少奇が国家主席になりますが、毛沢東が反撃に出て、毛沢東夫人の江青・林彪《りんぴょう》らが軍を握り、プロレタリア文化大革命（1966年）が始まりました。ここでは中国国内で一度、「反動分子」と決められたら、徹底的に吊《つ》るし上げられ、劉少奇、鄧小平《とうしょうへい》も失脚しました。また、毛沢東の後をねらっていた林彪は、毛沢東・周恩来と対立し、失脚し、ソ連に亡命する飛行機が落とされ、死亡しました。

相次ぐ権力闘争に中国国民が振り回され、甚大な被害を受ける中、毛沢東が勝ち抜いていきました。毛沢東が政局として勝ち抜いていくために、いったいどれほどの有能な人材と、すさまじい人数の民衆が殺されていったことでしょうか。毛沢東の負の歴史評価がされるべきだし、一人の権力者を崇拝させるおろかさを知るべきです。しかし、（英雄）毛沢東も（人格者の）周恩来も、年老いて、次世代を誰に託するかという議論になったとき、毛沢東の「虎の威を借る」江青ら四人組が「批林批孔」を呼びかけ、権力を持ってきました。しかし、毛沢東と周恩来が病死すると（1976年）、四人組が追放され、翌年には鄧小平が復権しました。

鄧小平の路線は、現在の中国の路線につながります。共産党一党独裁のまま、経済は資本制の自由経済にしていくというものです。民主化を求める学生たちが百万規模で天安門広場に集まり、政府の改革派の趙紫陽も支持します。しかし、鄧小平の意向を受け、李鵬は軍を天安門に出撃させ、多数の学生に発砲（天安門事件〜1989年）、趙紫陽は解任されました。この世界を震撼させた市民虐殺は、現代中国の汚点として、徹底して隠蔽《いんぺい》され、中国では、そういう事件があったことを口にすることさえできません。

　ここで、中国の基本路線は決まりました。経済は十数億の人口を背景に資本制社会として伸び続け、世界の超大国になっていきますが、政治はまったく権力批判を許さない体制が出来上がりました。体制賛美、一党独裁は社会主義、金もうけは資本制社会という、知性も教養もない実験に挑んでいます。鄧小平が毛沢東の失敗の知恵として決めた、最高権力者の任期は２期10年までという形も、習近平は無視し（２０２３年）、今や皇帝気取りです。文化大革命で辛酸《しんさん》をなめた習近平の結論がこれ、針ネズミのように権力で身を守り、「クマのプーさん」と言われたくらいで怒る器の小ささ。人権派・権力批判者への弾圧、ウイグル人など少数民族への弾圧、イギリスから返還させた香港《ホンコン》の民主化要求への弾圧が常態化されますが、中国国民はその実態を知ることができません。いや、知っていても知らないふりをするのが平穏に生きるための「賢い生き方」です。中国は人権を基調とする民主国家に代わり得るのか、それは中国民衆のパワーがどこに向かうかに、かかっています。

　中国が共産党一党独裁のいびつな体制で21世紀に「発展」する中、ソ連はまったく違う歴史を歩みます。それは、安定、そして停滞の時期と言えます。いくぶん自由を認めたフルシチョフが解任され（１９６４年）、ブレジネフ時代になると、思想統制を強化し、米ソ対立の中で軍事費を増大していきますが、農業も工業も停滞し、自由競争で勝ち抜いてきた資本制諸国のモノと比べ、品質の落ちるモノしか生産できませんでした。強大な権力で、人々の自由を奪い、忖度と迎合のみを強いる社会の、結果です。ブレジネフの死後、後継のアンドロポフ、チェルネンコも相次ぎ亡くなり、若いゴルバチョフが改革路線を担《にな》いました。彼はペレストロイカ（改革）で直言、刷新な提言を呼びかけますが、ものを「言わないこと」で数十年生き抜いてきた人々になかなか浸透しません。また、チェルノブイリ原発事故を契機にグラスノスチ（情報公開）を訴えました。さらにゴルバチョフは強いアメリカの復活を主張するアメリカのレーガン大統領に呼びかけ、軍縮に方向転換させました。米ソ対立が、世界規模での軍縮に舵を切ったのです。ソ連では１９９０年に百万人のデモが起きますが、ここが中国の天安門事件との分かれ道になりますが、ゴルバチョフは弾圧しませんでした。

しかし、ゴルバチョフのペレストロイカ路線は「歴史上の大画期」となり、パンドラの箱を開けてしまいました。

1989年、ベルリンの壁が崩壊し、翌年、東西ドイツが統一されました。ここが東ヨーロッパの大変革の基点になります。チェコスロヴァキア、ブルガリア、ルーマニア、ユーゴスラビア、アルバニアなどで民主化要求が高まり、軒並み、社会主義体制から離脱していきました。と言っても、ユーゴスラビアの場合、ティトー大統領の強力な支配により統一が保たれていたので、その重《おも》しがなくなると、多数の言語・多数の宗教、多数の民族が入り乱れ、「民族浄化」という大虐殺が起き、97年のコソヴォ紛争ではアルバニア系住民へのジェノサイド（集団虐殺）が起きました。そして、ソ連自体も崩壊し、ロシアとなり、多くの領土を失いました。これはロシアから見たら「失った」ですが、1991年、バルト三国（エストニア・ラトヴィア・リトアニア）が独立できました。ソ連の衛星国だった東ヨーロッパの国々と、ソ連を構成していたバルト三国は、多くがEU（ヨーロッパ連合）、そしてNATO（北大西洋条約機構）に加盟しました。ゴルバチョフによる民主化・自由化は、超大国ロシアの威信を低下させ、国内を大混乱に落としめました。

また、ソ連の解体後に独立国家となった、独立国家共同体（CIS）の国々は、モルドヴァ、ベラルーシ、ウクライナなどの東欧圏、グルジア、アゼルバイジャン、アルメニアなどのカフカス圏（黒海とカスピ海の間）は欧米とロシアの間で揺れ動きます。ウズベキスタン、カザフスタンなどイスラム圏の国々では、21世紀になって、中国の影響力が急激に増しています。

長年、ロシア（ソ連）の暴力下にいた、あるいは戦々恐々していた東ヨーロッパ・北ヨーロッパの国々がやっと息をつけるようになりました。21世紀になって、プーチンが再度、強いロシアをめざすと、これらの国々は歴史上のロシアを思い出し、「北風と太陽」の北風に対するように、ロシアを拒否します。一方のロシアは専制体制が充実してくると、侵略＝「栄光」の再現と勘違いし、多くの国民も侵略を支持します。

1990年前後は、第二次世界大戦に始まった米ソによる東西冷戦が終止符を打った姿、しかし、その後は、超大国アメリカに、政治統制（弾圧）と自由経済の中国が迫ってくるという形を見せられています。

アメリカ中心のグローバルゼーションが社会主義陣営を飲み込み、今、中国によるグローバルゼーションが活発化しているということでしょう。社会主義思想の影響で、社会福祉とか、格差の解消も意識してきた資本性社会でしたが、市場にすべてを任せる、むき出しの弱肉強食社会、効率一辺倒の社会が到来しました（新自由主義）。そして、中国には、人権・民主主義・自由・環境などと言った、世界を引っ張る普遍精神がなく、批判には根拠のない悪口雑言で反論し、ひたすら儲けを拡大し、巨大な軍事力を背景に、他国の領海への海洋侵攻を進めるという大国のエゴばかりが目立ちます。しかし、安価な農作物・工業部品を提供するので、多くの国が中国から輸入し、中国抜きの世界は存在しません。

（7）近代の黄昏《たそがれ》（先住民族の権利）

第一次世界大戦後、東ヨーロッパに始まった民族自決運動は、第二次世界大戦後はアジア・アフリカに及びましたが、１９８０年代からは、ついには先住民族にも広がりました。

１９８０年代、国際連合で、１９９２年にコロンブス「アメリカ大陸『発見』」５００年記念をしようかという動きがありました。しかし、これは先住民族から見たら、侵略の原点にしかなりません（本書では近代の原点と捉《とら》えています）。結局、国際先住民年にしようということになり、実際には１９９３年がその年になりました。

しかし、先住民族の権利を認めるということは、近代国家の誤りを認めることと、本来、セットでなければなりません。そういう中、アメリカのインディアン、カナダのイヌイット、オーストラリアのアボリジニー、ニュージーランドのマオリ、北欧のサーミ、台湾の原住民族などが、民族自決を求めて活動し、２００７年には「先住民族の権利に関する国連宣言」が、各国で批准されるまでにはなりました。

ところで、ＮＨＫ『アマゾン先住民のデジタル ｗａｒ』（２０２２年12月11日放送）は衝撃でした。ブラジル・

アマゾンの大森林が（アメリカのトランプ政権とも類似した）独善を岩盤支持層とするボルソナロ政権のもと、すさまじい勢いで破壊されたため、３１０余りの先住民族90万人がＡＰＩＢという組織をつくり、抵抗しているという内容です。森林破壊、肉牛を育てるための広大な牧場づくり、金の採掘……（いずれも経済「成長」＝金もうけのためのアマゾンの破壊）と、古代国家出現以来の「文明」の暴力は続きます。それに対してアマゾン先住民族は「文明」を否定するのではなく、「文明」の暴力性を白日のものにして発信します。多くの先住民族が持ってきた大地への眼差しこそが、現在必要なものなのです。

近代は、まだ続きます。近代の後半期の矛盾、つまり、「先進」資本制国家が中心になって、世界中の資源を漁《あさ》り、富を持ち、アフリカや南アメリカの「途上国」はモノカルチャー経済を強いられ、貧しさ、内乱が絶えない状況に、変化がないからです。限りある地球で、限りない「成長」を追い求めているのです。

私たちは近代の矛盾を解消し、次の時代へのステップが熟すまでは、それを迎える準備をしていかなければならないでしょう。

（参考文献）

・宮崎市定編集『中国のめざめ』（新人物往来社『東洋の歴史』11）　１９６７
・穴田寛・山上正太郎『二十世紀の世界』（教養文庫『世界の歴史』12）　１９７９
・武井彩佳『歴史修正主義』（中公新書　２６６４）　２０２１

第2章　東アジア列島の近代後期

一　近代後期（前葉）

（1）シベリア出兵、三・一事件、五・四運動

第一次世界大戦とは、ヨーロッパ列強の「拡大」の結果、もはや「拡大」する地域がなくなり、あとは列強同士が奪い合う（戦争）になったということです。ヨーロッパで列強同士がすさまじい奪い合い（世界大戦）を行っている最中、手薄になった東アジアやシベリアを日本帝国はどのように見ていたのでしょうか。もう一つ。近代後期は、それまで植民地にしていた地域が独立運動を進める時代でもあります。帝国主義国・日本帝国はアジアの解放をどのように見ていたのでしょうか。

寺内正毅《まさたけ》内閣は、ヨーロッパ中心の第一次世界大戦に乗じて、中国大陸に侵攻しようと、ウズウズしていました。あたかも、中国は辛亥《しんがい》革命の余韻《よいん》が治まらず、分裂状態です。北京に、袁世凱の後継の段祺瑞《だんきずい》、そして段と対立する徐世昌が大統領に、南京でも馮《ひょう》国璋が大統領に、そして広東に孫文の南方革命派の、中華民国政府を組織している状態です。寺内は段祺瑞を支持しました。

こんなとき、ロシア革命が起き、ロシアは大混乱になりました。田中義一参謀次長の反応は早く、1917年の11月革命が起きているその月に、シベリアの「居留民保護」（戦争を待ち望む人たちのお得意の大義名分）を名目に、シベリア出兵を提案しました。翌年2月、本野外相が米英仏に出兵を提案しますが、アメリカが反対、同年8月にチェコスロヴァキア人を助けるためという、日本にとっては全然関係ない理由で、米英中伊仏日が

出兵しました。米９０００人、英５８００人、中伊仏１２００〜２０００人、日本は１万２０００人という約束なのに、６倍の７万２０００人が出兵しました。日本軍は東部シベリア支配を目論《もくろ》み、バイカル湖以東を制圧しました。１９２０年には列強は「シベリア出兵は失敗」と撤兵しますが、日本だけは居残ります。１９２２年のワシントン会議で、撤兵の意志を示すものの、北サハリンから撤兵したのは１９２５年のことです。この間、軍人内閣ばかりではない、政党内閣も存在したのに、同じ対応をするのですから、隙あらば大陸に侵出するというのは、日本の基本意志となります。ただ、石橋湛山《たんざん》のみが「過激派政府を承認せよ」と論文を書きました。

このシベリア出兵を見越して、米の価格が上がるだろうと米の買い占めがあり、富山県の女性が米屋に押し掛けたのが全国に伝わり、日本中の米騒動になりました。寺内は政治責任を取って辞任、山県有朋《ありとも》ら元老は民衆が立ち上がったときは、いつもリベラル貴族の西園寺公望《きんもち》を立てようとしますが、結局、蔵相・陸相・海相以外のすべての大臣を政友会にする本格的政党内閣の、原敬《たかし》内閣が成立しました（１９１８年）。

１９１９年１月、韓帝国の前皇帝の高宗が亡くなりました。日本政府は、高宗の子どもと、皇族の娘を政略結婚させ、ヨーロッパに新婚旅行させ、ヴェルサイユ条約の場で、日本がいかに植民地を大事に扱っているかを宣伝しようと考えていました。しかし、高宗はそれに反対し、その高宗がなぜか突然亡くなったので、朝鮮人の疑念は募《つの》ります。高宗の国葬を３月３日に行うと決まると、３月１日にソウルのパゴタ公園で独立宣言を読み上げ、独立万歳を叫びました。万歳運動はたちまち、朝鮮半島全域に広がりました。宇都宮太郎・朝鮮軍司令官は４月３日までに１２０か所に軍を派遣し、広島・姫路からも軍を出動させ、在郷軍人・消防団員・民間人も「鎮圧」に当たりました。朝鮮人死者７５０９人、負傷者１万５８４９人、女子学生・柳寛順は裁判を拒否し、拷問《ごうもん》を受け、獄死しました。当局は日本のマスコミに対して、報道規制をかけ、規制後の東京日日新聞は「誤れる民族自決主義」というような記事になりました。三・一事件に理解を示したのは、民本主義（天皇主権を認めながら、政策は「普通選挙」による政党内閣が民衆の意向によって行うべきという考え）の吉野作造が「かれらの立場は不当なものではない」くらいでした。

朝鮮半島の三・一事件（万歳《ばんざい》事件）は、日本の執拗《しつよう》な侵攻に苦しんでいた中国にも影響を与えました。ヴェルサイユ条約で、ドイツが持っていた中国に対する権益を日本が継承することに、抗議することにしました。二十一か条の要求を呑まされた5月7日（「一九一五年　国恥記念日」）に決起しようという動きが出てきますが、それでは弾圧があるからと、日曜日の5月4日に抗議集会を開くことになりました。5月4日、北京の大学生らは天安門広場に「二十一か条を取り消せ」「山東半島を奪回するぞ」「青島《チンタオ》を返せ」と訴え、日本商品焼き捨てや、日本商品ボイコットが起きました。東京朝日新聞は「北京排日暴動」という言い方で国民に状況を伝えましたが、中国人の五・四運動に共感を持っていたのは、やはり吉野作造ら、ごく少数でした。アジアでは、民族自決の掛け声とともに、植民地からの独立を求める力が伸びつつあったのですが、日本は軍人勢力だけではない、政党政治家たちも、多くの国民も、日本が列強と肩を並べ、植民地を増やすことに賛同していた、それが当時の多くの日本国民の社会意志だったのです。ただ、「拡大」には限りがある、まして他国への侵攻などおかしいという世論が起きない、ここがアジア・太平洋戦争の世論につながっていくことになります。

このとき、外交名人とはポーカーフェイスをしながら、アジアの各地、ヨーロッパ列強の隙《すき》を突いては「国益」として、一点でも利権を得る人を言います。しかし、本書のように大局として歴史を見ると、全く違う見方になります。もう、奪い合うスペースは地球にはない、コロンブス以来の列強の領土「拡大」の時代は終わりだと気が付く、そもそも他民族の土地を強奪する近代とは何なんだ、これが「人間の歴史」を見る目（知性）なのです。

(2) 第一次世界大戦後の国際協調外交

第一次世界大戦後の10年間は、世界が平和だった時代です。

１９１９年には、ヴェルサイユ条約が調印され、日本は国際連盟の常任理事国になり、旧ドイツ領の南洋群島は日本の委任統治領になりました。

国際協調主義の結集とも言える国際連盟も、アメリカやソ連が参加せず、敗戦国も参加していません。しかし、日本帝国も、国際協調主義の一翼を担うことになりました。日本帝国が、北海道の「開拓」以来、進めてきた植民地政策が一時的に止まった10年間と言えます。

国際協調主義として、さらに軍縮を進めようと、アメリカのハーディング大統領の提案で、ワシントン会議が開かれました(1921年)。その内容は、海軍軍縮を確定するもので、主力軍艦の保有比率を、米5、英5、日3、伊1・78、仏1・78にしました。

第一次世界大戦のドサクサに紛れ、日本が日英同盟を利用し、中国から奪った権益も、一部、返還させられました。つまり、日英米仏の四カ国条約(1921年)で、日英同盟が廃止され、九カ国条約(1922年)で、中国の主権を確認し、日本がドイツから奪った山東省の権益を中国に返しました。アメリカが日本に満州の権益を認めた石井・ランシング協定(1917年)も破棄されました。

1928年には、「国際紛争解決の手段としての戦争放棄」を定めたパリの不戦条約を、1930年には補助艦の保有比率を米10、英10、日7にするロンドン海軍軍縮会議が結ばれました。

日本はアメリカを中心とする国際協調路線に参加し、中国で権益を一部返還する体制の中、日本国内も大正デモクラシーの波に乗りました。1924年、山縣有朋《ありとも》直系の清浦圭吾内閣で、外相・陸相・海相を除いてすべて貴族院議員にするという、政党内閣とは真逆な内閣を作りました。藩閥《はんばつ》政治の最後のあがきです。憲政党・革新倶楽部《くらぶ》・政友会は護憲三派を形成し、政党内閣を確立し、男性の「普通選挙」を実施し、軍縮せよという主張をしました(第二次護憲運動)。1924年の総選挙では、護憲三派が絶対多数を取得し、清浦内閣は総辞職しました。ここで総選挙の第一党になった憲政会の加藤高明に組閣命令が出て、以後、五・一五事件の犬養毅《つよし》内閣まで、政党内閣の時代になります。1925年には、男性のみの「普通選挙」と、(権力にもの言う人を片《かた》っ端《ばし》から弾圧できる根拠法になる）治安維持法という、飴《あめ》と鞭《むち》の法案が通りました。

　平和協調主義の中で、日本の外交を担っていたのは、外相の幣原《しではら》喜重郎です。１９２６年の中国国民党の「北伐」で、蒋介石は華南・華中に進出し、ここで革命政府軍の一部（中国共産党員か）による南京事件が起こされました。日英米仏人を襲撃し、イギリスからは日本に共同出兵しようと要請が来ますが、（数年後の日本には考えられませんが）幣原はこれを拒否し、賠償で片づけました。蒋介石は孫文の決めた国共合作を廃棄しました。

　加藤高明内閣の後、政友会で陸軍出身でもある田中義一内閣が成立しました。このとき、蒋介石は第二次「北伐」で、中国統一を目指し、華北に進出しました。陸軍をバックにしている田中は、「北伐」が日本の中国での権益を犯さないように、特に満州に及ばないように、幣原協調外交とは真逆の政策を取りました。三回に渡り、山東省に出兵させ、ここを占領しました。この間、日中両軍は戦闘状態になる場面もあり（斉南事件）、日本軍は相当な残虐行為をしたとも言います。蒋介石は対立を避け、迂回《うかい》して北京に入りました。一方、「北伐」に反対していた軍閥の張作霖《さくりん》は、北京を脱出し、満州に向かいます。そこで、満州に日本の国家を作ろうとしていた関東軍の河本大作に、張作霖の乗る列車が爆破されました。結果、張作霖の子・張学良は却《かえ》って、国民政府に合流し、全中国は統一されました。この事件で、田中義一首相は、政治状況を考え、日本軍の関与なしとし、昭和天皇に真相を隠蔽《いんぺい》しました。しかし、後に事実を知った昭和天皇の逆鱗《げきりん》に触れ、内閣を辞職させました。昭和天皇による天皇主権が表出した3回（他は二・二六事件終結、敗戦決定）の一度目です。田中内閣の後は浜口雄幸内閣で、幣原喜重郎外相の形に戻ります。ここで、世界大恐慌が起き、日本としては大陸に侵攻か、協調路線か、つまり、中国国民党政府に圧力か、宥和かという判断に迫られましたが、幣原は協調路線の道を選びました。

　そういう中、ロンドン海軍軍縮会議が開かれますが、海軍軍縮に軍や枢密院《すうみつ》（天皇の最高諮問《しもん》機関）から圧力が加わりました。元老《げんろう》でリベラル貴族の西園寺公望《さいおんじきんもち》が動き、枢密院は何とか承認し、ロンドン海軍軍縮会議の条約が成立しました。ただし、このとき、犬養毅《いぬかいつよし》らはライバル政党の追い落としという、目先の政局に走り、軍事に関する権利は天皇のみしか認められないはずだと、統帥権《とうすいけん》干犯を主張しました。これは軍が天皇以外の誰もの制約を受けずに拡張できる、つまりシビリアンコントロールを無視して軍拡できる裏技となりました。

浜口首相は1930年、東京駅で右翼の青年に討たれ、翌年、亡くなりました。気に食わない政治家はいくら殺してもいい、五・一五事件、二・二六事件と、言論からテロが常態化する国になり下がり、お上に忖度《そんたく》し、空気を読む、批判精神なき従順（＝悪魔に魂を売る）な国民〜大戦争への道〜がつくられました。日本は国際協調外交から、制御《せいぎょ》なきアジア侵略の全体主義へと舵を切っていきます。それを後押しした公教育は、どれほど反省してもしすぎることはない〜と言うのは、今、公教育は再び「従順な国民作り」に勤《いそ》しんでいるからです。

(3) 満州事変

満州事変・日中戦争・太平洋戦争の三つの戦争を、どういう呼称で呼ぶか、実はまだ定まっていません。これらの戦争の反省こそが戦後日本の基礎をつくり、「あの戦争は正しかった」という反知性の戯言《ざれごと》をぶちこわす社会意志となります。

本書では、これらの戦争をアジア・太平洋戦争と言うことにします。ただし、日本と中国のみの戦争の時期を、アジア・太平洋戦争（前期）、それに米英蘭、最後にはソ連も加わった戦争の時期を同戦争（後期）とします。

本書では、アジア・太平洋戦争の勃発と、その終わりについてしぼって見てみます。

政府の意向を無視して、現地軍が勝手に軍事行動する。しかし、政府はその軍事行動を阻止することなく、罰することもなく、容認・追認する、そういう無責任な態度が政党政治を終わらせ、そういう流れに迎合する国民も、東アジア列島史最大の沈没まっしぐらに向け、無責任に「もっとヤレヤレ」感を高めていきました。

満州には、朝鮮人農民が二百万人もいました。斉南事件の後、中国人の排日運動が高まります。ただし、強力な日本軍にぶつかるわけにはいきません。弱い立場にいて、かつ満州に進出してきた朝鮮人農民に不満をぶつけました。日本国民であった朝鮮人がこんなに多数いる、出て行けということで、水田が破壊され、小競り合いが続きました（万宝山事件）。

こんなとき、柳条湖《りゅうじょうこ》付近の満州鉄道が爆破されました（1931年9月18日）。蔣介石が根拠地・南京を、張学良が根拠地・瀋陽を留守にしている時をねらった、計画的犯行でした。爆破を計画したのは日本人ですが、中国人に罪をなすりつけ、大陸の日本軍（関東軍）は奉天を占領しました。しかし、計画したのは日本政府ではない、天皇でもない、日本軍でもない、いや関東軍でさえない。関東軍の中の板垣征四郎・石原莞爾《かんじ》らでした。ドイツ・イタリア・ソ連など、世界の全体主義にはカリスマ性を持った「指導者」がいましたが、日本の全体主義にはそういう人はいません。行き当たりばったりの風、その場の空気で全体主義の道をひた走ります。

関東軍（もともと遼東半島の関東州に置かれ、後に満州駐留部隊になる）は、爆破を中国兵の仕業《しわざ》と決めつけました。そして、関東軍は、石原らの単独行動を追認しました。すでに、関東軍首脳、そして陸軍の一部では、満州を軍事支配することは、公然の秘密であり、既定路線になっていました。しかし、そういう兆候を感じ取った幣原外相が南陸相を問い詰めたため、石原らの単独行動〜関東軍（本庄繁司令官）の満州侵攻〜朝鮮の日本軍（林銑十郎司令官）の援兵と、政府の意向も示さないまま、大陸の陸軍が勝手に戦争を広げていきました。

シビリアンコントロールを無視する基点となったこの段階で、軍の暴走を止めることができたのは、国民の社会意志（少なくともすべての成長男子に選挙権があった）か、主権を持っていた昭和天皇だけでしょう。しかし、国民はまっとうな判断はできず、昭和天皇には北条政子の演説のような鬼気迫る覚悟はありませんでした。軍が勝手に戦争し、政府がそれを追認するなど論外、そもそも「よい軍政など一つとしてない」というのが、アジア・太平洋戦争の大きな教訓（知恵）です。権力は国民の監視の目にさらされ、絶えず制約を受けなければならない、増して「軍隊は行動しない」というのが、最も国民にとって、望ましい形でしょう。

日本政府は、若槻内閣〜幣原協調外交ですが、結局、日本政府も不拡大方針を示しながら、朝鮮軍の出兵を見、関東軍の単独行動を追認せざるを得なくなりました。それどころか、昭和天皇は関東軍の行動を「神速果断」とし、将兵の「忠烈」を賞賛しましたが（１９３２年1月8日）、とんでもない、誤ったメッセージを与えました。

１９３１年9月22日、関東軍の将校たちが、満州・内モンゴル（内蒙古）をどうしていくか、話し合いました。「満蒙占領論」「満蒙領土論」などを本来の目的にしていましたが、それではあまりに露骨すぎるので、清王朝最後の皇帝・溥儀《ふぎ》を迎えて、「満蒙独立」（実態は日本の傀儡国家）を作ることにしました。一方、中国国民党政府軍は共産党との戦いで日本軍への抵抗をせず、張学良も単独での戦いは無理と判断し、抵抗しませんでした。こうして、１９３２年3月1日、偽国家・満州国が成立しました。

中華民国は日本の侵略を国際連盟に訴え、イギリスのリットン調査団が調査にきます。列強は日本の侵略に批判的ですから、板垣征四郎は上海《シャンハイ》で紛争を起こさせ、列強の目を満州から移すように画策します（上海事件）。一方、リットン自身、インド総督代理を経験した植民地役人でしたので、日本の満州の権益を認めつつ、満州国は認めないという、妥協を示しました。しかし、それさえ認められないと、日本政府（斉藤実《まこと》内閣）は国際連盟を一方的に脱退しました（１９３３年3月）。国際連盟脱退は、国連の全権として脱退演説した松岡洋右《ようすけ》が有名ですが、松岡自身は脱退に反対で、斉藤実内閣の内田康哉外相の強硬な意志によるものです。内田は満州鉄道総裁で、軍部と利益で深く結びつき、「挙国一致、国を焦土にしても一歩も譲るな」という頑《かたく》なな人物でした。

（4）日中戦争

一方、国民党政府の蒋介石は日本対策よりも、中国共産党撲滅に力を注ぎました。そこで、張学良に共産軍討伐させることにしましたが、張学良は逆に西安で蒋介石と会談する中、蒋介石を捕え、共産党の周恩来も呼び、第二次国共合作の抗日戦争の政策を認めさせました（１９３６年。西安事件）。

１９３７年7月7日、北京郊外の盧溝橋で銃声がなり、現地の牟田口廉也大佐は戦闘を命じました。この銃声は偶発的なものとされていますが、牟田口の判断によって、この後8年間の日中戦争、さらには米英蘭との戦争につながっていきます。牟田口は後に東南アジアの戦線でもインパール作戦という無謀で愚かな作戦を実行し、すさまじい人数の兵(若者たち)を餓死させました。ただ、牟田口の行為を止められない軍、政府、国民の社会意志と仕組みが何よりも問題です。

陸軍中央は石原莞爾らの不拡大派と、中国を屈服させて華北分離させようという派に分かれました。現地では停戦協定が調印され、近衛内閣は「不拡大、現地解決」策を言いながら、いきなり、関東軍・朝鮮軍の他に、「内地」軍も出兵させるとしました。

近衛の軍に忖度するちぐはぐな対応の結果、雪崩《なだれ》現象を引き起こし、日中全面戦争になってしまいました。中国は第二次国共合作により、国民あげての抵抗戦を行います。まず、上海戦で日本軍は4万人以上の死傷者を出し、首都・南京に向かいました。国民党政府は重慶に首都を移し、蒋介石も脱出しました。南京陥落を日本国民は提灯《ちょうちん》行列をしてお祝いしましたが、実はとんでもない南京虐殺が起きていました。

この虐殺については、戦後まで日本国民に知らされませんでした。この虐殺は殺人された人数が不明確なことを使って、中国の虐殺30万というあり得ない水増しを批判することで泥仕合にし、「南京虐殺はなかった」とする、「愛国主義」者(歴史改ざん主義者)が後を絶ちません。外国の首都に住む人たちを多数殺したのです。そこが核心です。それを「なかった」ことにするとは、ドイツの「ホロコーストはなかった」を主張する人々と並ぶ、世紀のペテン師です。秦郁彦氏は、死体埋葬記録から2万6870人という人数を示し、これが死者数の下限であり、他の研究の数字も勘案し、3万8千人〜4万2千人という死亡人数を推定しています。

1938年1月、近衛文麿首相は「国民政府を相手とせず」として、外交的解決の道を捨て、5月には徐州へ向かい、長江中流の武漢三鎮(武昌・漢口・漢陽)を占領しました。そして、国民党政府の汪兆銘を誘い出し、南京に日本の傀儡政府を作らせました。

切れた糸の凧《たこ》のように軍の思うがままに戦争が拡大し、戦争全体をどうするかと判断できる人や機関が全くいないアジア・太平洋戦争。これを支え、それどころか戦争によって多大な利益を手にしたのは、三菱・住友・三井などの財閥《ざいばつ》でした。かれらは軍や政府と組んで儲《もう》けることが仕事であり、そこに社会意志はありません。

（5）（後期）アジア・太平洋戦争

１９４０年７月、藤原五摂家（鎌倉～江戸政権下で、摂政・関白になれた一族）出身、つまり中臣鎌足《なかとみのかまたり》、藤原道長の子孫、貴族の中の貴族出身という「血統」が期待になり、近衛《このえ》文麿が再度首相になります（第二次近衛内閣）。

日中戦争を拡大させたのも近衛内閣の優柔不断な政治ですが（第一次近衛内閣）、この年、もはや大戦争に後戻りできない三つの政策を行います。近衛としては、長引く日中戦争を終わらせたいという意図はあったのですが、その一方で彼自身が協調路線のヴェルサイユ体制・ワシントン体制に批判的な人物でした。彼は、東南アジアの資源を奪い、総力戦に対応する国家作りを目指します。

三つの政策の一つは、第一次近衛内閣（１９３８年）の「日本・満州・中国」の結合政策（東亜新秩序）から、東南アジアを含む「大東亜新秩序」作りへと、妄想《もうそう》を広げました。これは、アジア・太平洋戦争の後付けの目的、東条内閣の「大東亜共栄圏」構想につながります。この流れの中で、ナチス・ドイツに侵攻されて、東南アジアの植民地経営どころではないフランスに対し、北部仏印《ふついん》（フランス領北ベトナム）の武力「進駐」を認めさせました。米英などが蒋介石の国民政府に軍事援助する南方ルート（援蒋ルート）の遮断を目的にしたものです。

第二は、第一次近衛内閣のときに、すべての国民を戦争協力に向ける国民精神総動員運動を起こし、１９３８年には議会の力を削ぎ、政府に強大な権限を与え、国民の経済と生活を国家統制させる国家総動員法を成立させました。第一次近衛内閣の後、短期間の平沼騏一郎内閣・阿部信行内閣・米内《よない》光政内閣を経て、第

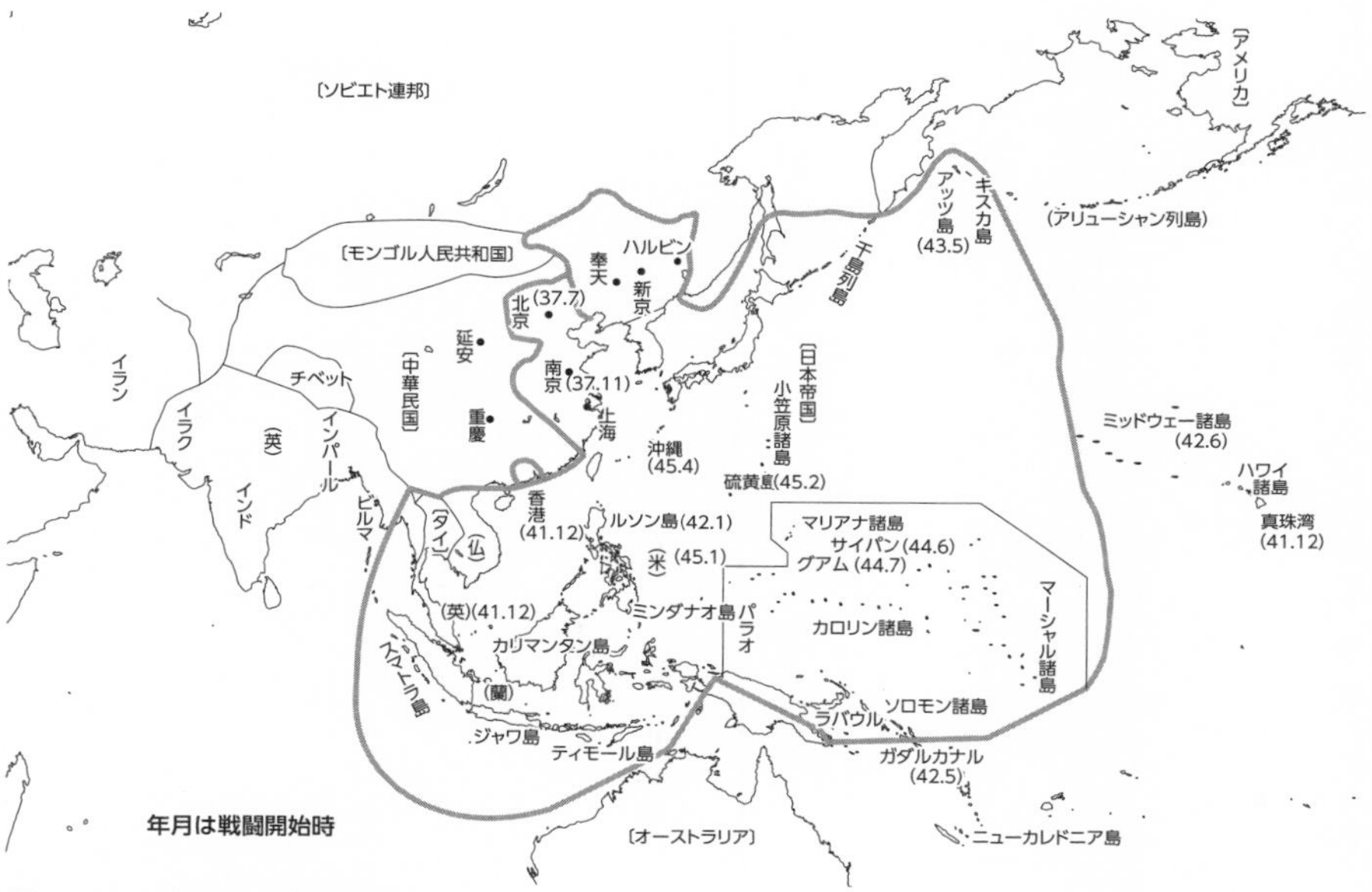

図2　1942年夏の日本の領域

二次近衛内閣では、すべての政党を解党し、一つの組織（大政翼賛会《たいせいよくさんかい》）にまとめられました。これはナチスのような一国一党の体制を望む、軍部の意向とも一致していました。

第三は、ヨーロッパ全域に領域を広げるドイツの勢いを見て取って、日独伊の三国軍事同盟を結びました。瞬間的な勢いに敏感に反応する外交が、大局を見失い、東アジア・東南アジア・太平洋を奈落の底につき落とします。

仏印《ふついん》「進駐」と日独伊三国同盟は、アメリカを強く刺激し、石油とくず鉄の輸出許可制、航空用ガソリンの輸出禁止、さらにくず鉄の輸出禁止として、日本への経済制裁を行い、中国やイギリスへの武器貸与《たいよ》法を成立させました。日本が身勝手に東南アジアに侵出し、ファシズム国家の独伊と結んだことで、日本から見ると、ABCD（アメリカ・イギリス・中国・オランダ）包囲網の制裁を受けました。日中泥沼戦争の結果がこれで、日本帝国滅亡をひた走る、対米英戦争をするしかない状況に追い込まれたのです。

1941年12月8日、日本（東條英機《ひでき》内閣）は一か八かのハワイ真珠湾攻撃というだまし討ちから、米英戦争に突き進みます(後期アジア・太平洋戦争)。日本から見ると、経済制裁で追い込まれたための、「自衛」のための「敵基地先制攻撃」と強弁することもできますが、私たちはここに至るまでの経過、そして先制攻撃した結果、始めてしまった戦争の、すさまじい犠牲を学習しなければなりません。以後、3年9ヶ月の戦争の経過は省略します。私たちは、どういう状況によって、こんな大戦争を引き起こしてしまったのかを何よりも知らなくてはなりません。そして、今、軍事費倍増(米中に次いで世界3位になる)、「敵基地先制攻撃」と軽い乗りで主張する日本政府、それを気にも止めないで容認する日本国民のあり方に注目すべきです。軍の巨大化は、だれもが制御できなくなる化け物への道なのですから。

(6) 戦時中の朝鮮・台湾・満州、東南アジア

アジア・太平洋戦争の日本帝国の植民地政策はどういうものだったのでしょうか。

朝鮮人には、皇民化《こうみんか》政策を徹底しました。1936年に朝鮮人に神社参拝が強制されました。40年2月には創氏改名(朝鮮人の氏名を奪い、日本式の氏名にさせる)が強行され、41年4月には学校現場から朝鮮語が排除されました。朝鮮人労働に関しては、日本本土の不況時期は日本労働者の生活を優先するために、本土への出稼ぎを抑制させていましたが(1934年)、日本男性が戦地に赴き、労働力不足になるに連れ、1939年に「募集」方式、42年2月に「官斡旋」、そして44年9月以降は国民徴用令により強制労働にされました。1939〜45年の朝鮮人労働の人数は70万人とも言われています。現在の日本に、在日コリアンが多いのは、韓国「併合」以来、特に戦時中の朝鮮人労働の結果の現象なのに、韓国や北朝鮮と揉め事《もめごと》があると、彼らはヘイトに根拠のない、無責任な口汚い暴言を吐かれ、差別を受けます。

さらに、アジア・太平洋戦争を、アジア解放の「聖戦」として強弁したい人々にとっては、認めたくない史実、早々に決着して黙らせたい史実は、軍隊「慰安婦」です。自ら望んできたとか、「売春婦」だったとか、一部の事

例で全体を説明し、日本政府が直接関与したのではなく、下請けの業者が行ったことだとか、他の国も行っていたとか、少しでも穴がないか探し続け、それでも「慰安婦」問題を取り上げたら、「非国民」とか、「自虐史観」とか、「東京裁判史観」とか、あらん限りの悪口をぶつけられます。「強制連行」「従軍慰安婦」という言葉には、安倍晋三らの意向に忖度《そんたく》して、歴史教科書から消されてしまいました。また、村山内閣時代（１９９４〜９６年）に日本側が「慰安婦」に見舞金を支給し、問題の解決を図ろうとしたこともありましたが一部、韓国国民による「日本からお金をもらうな」という圧力が元「慰安婦」にあって、結局、未解決の状態になりました。日本と韓国の熱狂的な国枠主義者がこの問題の解決を拒否させてきました。

台湾でも、皇民化政策のもと、軍事労働をさせられ、１９４２年には陸軍特別志願兵制を、４４年には徴兵制が敷かれました。また、先住民族に対して、「高砂《たかさご》義勇隊」を結成させ、ジャングルの戦闘に利用しました。

満州国の農業・鉱工業は、日本・朝鮮・華北の食料・資源のための収奪の地にされました。１９４０年には徴兵制が敷かれ、４２年10月には兵役に服していない青年にも、国民勤労奉公隊に組織されました。また、多数の朝鮮人が満州移住政策に乗っかり移住し、満州国軍の陸軍軍官学校には朝鮮人青年も参加しました。

満州での生活は快適、この言葉は一面で当たっていました。誰に取ってか、もちろん、日本人に取ってです。そこは侵略した土地だ、そこにもともと住む人が犠牲になっている、そういう発想は、そもそも北海道移住により、アイヌ民族がどういう目に逢ったか想像できない多くの日本人には、あり得ませんでした。

日本帝国の後付け・建前《たてまえ》の戦争目的は、自ら植民地を持ちながら、アジアを「開放」することです。アッツ島の日本軍が全滅し（１９４３年5月）、勢いが傾きかけた同年11月、「大東亜」会議を開催しました。タイは日本の友好国、ビルマ、フィリピンは独立、中国に対しては、蒋介石の国民政府から引き抜き、傀儡《かいらい》政権を作らせた汪兆銘が日本と同盟を結びました。また、インドではガンディーをリーダーとする国民会議派から引き抜き、日本の傀儡となったチャンドラ・ボースによる自由仮政府を承認しました。これに満州国を加えたものによる、

「大東亜会議」でした。ただし、インドネシアは占領したままで、傀儡政権さえ作らせてもらえませんでした。

(7)アジア・太平洋戦争の敗戦

１９４４年10月のフィリピン・レイテ戦の敗北で、日本の海軍（連合艦隊）は壊滅しました。１９４４年秋をもって、客観情勢としての日本帝国の軍事敗北は決定して、後は日本帝国という形を崩壊させるために、すさまじい犠牲を強いる1年間が存在するということになります。その犠牲とは、日本国民だけではない、植民地の人たち、占領地の人たち、米英などの連合国の人たちも、日本帝国の沈没のための犠牲にされます。

硫黄島「玉砕《ぎょくさい》」（降伏せず、全員戦死すること。「美しい」こととして賛美された）、沖縄戦、東京大空襲を始めとする無差別空襲、原爆投下、ソ連の侵略、「神風特別攻撃隊」（戦闘機に爆弾を積み、アメリカ軍艦に体当たりし、戦死する作戦）と、人殺しに取り付かれた人の命令による、すさまじい犠牲です。

あの戦争が間違った戦争だったら、戦死した人たちが「犬死」になってしまう、だから「彼らは郷土のために、アジア解放のために戦った」と信じたい人たちが絶えません。明治維新以来、ひたすら他民族の大地を奪い、拡張を続ける日本帝国。特に欧米列強がアジアに目を向けることが弱まった第一次世界大戦以来、タコ糸が切れたように、アジア侵略にまい進する日本帝国。そうした装置で組み立てられた日本帝国が方針転換するために、これほどの巨大な犠牲を強いられたのです。それまで信じ切っていた社会意志を変えさせることの難しさを痛感します。

敗戦の決定については、いわゆる「玉音」放送以前にも動きがありました。8月15日の天皇の「玉音」放送が「聖断」だと決めつける人々には、知らせたくはない情報でしょうが、何が戦争をここまで継続させたかは、考えておかなければなりません。

日本の敗戦は、１９４４年の秋には不可避の状況になっていたことは既に説明しましたが、東條英機（後期アジア・太平洋戦争開戦時の首相）の後に首相になった小磯首相は、ソ連を通して和平の仲介に入ってもらおうとか、重慶の国民党政府に「満州国以外のすべてを譲歩する」と交渉しますが、外務省や昭和天皇に阻止されました。日本の指導者で最初に、敗戦を主張したのは（戦時体制を構築した）近衛文麿です。近衛は吉田茂などの力も借りながら、１９４５年2月に、近衛上奏文として、昭和天皇に敗戦の決意を求めます。しかし、昭和天皇は「相手に一撃を与えてから」と言って、取り上げませんでした。このとき、敗戦を決意していたら、東京空襲も、沖縄戦も、原爆投下も、ソ連の侵攻もなかったのですから、いかに多くの命が奪われないで済んだかと言えます。天皇には戦争終結させる発言力があるだけに、その責任は重大です。

それでは、8月15日の「玉音」放送（天皇のポツダム宣言受諾宣言）は遅きに失したのでしょうか。

日本が敗戦を受け入れたのは、反東条連合の政治指導部が存在していたからだという見方がされています。アメリカは、１９４５年の12月いっぱい戦争は終わらないと考えていました。そうなると、ソ連が北方から、米英が南方から、日本本土が攻撃され、大陸では中国とソ連が侵攻し、日本は分割支配されていただろうと見られています。敗戦時の首相は自由主義派で、天皇の信任も厚い鈴木貫太郎でした。「自由主義」派（と言うより、停戦派）の存在が敗戦を受け入れ、天皇の敗戦決意にもつながったと言えます。それでは、天皇の「玉音」放送は何の意味もなかったのでしょうか。本土決戦を望む一部陸軍の強硬な意見が存在し、しかも日本国民が「負けたのか」と納得させるのは、反東条連合の政治指導部だけでは無理です。昭和天皇の言葉が必要だったのは、明らかです。日本は国民主権の国ではなかった、議会やら、軍人やらの意見を踏まえ、元老が天皇に判断を仰ぐ政体だったのです。天皇がもし決意しなかったら、日本は全滅するまで戦争を続けたのでしょう。当然、天皇制も消えたでしょう。人間はマインドコントロールされると、全滅するまで行ってしまう生き物なのです。

アジア・太平洋戦争という莫大な人災事件からの教訓。それは国が「正義」を主張し、「美しい言葉」を並べたて、それを挙《こぞ》って信じた国民の行為が、（結果のわかっている現在から見て）いかに醜悪《しゅうあく》だったかということです。そして、今、また、相も変わらず「美しい言葉」を発する政治家たちと、それを信じる「学ばない人たち」、さらには外国においても、「美しい」言葉で自国民を害する多くの軍事政権下の姿を見ることができます。

二　近代後期（中葉）

（1）戦後の改革

日本帝国の降伏は、日本の国が焦土と化すとか、数千万人の人命が奪われるとかという、国土と国民の生命は二の次でした。天皇制の存在を維持する、彼らの言葉を使えば、「国体護持」のために降伏したのです。日本帝国の装飾をはがし続け、最後に残った一点が国民ではない、天皇制だったのです。日本帝国の始点、明治維新でそういう国作り（尊王攘夷、大政奉還、王政復古の大号令）を始めたからです。沖縄とサハリン南部・千島列島以外の「国土」（実は、ここは琉球王国とアイヌモシㇼだった）で「国内戦」にならなかったのは、その結果です。これに対する日本国民の評価がないのは、明らかに勉強不足です。

敗戦時の首相は、昭和天皇の養育係だった女性の夫・鈴木貫太郎でしたが、敗戦とともに内閣は総辞職しました。そして、戦後最初の内閣は、木戸幸一内大臣代理の推薦で、天皇家の東久邇宮稔彦《なるひと》が首相となりました。天皇家の威光で国をまとめようというのです。

そこに、アメリカのマッカーサーが来日しました（1945年8月30日）。日本占領軍（GHQ）の親玉になります。米艦ミズーリ号で降伏文書に調印し、さて、日本帝国を解体させ、民主化を進めるために、占領軍が「直接統治」するか、GHQの指導によりながらも日本政府が統治する「間接統治」かと、二つの道の選択肢がありました。ただし、日本帝国の敗戦時は、（後期）アジア・太平洋戦争（対米英中戦争）の開戦時の東条内閣ではありません。戦前の自由主義者たちの勢力も一定程度、政治に発言権を持っていました。結局、GHQは「間接統治」の方法を選びました。戦後の日本は、皇室内閣と、ＧＨＱの間接統治という形から始まったのです。

東久邇宮は戦争の責任を曖昧《あいまい》にする「一億（国民のすべてということ）総ざんげ」を主張しました。天皇も、戦争を推進した指導者も、戦争に積極的に加担した国民も、時流に乗って戦争に加担した国民も、戦争に抵抗した国民も、いっしょくたにする乱暴な主張です。またＧＨＱは東條英機ら38人を戦犯として逮捕しました。まもなく、マッカーサーと昭和天皇が会談しました。「国体護持」の意向の東久邇宮と、日本の民主化を求めるマッカーサーの意向は妥協の余地がなく、幣原喜重郎《しではら》内閣が成立しました。幣原は戦前の協調外交、大正デモクラシーの体現者で、アジア・太平洋戦争の推進者と闘い、敗れた人物ですから、天皇制を維持したまま、アジア・太平洋戦争前の大日本帝国憲法下の限定的な自由体制が頭の中にあったと見られます。しかし、占領軍が日本に課す民主化要求は、それをはるかに超えるものでした。幣原内閣時代の１９４５年10月～４６年の５月の半年余りの間に、戦時中の政治犯三千人が釈放され、幣原とマッカーサーが会談し、女性・労働者の権利、教育の自由などの5原則を確認しました。マッカーサーは幣原に新憲法作りを指示、また農地改革、新教育の制度作りも着手します。戦後体制の基礎作りは、幣原内閣の時代に始まったと言えます。

しかし、大正デモクラシー時代の発想の幣原に対し、ＧＨＱははるかに高い要求の政策を強制します。象徴天皇制、国民主権、戦争の放棄《ほうき》をめぐる日本国憲法、地主層を完全になくする農地改革、中央集権的な教育を廃し、地方主体の教育と、次々と高い要求が出されました。幣原はそのつど、それに合わせていきました。戦争の放棄については、天皇の戦争責任を問う諸国に対し、天皇制を守る説得をさせるために、マッカーサーが強く主張したものとも、また、軍部の圧力に手を焼いてきた幣原が「軍隊を持たない」ことを主張したとも言います。こうして、ＧＨＱの圧力の下、民主化が進められ、女性参政権獲得最初の選挙を行いますが、幣原の進歩党は鳩山一郎を党首とする自由党に敗れ、内閣は総辞職します。しかし、戦前に国家主義的な政治活動を行った鳩山はＧＨＱに公職追放され、食料メーデーで皇居前に25万人が押し寄せる中、吉田茂内閣が成立しました。こんなに戦争で痛い目に遭っても、結局、民主主義では鳩山を選んでしまうのです。民主主義は生業・地域・利害、そして時の勢いが加味して決定するもの、より正しい判断には「知性」が必要なのです。

第一次吉田茂内閣で、日本国憲法（やっと女性参政権を含めた国民主権を記載）を公布、第二次農地改革、財閥解体第一次指令、教育基本法・学校教育法建議と、戦後の改革が出そろい、片山哲社会党内閣で日本国憲法が施行されました。ここで、ほぼ戦後の改革が終わり、戦後の日本の骨組みが確立しました。

この骨組みは議会制民主主義の力、さらには日本国民の力では出現させられませんでした。これほどの大改革（歴史上の大画期）は、未曽有《みぞう》の大敗戦で政治パワーが壊滅状態になる中、GHQの圧力があったからこそ出現したものです。

なお、戦争責任を裁く東京裁判では、南京虐殺などが国民に知られ、日本軍が行った残虐行為が初めて白日のもとにさらされましたが、勝者の大量殺人（無差別空襲、原爆投下）や、降伏後のソ連の侵攻やシベリア強制労働、昭和天皇の責任などは裁かれませんでした。それでは、東京裁判に代わる歴史評価が日本の責任で為されたかというと、それは全く行われていません。私たちに今も残るモヤモヤは、日本国民は東條英機《ひでき》のために戦い、戦死し、人殺ししたのではない、「天皇陛下のため」と信じ、戦い、「天皇陛下万歳」と言って戦死した、この問題に何も決着がついていないということです。

(2) サンフランシスコ平和条約

１９４７年には、米ソの対立が激化し、翌４８年にはソ連がベルリン封鎖し、中国共産党が北京を占領、朝鮮半島では韓国と北朝鮮が成立しました。中道の芦田均《ひとし》内閣を経て、第二次・第三次吉田茂内閣では米ソ対立の中で、アメリカ側に付き、いかに独立するかという一点に、政治の方向は定まってきました。デモ・集会の禁止（10日で撤回）、レッド・パージ、警察予備隊誕生というように、反共・反民主主義・再軍備という圧力が出てきましたが（これで、吉田を「自由主義者」と言うことに賛成できない）、反民主主義には国民の抵抗はすさまじく、再軍備の拡大は吉田自身、本気に実施する気はなかったと思われます。

ＧＨＱが理想的な民主化を押し付けたのは、第二次世界大戦による膨大な犠牲が世界中にあり、世界の理想を求めたほんの1・2年間のことであり、米ソ冷戦というステージが起こると、ＧＨＱは理想など、たちまちかなぐり捨てます。東西冷戦に合わせ、７３１部隊の細菌兵器の資料を欲しがるＧＨＱは、帝銀事件関与の可能性さえ疑うことができます。日本国憲法と47教育基本法（現在は第一次安倍晋三内閣により改悪された）は世界がほんのいっとき、本気で理想を求めた時代に出現したものです。

１９５１年4月、マッカーサーはアメリカに去り、9月に日本はアメリカ側の国52カ国と、平和条約を結びました（サンフランシスコ平和条約）。日本の独立は、戦犯がどんどん追放解除され（逆コース）、アメリカ側の軍事独裁政権への道に行きかねないものでした。独立直後のメーデーは、警官隊が市民を弾圧する「血のメーデー」になってしまいました。そして、アメリカに従属し、軍事基地を提供するという、戦後の日本の形ができあがりました。明治政府は安政の不平等条約（日米修好通商条約）に対して、50年の年月をかけて、撤廃させましたが、戦後、国力をいかに回復しても、いや、それどころか、時間が立つほど、「こんな不平等をとっぱらえ」とは多くの国民が思わない、沖縄に軍事基地を押し付けても深くは感じない国民、これは皮肉を込めて、後世の歴史評価の研究課題になるでしょう。

このときの「北の文化圏」と、「南の文化圏」のことに、触れておきます。

「北の文化圏」では、サハリン全土、千島列島全域、それから色丹・歯舞《はぼまい》群島（どう見ても、北海道の島々でしょう）はソ連が占領しました。日本はサンフランシスコ平和条約で、サハリン・千島列島は放棄しましたが、ソ連とは平和条約を結んでいません。だから、法的にはソ連が不法占拠したという言い方になります。ただし、南千島も日本が放棄した千島列島の一部であることは明らかです。さらに、ソ連は、自ら主張するヤルタ会談（第二次世界大戦後の形を話し合った米英ソ首脳の会議。当然、日本は参加していない）の議論さえ越えて、北海道東部・北部を奪おうとしましたが、アメリカがそれを許しませんでした。以上は日ソの国際法律論になりますが、そもそもここは樺太アイヌ・千島アイヌが住んでいた地域を日本とロシアが奪い合ったものです。日ソの自己正当化の理屈から一度離れます。すると日本の植民地に、日本敗戦間近という状況を見て、ソ連がいきなり侵略し、多くの一般市民が殺害され、数十万の日本兵士がシベリアに強制連行され、苦役を強いられました。それに対し、日本政府はまともな抗議もできません。

台湾は日清戦争で日本が奪った地域で、中国に返還されました。しかし、ここに、大陸の共産党政権（中華人民共和国）に敗れた蒋介石の国民党政府が逃れ、亡命政権を打ち立てました。サンフランシスコ平和条約が結ばれても、奄美以南の南西諸島と、小笠原諸島はアメリカの統治領にされました。

北海道はもともとアイヌ民族の大地で、日本の植民地第一号の地ですが、当たり前のように日本の国土にされました。沖縄は琉球王国の領土でしたが、日本本土復帰を望みます。しかし、アメリカは対中国、対朝鮮半島、対ベトナムの要所としての軍事基地としていきました。沖縄については、吉田首相は本土に入れるように要求しました。しかし、日米の国力の差が、アメリカの無理難題を受け入れさせ、日本本土から沖縄を分離させたと言えます。サンフランシスコ平和条約締結は、奄美にとっては「痛恨《つうこん》の日」、沖縄にとっては「屈辱《くつじょく》の日」になりました。

日本は敗戦で、列強の植民地奪い合いの道を、未曾有の被害・加害の結果、全否定されました。１９４５年８月をもって、植民地経営ではない新しい生き方を模索することになったのです。一方、大戦に勝利した連合国の面々は、アジア・アフリカの独立運動に圧力をかけ、結果、敗れて撤退する歴史を１９６０年代まで続けなければなりません。さらに米ソの冷戦は、両国が世界の覇権争いに膨大なエネルギーを使い、四十数年後にソ連は崩壊するのです。ここにエネルギーをかけずに済んだことが、その後の50年間の日本の奇跡的経済「成長」の一因となります。領土「拡大」から経済「成長」への大転換です。

（3）日米安全保障条約をめぐって

サンフランシスコ平和条約を結んだ吉田茂内閣、ソ連と国交を結んだ鳩山一郎内閣も、戦前の「自由主義者」を首相とする政権です。

しかし、ここでガッチリ、アメリカの世界戦力下に付くという、戦後の形ができました。ここでまだ固まっていないことは、日本国憲法で定められた国民主権と戦争放棄です。ここを変えて、国民の声を抑え込み、アメリカの世界戦略の一翼を担う軍隊を作ろうという政権の力と、それを許さない、もう戦争はこりごりだという国民の反対勢力の闘いが、１９５０年代の日本となります。

憲法第9条（戦争放棄）の議論が、「万が一、日本が侵略を受けたとき、自衛軍は必要なのか否か」という、まっとうな議論にならないのは、これが日本の自衛のためなんかではない、世界中のアメリカの戦争に加担するための方便（改憲）に過ぎない（いわゆる「衣《ころも》の下の鎧《よろい》」）という政権の意図が見え見えだからです。

吉田茂にしても、鳩山一郎にしても、彼らを「自由主義者」と言っても、今一つ理解されないのは、彼らが国民の弾圧に走ったからです。彼らは、東條英機らのアジア・太平洋戦争推進派に対抗し、敗戦～独立の指導者になったのは間違いありませんが、平和と民主主義の指導者だったわけではありません。吉田は外務官僚として奉天領事館に入り、張作霖への強硬政策を進めた人物、鳩山は１９３３年、斉藤実内閣のもと、文部大臣として、京大の滝川幸房の著書を共産主義的と断じ、彼に休職を命じ、多くの教員や学生を弾圧し、大学の自治を奪いました。吉田も、鳩山も、国益に反するから、アジア・太平洋戦争に抗しただけで、平和や民主主義・人権を希求したわけではありません。

１９５０年代の東アジアは、米ソ対立の中で、朝鮮半島も、中国大陸も、ベトナムも、共産主義軍事独裁国家と、反共軍事独裁国家の国しかありません。日本は大正デモクラシーの伝統があって、唯一、日本国憲法のもと、国民主権の国家でした。しかし、第二次世界大戦の直前のドイツが、カリスマ性のある指導者に乗っかって、最高レベルに民主的なヴァイマル憲法を壊したように、独裁国家を選ぶ選択肢もあったのです。

日本国憲法は、どう見ても、GHQの圧力で成立したとなるでしょう。日本国民が関わった部分があるにしても、帝国議会の承認を得て、変更した部分があるにしても、GHQの圧力が大きなウェイトを占めていたのは明らかです。しかし、日本の政権与党の考えた自主憲法はと言うと、旧態依然とした、はるかに質の落ちるものでした。自由民権運動時代に、市民が考えた五日市憲法とは雲泥《うんでい》の差、遠く及びません。日本政府は「国民主権」を拒否しようと、官僚答弁を駆使し、悪あがきしたくらいです。つまり、世界最高レベルの憲法を、GHQに押し付けられたのだと考えることができます。しかし、米ソ冷戦で、その憲法（特に第9条）の変更を迫るアメリカ、それが国策上、正しいと考え、アメリカの先遣隊となって弾圧を加える政府に、一部の国民は猛抵抗し、跳ねのけ、結果として、日本国憲法を自分たちのものとしていったのです。

鳩山一郎内閣の退陣の後の、石橋湛山内閣は石橋の病気のため短命で終わり、岸信介内閣になります。石橋までは戦前の自由主義者の内閣でしたが、岸こそは東条内閣の一員で、A級戦犯で逮捕（不起訴）にもなりました。戦後11年にして、日本国民は、きな臭《くさ》いリーダーに首相の座を与えてしまいました。彼は日米安保条約の改定に着手しようとします。日米安保条約の改定自体は、片務的な部分を修正しようとし、日本から見たら改善の部分もありました。しかし、岸を評価するとき、彼の国民弾圧は見逃せません。安保条約の改定を進めるために、治安維持法のように国民を取り締まろうと警察職務執行法（警職法）を提示し、国民のすさまじい抵抗に遇います。岸はアメリカのNBC放送で、「海外派兵のため憲法9条を廃止し、取締法を強化する」と発言します。日米安保条約では、反対する野党議員を、警察権力を使って排除しました。国民の怒りは戦後最高潮に達し、あたかも革命前夜の雰囲気になってきました。岸は、日米安保は改定しましたが、国民の信をまったく失って、退陣しました。戦後の平和と民主主義は国民の闘いの結果、確定していったのです。

この戦後の形は、2010年代になって、孫の安倍晋三の「おじいちゃんは正しかったんだ」という想念と、戦後の歴史を知らず、その政府を支持し続けた多数の国民によって大きく歪曲《わいきょく》します。

この日米安保条約をめぐっては、日本がアメリカの属国のような位置になったこと、沖縄に膨大な面積の米軍基地を押し付けて、本土が平和を享受したという欠陥がある一方、２０２２年のロシアのウクライナ侵攻を見るにつけ、アメリカの傘に入ることで、ロシア・中国、そしてアメリカの侵攻の対象にはならなかったという、冷徹な物理バランスも指摘しておきます。

(4) サハリン・台湾・沖縄

東アジア列島のうち、サハリン・千島列島はソ連（ロシア）領に、沖縄はアメリカ占領下に、台湾は中国領になりました。この三地域について、見てみましょう。

サハリン・千島列島には、ソ連軍が侵攻していきました。１９４６年2月、これらの地域は南サハリン州とされ、集落名・都市名・山川地名など、すべてロシア地名に変えられました。行政の長は、選挙ではなく、極東軍管区の軍事会議所属の民生局からの任命制によるものでした。サハリン州に編入されました。サハリン州の最初の仕事は、日本国民を本国に移住させ、ソ連の市民をサハリン州に移住させることでした。翌４７年には、南サハリン州は廃止され、サハリン州に移住させることでした。樺太アイヌ・千島アイヌを含む日本国民の35万7千人が日本に強制移住させられ、１９４９年には45万人のソ連人が移住してきました。ただし、日本の国策でサハリンに連行されてきた朝鮮人労働者は、帰国できません。日本もほったらかしにして、結局、「棄民」として、そのまま、ソ連人にされました。

台湾は、中国（蒋介石の国民党政府）に「返還」されましたが、台湾人には自分たちが中国人だという意識が歴史的にありません。進駐してきた蒋体制の官員は掠奪と破壊をしました。１９４７年2月27日、台湾全土の決起になりました（二・二八革命）。台湾の行政の長、陳儀は狡猾「知」にたけ、大陸の国民党政府軍の援軍を待つために、デマを飛ばしたり、要求を呑むふりをしました。３月８日、国民党政府軍が到着し、粛清・虐殺をしました。３月９日だけで、台北市の人口30万のうち、１万人以上が殺害されたとも言います。国民党政府軍は各地で虐殺を行い、３月13日までに決起を鎮めました。結局、国民党政府自体が大陸の内乱に敗れ、１９４９年には台湾に逃れます。

そして、現在、台湾は民主化が進み、議会制民主主義が根を下ろしました。軍事侵略も含め、中国の一部にしてしまえという覇権国家・中華人民共和国（大陸の共産党政権）に対し、一定の条件で合一するのか、民主国家・台湾として独立するのか、まだ判断を下してはいません。中国の言うように、「一つの中国」を主張するならば、皮肉を込めて、中国の台湾化（民主化）をめざしてもらいたいものです。一党独裁の中国の一部にされた瞬間、香港《ホンコン》に行ったような住民への弾圧は目に見えています。中国の言う「内政干渉」とは、かつての帝国主義列強に対する不介入を言うものから、今や、覇権国家・人権弾圧国家・非民主国家の手法に口出しするなというための常套語になってしまいました。

原理・原則は弱者が強者に主張するときの武器です。逆に強者が使うときは、弱者を踏みにじる「大義名分」にされることが多いと言うことです。

南西諸島では、アメリカが占領したまま、琉球人の意思を踏みつけて、軍事基地を造り続けました。

沖縄の石川の収容所では、１９４５年８月15日、米軍政府による住民代表者会議を開催させました。沖縄の中央政府ができるまでの準備期間として、沖縄諮詢《しじゅん》会が設置され、委員長に志喜屋《しきや》孝信《こうしん》が選ばれました。米国軍政府は最初こそは自由と民主主義を移入しようとしますが、すぐに態度が豹変します。沖縄諮詢会が沖縄民政府になり、沖縄議会もつくられましたが、知事と議員の公選制は認めませんでした。

日本がサンフランシスコ平和条約で、曲がりなりにも独立できたのに、沖縄は米軍占領下のままでした。

１９５０年に、軍政府は琉球列島米国民政府となり、奄美群島・沖縄群島・宮古群島・八重山群島の四つの群島政府に分割しました。沖縄群島政府の知事に、本土復帰を唱える平良辰雄《たいらたつお》が選出されると、米国民政府は臨時中央政府を設置し、親米派（アメリカの言いなり）の比嘉秀平《ひがしゅうへい》を行政主席に任命しました。さらに米国民政府は１９５２年4月には、首席公選制の約束を反故《ほご》にし、比嘉をそのまま琉球政府の行政主席に任命し、各群島政府も廃止しました。このとき、琉球人は激しく行政主席の公選制を要求し、米国民政府は１９６８年にやっと公選制を認めました。

米軍は、住民が沖縄住民収容所に入れられている間に、勝手に住民の居住地を軍用地にしました。住民の反対運動に超安価な価格で土地を買い上げようとしたり、布令・布告で一方的に土地使用を認めさせようとし、１９５３年の「土地収容令」により、立ち退きを拒否する農民の前で、ブルドーザーで家ごと敷きならすこともしました。沖縄住民は、「土地を守る四原則」を議決し、反対闘争をし、アメリカ政府に直接訴えますと、アメリカのプライス議員を団長とする調査団が来ました。しかし、米国民政府の言い分しかまとめなかった、初めから結論ありきの八百長のプライス勧告で、沖縄各地で「島ぐるみの土地闘争」が激化しました。さらに、米軍兵士が交通事故を起こしても、全く罪にならず、被害者に補償もなく、１９６０年4月28日（サンフランシスコ平和条約発効の記念日）には、「沖縄県祖国復帰協議会」が結成されました。この間の歴史は沖縄の「本土復帰」運動という目では不十分で、アジア・アフリカの植民地解放・独立運動の一環として見るべきでしょう。

（5）戦後日本の社会意志

戦後の日本の社会意志は、どのようにつくられたでしょうか。

それは政策的につくられた部分と、国民がつくっていった部分があります。

日本国民は、いきなりハワイを強襲し、自分たちから起こした戦争だということは片時も忘れてはいけませんが、アメリカにいったいどれほどの市民が無差別に殺害されたでしょうか。

繰り返される無差別空襲、広島・長崎への原爆投下。一晩の東京大空襲で10万人、広島の原爆で14万人、長崎の原爆で7万人、これだけの市民が殺されたのです。

そして、戦後になっても続く、アメリカの軍事基地。米軍基地は、日本の独立が犯され、属国扱いの象徴なのに、沖縄県民以外の多くの人は何の違和感も持っていません。

あんなに理不尽な殺害を受けてきたのに、日本国民の標準的な恨みは、アメリカに向いていません。むしろ、日本が大変な被害を与えた韓国や中国に向いています。彼らに強《し》いてきたことへの後ろめたさが、彼らへの逆《さか》恨《うら》みとなっています。日本政府から「未来志向」という加害から目を背ける、都合のいい言葉が出るたびに、その反動として、韓国や中国から歴史認識を問われる事態が繰り返されています。

戦争で亡くなった人については、決してアメリカへの悪感情にならないように、また、神風特攻隊や「玉砕」、「本土決戦」と称して、国に無理やり殺された人については、それを命令したり、いつまでも降伏しなかった国や、最高責任者の天皇に矛先が向かないように、操作されています。「亡くなった人は無駄死にではない。お国のために亡くなった英霊だ」と。親分・アメリカへの憎しみを持たないように、現体制に批判が行かないように、社会意志がつくられているのです。要は、誰が戦争を起こし、誰に害を与え、誰から被害を与えられ、殺されたのか、いわば、主語や目的語がないように、社会意志がつくられました。

ただし、主語や目的語がなくても、戦争を起こされ、多くの人が殺害された事実は厳然と残ります。

結果、二度と戦争に巻き込まれるのは御免だという、社会意志は、政権与党やアメリカがどれほど平和憲法を変えさせようとしても、今までは変えさせないできました。残念なのは、日本国民が被害を受けた以上に、アジアの人たちに加害を与えたことは、なかなか社会意志にならないことです。

歴史は、誰かに社会意志をつくってもらうのではない、真っ正面から歴史を見て、来たるべき時代を考え、自分たちでつくっていかなければなりません。だからこそ、「お国万歳」ではない、「人間の歴史」から見た歴史評価が必要なのです。それは「知性」によって見ることができ、「知性」は教育によって育まれるのです。

(6) アイヌ民族と先住権

北のアイヌ民族は、戦後も、高度経済成長期を通して、和人への同化を強いられました。「日本国民は(中の文化圏による)単一の言語、単一の文化、単一民族だから、優れている」という言い方がまことしやかに言われました。アイヌ民族は滅びゆく民族だ、やがて同化していくのだと見られました。

しかし、国際的な先住民族の復権の流れの中、アイヌ民族も、先住権を求め、アイヌ新法案を提示しました(1984年)。1997年には、約百年続いた「北海道旧土人保護法」は廃止され、「アイヌ文化振興法」が成立しました。しかし、日本政府は国家としての責任が生じるため、アイヌ民族を先住民族とは認める気がありません。2007年に「先住民族の権利に関する国連宣言」が日本も含めて批准されました。しかし、日本の近代国家が、アイヌの大地を奪ったのです。当然、政府は謝罪に始まり、民族自決権とか、土地・資源・領域の権利などを考えなければならないのに、これらの先住権の核心部分を認める気はありません。いわゆる、「御用学者」たちが、これらの権利を認めないように、文化保護に収まるように、提言を進めています。現在のアイヌ民族の先住権(アイヌ施策推進法)は、国に丸め込まれた先住権で、道半ばです。

(7) バブル経済崩壊の後

戦後の経済「成長」のたどり着いた先、つまり1980年代後半から、90年代初頭にかけて、日本はバブル経済に沸いていました。「土地の価格は必ず上がり続ける」という土地神話を信じた人が殺到し、銀行からお金を借りて、ひたすら金儲けに熱中していました。生身の人間としてギラギラ持っている欲を追求した最後の時代とも言えます。

アメリカのレーガン大統領は、財政赤字と貿易赤字という「双子《ふたご》の赤字」に苦しみ、日本製品の進出にいらだちます。アメリカの意を受けた中曽根康弘首相は内需拡大を訴え、人々が湯水のように、お金を使うことを奨励します。国内には、さまざまなテーマパークが造られ、レジャーが盛んになります。経済「成長」という、限りない金儲けに明け暮れた戦後ですが、その最後がお金・お金・お金と、最も有頂天になったバブル経済期です。

また、経済はグローバル化して、大企業が外国に進出して、そこの外国人を安い賃金で雇い、生産するという形が広まりました（産業の空洞化）。政府は、国内に大企業が残ってもらうことも考え、大企業への法人税を下げ、国民から広く税金を取る消費税を開始、その後、徐々に消費税を上げていきました。

９０年代初頭には、バブル経済がはじけ、ここから日本は長い低迷・衰退の時代を迎え、現在に至っています。高度経済「成長」期以来の限りない金儲けに明け暮れた日本に、赤信号が点滅したのです。あたかも、ベルリンの壁崩壊に象徴される米ソ冷戦が終結したことに合わせ、「自民党の一党支配、社会党の対峙」（55年体制）という形から、連立内閣が続くようになりました。

各地にあった産業は、グローバル経済に突入したため、次々に切り捨てられ、地方都市にはシャッター街が並び、安い労働力を獲得するため、労働者を正社員にせず、派遣労働者にするようになり、金持ちと貧困者の二極化が起こりました。また、落ち込んだ経済を復活させるために必要のない高速道路・港・橋などを造る公共事業も限界がきました。さらに、将来への見通しがつかないためもあって、未曽有の少子高齢化社会が訪れ、社会保障費・医療費に膨大なお金がかかるため、ついには世界最大の借金国になり、それでもアメリカの戦争を支援する軍事費を倍増しようとします。しかも、今、どん底なのではない、これからどん底めがけ、落ち込んでいくしかない、一方それでも相も変わらず、経済「成長」の夢を追い求めます。数値目標を掲げ、競争心を煽《あお》り、経済「成長」を強いるという、貧しい人間観に支配されて……。

世界最大の超借金（国債《こくさい》発行）大国日本の最悪のシナリオ。

それは、お札（日本銀行券）が紙くず同然になることです。結果、医療・介護・年金などの高齢者を支えてきた社会保障費が崩壊する、細々と積み上げてきた子ども手当ても打ち切られる……。つまり、国民を曲がりなりにも守ってきた覆いがすべて吹き飛ばされ、国民は路頭に投げ出されるというものです。

超借金体制は、政府が勝手に行って、国民が被害者なのではありません。私たちの多くが選んだ政権が行ってきたということを自覚しなければなりません。その政権は今よければいい、自分の任期中に破綻《はたん》が起こらなければいい、あとは知ったことでない……、その程度（それは私たちのレベルでもある）の認識なのです。

日本史上、これほどの規模の借金は明治維新と戦後まもなくの時期しかありません。そして、こうした状況が起こってしまったら、一小市民の私たちは、新たな形を模索する間、七転八倒の苦しみに襲われるしかありません。

あくせくとした金儲けに限界が来ても、絶え間ない成長戦略にすがる国と国民、もう「成長」戦略なんていい、質のいいものを生産者がつくり、それに見合った対価を支払い、そのものを長く大切に使う、そんな真っ当な社会ではだめなのか。私たちが落ちるところまで落ちた後の世界は、そういう世界です。バブル経済がはじけて、ますます、必要のないくらいの「便利」を強制され、安価だが、すぐに部品がなくなるため、新商品を次々と買わされる、私たちはそんな刹那《せつな》的な大量消費社会という「蜘蛛《くも》の巣」に引っかかっているのです。

（参考文献）

・由井正臣『大日本帝国の時代』（岩波ジュニア新書『日本の歴史』8）　2017

・鹿野政直『日本の現代』（岩波ジュニア新書『日本の歴史』9）　2018

・『大正デモクラシー・戦争への道』（家永三郎編『日本の歴史』6　ホルプ社）　1977

・『15年戦争』（家永三郎編『日本の歴史』7　ホルプ社）　1978

・『戦後の民主的改革・講和条約の成立と平和への動き』（家永三郎編『日本の歴史』8　ホルプ社）　１９７８
・『新安保条約をめぐって・「高度経済成長」・岐路に立つ日本』（家永三郎『日本の歴史』9　ホルプ社）　１９７８
・平山裕人『アイヌの歴史』（明石書店）　２０１４年
・加藤陽子『満州事変から日中戦争へ』（岩波新書『シリーズ日本近現代史』⑤）　２０１７
・吉田裕『アジア・太平洋戦争』（岩波新書『シリーズ日本近現代史』⑥）　２０１７
・雨宮昭一『占領と改革』（岩波新書『シリーズ日本近現代史』⑦）　２００８
・武田晴人『高度成長』（岩波新書『シリーズ日本近現代史』⑧）　２０１５
・内藤戊申編集『人民中国の成立へ』（新人物往来社『東洋の歴史』12）　１９６７
・大内力『ファシズムへの道』（中央公論社『日本の歴史』24）　１９６９
・林茂『太平洋戦争』（中央公論社『日本の歴史』25）　１９７３
・秦郁彦『南京事件』（中公新書７９５）　２００７
・外村大『朝鮮人強制連行』（岩波新書１３５８）　２０１２
・M・Sヴィソーコフ『サハリンの歴史』（北海道撮影社）　２０００
・史明『台湾は中国の一部にあらず』（現代企画社）　１９９１
・新城俊昭『高等学校　琉球・沖縄史』（東洋企画）　１９９８

第七編　現代

1　現代とはいつからか

「文明」の歴史を、古代、中世前半期、中世後半期、近代の4期について、それぞれ、開始〜勃興〜衰退の流れのサイクルをもとに、説明してきました。

それとともに、「文明」を選択しなかった人たちの歴史も、説明してきました。

それでは「現代」とは何でしょうか。

実は、「現代」は「今」という時間が常に未来に向かって動いているため、それに合わせ、「現代」の時期も、常にずれてくるということになります。

現在、世界史では「第一次世界大戦」より後（本書では近代後期前葉）、日本史では「アジア・太平洋戦争」より後の時代（近代後期中葉）を、「現代」と呼ぶことが多いです。

しかし、繰り返しますが、「現代」は動くものです。「現代」に普遍性はありません。第一次世界大戦を現代への画期にするにしても、アジア・太平洋戦争の敗戦を現代への画期にするにしても、どんどん時代が過ぎていって、第一次世界大戦から１００年以上経過し、アジア・太平洋戦争の敗戦から80年もの年月がたちました。もちろん、これからますます年月が広がっていきます。

本書は、まだ近代のサイクルが終わっていないと考えています。だから、「今」も近代です。そして、近代の中で、「今」に最も近い画期の事件からを、仮に「現代」と呼ぶことにします。それは、「ベルリンの壁」が壊された時点、米ソの東西冷戦が終了した時点からを、「現代」と呼ぶにふさわしいと考えます。将来「ベルリンの壁以降」の社会が変わったら、当然、「現代」もずれていきます。

「ベルリンの壁以降」の現代とは、どういう時代でしょうか。

それは、アメリカの一強と、それに激しく迫る中国の、次いでインドの、二大人口大国の台頭の時代と言えます。

石油産出の利権の奪い合い、アメリカの中東におけるユダヤ人国家（イスラエル）への肩入れ、アメリカ中心のグローバルゼーションによって生じた貧困がテロを引き起こします。中東での大国の利己主義が流民を産み、他国への大量移民につながります。

民主主義と人権を弾圧し、14億という圧倒的な数の人間による経済力と、軍事圧力で、中央権力を集中化した結果、誰もが制御できなくなりかかっている中国。まるで、始皇帝・煬帝・永楽帝のような習近平。そのパワーはいずれかの時点で、アメリカを超えるものになるかもしれません。

このように、古今東西、権力とは、抑制させる仕組みを壊し、さらに権力を増そうとする、性を持ちます。その結末が独りよがりになって衰退していくのがわかっているのに……。

今、「資本制社会」は、「近代」は、おそらく「文明」自体が行き詰まっています。

携帯電話が、電磁波を流しまくっています。電力が、すさまじいエネルギーを使い果たしています。ＡＩが人類の判断を越えようとしています。

科学技術の「発達」は人類の種の変更、つまり、「人類の『品種改良』」を行うか否かというところまで行っています。

つまり、現代とは、近代では常識だった、国家と国家のガチンコの対立だけからは、想像のできないものが私たちの社会を衝き動かそうとしているのです。

近代がユーラシア文明圏の枠（殻）を超えて、全世界に影響を及ぼしたように、来たる時代は、人類という種のテリトリー（殻）を越えて、動植物のテリトリーに深く侵入し、森林、地下資源、海底資源、さらには月や火星など地球外までを争奪する時代に突入しようとしています。

2　次の時代の息吹《いぶき》

(1) イリイン・セガール『人間のあゆみ』の視点

イリイン・セガール『人間のあゆみ』という名著があります。その序文は、有名です。

・地上には巨人がいる。

かれには、機関車を苦もなくもちあげる腕がある。

かれには、一日で数千キロをかけぬける足がある。

かれには、どんな鳥よりも高く、雲の上にまいあがれるつばさがある。(中略)

かれは、思いのままに大地を改造し、森林をそだて、海と海とをつなぎ、砂漠に水をひく。

この巨人とは、いったいなにものであろうか?

この巨人とは、人間なのである。

では人間は、どうして巨人となり、大地の支配者になったのだろう?

わたしたちが、この本のなかで語りたいと思うのは、まさにそのことなのである。


私は本書『人間の歴史入門』で、「巨人の危うさ」と、「巨人を選ばなかった人々の存在」にも目を向けてきました。この「巨人」への道は、古代国家出現以来、主に「ユーラシア文明圏」の国々が主導してきました。これが今、どういう状況を生んでいるか、示していきました。

(2) 来たる時代の傾向

「地上の巨人」(文明)が大地を支配しようとした結果、どういう時代になったのでしょうか。

人間が生きていけなくなる時代が到来しようとしています。王朝の「栄華」から領土の「拡大」へ、領土の「拡大」から経済の「成長」へ、それではやっていけなくなっているということです。

フランス革命の人権宣言は、「人は生まれながらにして、自由で平等な権利を持つ」というものです。これは、フランス革命時では、フランスの男性市民層に限ったものでした。

産業革命は、地下資源の石炭を大量に消費することによる、大量生産の社会を生み出しました。しかし、その初めはイギリスの資本家のみを富ませるものでした。

これが世界中の人々の皆に「生まれながらに人権がある」、世界中の人々の皆に「物質豊かな生活が保証される」ということは、「人類の夢」のような話です。一部の人々だけが豊かな生活をして、搾取される人々に貧困、疫病、移民、内戦の被害者になる社会が、いい訳がありません。

現在は、まだ「人類の夢」のような社会を実現できていません。しかし、産業革命は欧米や日本だけのものではない、世界中に大量生産の技術が広がりました。何よりも、世界最大の人口を持つ中国やインドが20世紀よりも格段に豊かになりました。そして、人類の人口は２０２０年代に80億人を越え、そう遠くない未来に100億人に至るでしょう。

ところが、より多くの人々が豊かな生活になる（つまり、南北問題の解決）ということは、地球の資源を枯渇《こかつ》させることを意味しているのです。「先進」資本制国家に属し、物質豊かな層にいる私が、これからやっと豊かな生活を求めようという人々に言うのは、あまりに自分勝手です。しかし、それでも言わなければなりません。農耕・遊牧の社会に始まった「文明」、そして産業革命による工業化の流れは、最終的には人類の破滅につながるということを。

今までの「人間の歴史」では、時代を超越する視点の一つとして、「人の生命」を掲げることができました。しかし、それは文明の開始から、近代までの視点ではあっても、人間の営みが地球の許容量を越えた今では、限界を迎えようとしています。

その対応には、二つの道があります。一つは、人間（文明、特に近代）がボロボロにした地球に見切りを付けて、月や火星に移民し、新たな新天地を切り開く道です。かつて欧米列強が地球規模で行ったことを、宇宙に拡大しようというのです。もう一つは、あくまで地球と関わる道です。

前者は壮大ですが、しょせんは権力者・財産家・「優れた」頭脳や体力を持つ「選民」のみに与えられるものです。何よりも、自分たち（「文明」、特に近代）が寄ってたかって、ボロボロにしておいて、多くの生物を絶滅危機に追い込んだり、絶滅させ、大量の資源を使い、トンズラはないでしょう。

一方、後者は、来たる時代には、「人間の歴史」の基盤に「人は自然の一部を使わせてもらって生きているに過ぎない」という思想がなければならないということです。それは単に人間の「知」を使った、「成長戦略」に基づく持続可能な社会をつくること程度では、ありません。

イリイン・セガールの「地上の巨人」史観は、「文明」史観、「発展」史観であり、近代までは通用できても、新たな「人間の歴史」にはなりません。今、人間に痛めつけられた自然の、強力な反撃が始まろうとしているからです。「栄華」「拡大」「成長」の先に、地球を痛め続け、そのしっぺ返しが人間を襲おうとしているのです。

それは「産業革命」で顕著になり、21世紀には抜き差しならないところまで来ています。「人間の際限のない欲のための歴史」から、「自然の一部を自覚した歴史」の到来、それを新たな「人間の歴史」のステージにしなければなりません。欲の赴《おもむ》くままにかくも拡大した人類の消費するエネルギーを自省し、人間は地球と直接に対話しなければなりません。

1万数千年前に、氷期から間氷期に入った時代を想像してみます。

それまで陸続きだったユーラシア大陸の東端に間宮《まみや》海峡・宗谷海峡、あるいは対馬《つしま》海峡が出現したのです。動物はマンモスやオオツノジカなどから、シカやイノシシなどに、主流が変わりました。このとき、いったいどれほどの「異常」気象が現生人類を襲ったことでしょう。『旧約聖書』の「ノアの箱舟《はこぶね》」の洪水のようなイメージを持てばいいのでしょうか。結果、その地に合わせた狩猟採集文化を生み出し、その中から農耕・牧畜も出現させました。今、その気候環境が再び激変しようとしています。1万数千年ぶりに大地の姿は変わるのでしょうか。一つの島、一つの川をめぐって国同士が争うレベルの低さ、10万年も放射能がなくならない原子力発電を「安全だ」とつくる「知性」の低さ、そして何よりも現生人類の一つの大きな時代の終わりが始まろうとしているのかもしれません。私たちは、そこにどう向き合うべきでしょうか。

近代の終焉とともに、「自然に囲まれた人間の歴史」という新たな歴史を想定する、いや、始めさせなければならないのです。古代・中世・近代と経過し、人間の「栄華」「拡大」「成長」を突き詰めた文明自体を振り返り、文明の問題に答える社会を創りあげなければならないのです。そして、本書に示してきた非文明社会に、あるいは文明のあり方を批判した思想や文化に、そのヒントがあるように思います。「文明」自体から脱皮し、「非文明」の思考を取り入れた、新しいステージに入らなければなりません。

今、どういうことが起きようとしているか、そして「私たち」の位置付けを示しておきます。それが次の時代の芽になっていくことになるからです。それを紹介して、本書の締めくくりとします。

(3) 生命を造る

２０２１年10月24日のＮＨＫ特集『２０３０　未来への分岐点　生命を操るテクノロジー技術がもたらす光と影』は、驚きの内容でした。

人間の技術が、今までに存在しない、新たなウイルスを造り出す、人間の技術が、今までに存在しない、新たな生命を造り出す、そこまで、テクノロジー技術が「進化」したというのです。

2019年冬に、中国の武漢に登場した新型コロナウイルスは、世界を恐怖に陥れました。もともとは、中国が隠蔽《いんぺい》したこと、それを世に広めようとした研究者（李文亮）を当局が弾圧したこと、中国に多大な資金の世話になっているテドロスWHO（世界保健機関）事務局長が中国を擁護《ようご》し、大したウイルスではないと言い続けたことが、初動のミスになり、世界的な大流行にさせました。これが武漢のウイルス研究所から始まったのかどうか。新しいウイルスを造ろうという中国の国策、中国が1年間に渡り、研究所の立ち入り検査を拒否してきた事実。中国の研究所からウイルスが広がったのではないかという各国の懸念に対し、冷静に反論するのではなく、すさまじい剣幕で感情的で有り得ないデマで煙《けむ》に巻き、言論を封じる姿。これは、中国の外交スポークスマンが嘘を発表するときの癖《くせ》なのです。これは陰謀論などではない、「きわめてあやしい」としか、言いようがありません。新型コロナ騒動は、さまざまな意味で、人災と言えるでしょう。

人間が新たなウイルスや動物を造る……、やってはいけない、禁断の境界を越えてしまいました。そして、新たな人類の種を造る（いわば人間の「品種改良」）ことに挑もうという動きがあるのです。

「文明」には、あくなき欲望が増大する可能性を、常に秘めています。

結果、人間の受精卵のゲノム編集を行うことによって、知能や容姿を親の思いのままに、自在に造り出すことができる（デザイナー・ベイビー）ようにもなります。ただし、それを可能にするのは間違いなく富裕者であり、貧困者は当然、対象外という、人類の階層社会の形は変わらないでしょう。文明が誕生して以来の、人類の課題は何も変わらないまま、「知」をこねくり回し、人間を新たな種に「品種改良」しようというのです。

知能とは何か。容姿とは何か。

それは、相も変わらず、単一な知能指数とか「学力」偏差値という数値を持って、人間を測る目安にするなど、

「知」がこれほど「進化」しても、人間はしょせん、貧しい人間観しか持ちえない、浅はかさを物語っています。暗記が苦手だったアインシュタイン、小学校を拒否されたエジソン、父とひたすら旅回りを続けたモーツァルト、93回も引っ越した葛飾《かつしか》北斎、教育をまともに受けていない（漢王朝の）劉邦《りゅうほう》や豊臣秀吉、個性あふれるかれらに、単一の「学力」偏差値を測って、順番を付けてどうなるのでしょうか。

一方、容姿は地域・時代によって、流行があり、常に変わります。

高松塚古墳に見る飛鳥《あすか》時代、『源氏物語』の絵巻にみる平安時代、浮世絵《うきよえ》に見る江戸時代の「美人」と、現在の「美人」の差異、これが容姿の流行です。広隆寺の弥勒菩薩《みろくぼさつ》から発する「永遠の視線」との違いは歴然です。

男性の権力争い（暴力・陰謀）の中で、容姿にほんろうされてきた女性たち、クレオパトラや楊貴妃、静御前《しずかごぜん》、お市《いち》の方《かた》や細川ガラシャなど、その時代・その地域での美人たち、彼女らの背負ってきた人生と覚悟を軽々と述べることなどできようもありません。

さらに「栄華」が消滅する中で、ひっそり生きてきた建礼門院《けんれいもんいん》（平清盛の娘）、高台院（豊臣秀吉の妻）、天秀尼《てんしゅうに》（豊臣秀頼の娘〜かけこみ寺で活躍）を見るときに、「容姿」の「品種改良」で「栄華」を求めることの薄ってぺらさにあきれるしかありません。

男性の暴力によって、つくり上げてきた歴史の中で、女性の勝ち残ることがいかに大変か、それが呂后、武則天、メアリーを世に生み出しました。人間の深さは、不易《ふえき》なものですが、これはいかなるゲノム編集の対象にもなりません。知能指数・「学力」偏差値という浅はかな単一の数値と、流行に合わせた容姿、そんなバカげた程度のために、受精卵のゲノム編集という、恐ろしく先鋭的な「知」の技術を使うなど、人間の欲の、あまりの浅はかさ、人間の世俗的なレベルの低さは、救いがたい限りです。その時代、その地域のみに通じる、人を測る「知」「美醜」から逃れられないのですから。ここでは、そういう表面を覆う化けの皮を剥がし、その人の本質を見抜こうという努力が全く成されません。

いくら「知」が進んでも、人間の深さ（知性・叡智）とは全く別物だという歴史は、変わりません。却《かえ》って、「生命をいじくる」という禁断の「知」を獲得したがために、私たちは巨大な自然のしっぺ返しを覚悟しなければなりません。

(4) AI

古生人類の石器の利用以来の、人類の習性は「便利」の追求で、その極致・ＡＩの話になります。

経済「成長」のために、世界をグローバル経済で結び付け、人口が増え、生産が増大し、次々に新しいものを生み出し、人々もそのためにだけ生きる社会こそが、長い目で見たら、滅亡への道をひた走っているように見えます。数万年前から、人間の内面に何の進化も深化もなく、未熟なのに、「知」だけはすさまじい「進化」を遂げました。

人間がいつの時代でも未熟なのは、そもそも人間という生物の性《さが》です。未熟から少しでも脱するため、限られた時間と空間の範囲で、人と人がぶつかり、関わり、その経験で魂の内面が耕され、成長する、その人らしさ、個が創られていく、その営みこそが教育です。人間は未熟な故に、つねに「学び」が必要と言えます。

「知」の行き着いた先、人類を急カーブで「発展」させ、同時に滅亡を速めさせかねない「武器」はＡＩです。

ＡＩは人間の戦争の形も一変させました。ＡＩが自らの判断で人を殺す時代に入ったのです。２０２０年のアゼルバイジャンとアルメニアの戦争では、トルコがつくったＡＩを付けた自爆ドローンがアゼルバイジャンに売られ、多数のアルメニア人を殺害しました。ロシア・中国・アメリカなどは、ＡＩによるロボット部隊、パイロット、人工衛星をねらうミサイルなどをつくろうとしています。しかし、これが人間の「知」の行きつく先とは、おろかそのものです。さらに、ＡＩを利用したどんな詐欺《さぎ》集団、テロ集団、侵略国家ができても、いったん「便利」の味を知った人間は、この流れを突き進むことでしょう。

それは、人間の社会を動かしているのが暴力であり、現在の平和とは暴力の均衡《きんこう》（例えば核抑止論）だからです。しかし、未だに銃社会をやめられないアメリカ合衆国と、刀狩りと廃刀令で武器を捨てた日本市民、どちらの治安が安定しているのか、火を見るより明らかです。

ＡＩには人間がはるかに及ばない「知」はあっても、そもそも社会意志がありません。何よりも人類が生み出してきた「知恵」、文明が生み出してきた「知性」、人間の永遠の目標の「叡智」とは全く無関係のものです。それなのに何もかもＡＩに判断してもらい、それに従おうという風潮が一般化しないか、次の時代はそういう時代になるのではないかという状況が目前まできています。手塚治虫はアジア・太平洋戦争後の40年間に活躍した漫画家ですが、彼の『火の鳥』未来編には、早くもＡＩが政治判断をして、人々はその判断に従属して、管理され、結果、地球の生物が滅びるというストーリィを展開しています。私たちの生きている世界が、そういう中に入ろうとしているという自覚が、私たちには必要なのです。

（5）人間が機械に操作される

すべての人間が機械に管理される国が現われました。

それはインドによる、徹底したデジタル政策による「効率」化。14億数千万人すべての個人情報・（指紋を含む）生体情報を国が握り、国民がＡＩを活用することで、産業が飛躍的に「成長」できるというものです。結果、一九八〇年代までは最貧国だったのが、見違えるような経済「成長」と、人口増加をもたらしました。このとき、プライバシーとか、少数民族の権利と言った、「効率」化を邪魔するモノは切り捨て、脇目《わきめ》を振らず、「効率」化にまい進し、豊かさを求めます。欧米列強の草刈り場とされてきたアフリカ諸国もインドの手法を学ぼうとしています。国民総デジタル化は「効率」的な経済「成長」の究極の姿です。

彼らは知りません。国家権力という化け物に、すべての情報を握られる恐ろしさを。

「効率」を極めてはいけません。未熟《みじゅく》な故に、回り道をし、学び続ける、それが生きることですから。

そして私たちも、今、内面に持つ「欲」を、「消費者の要望」という声のもと、アンケートにより傾向を無理に搾《しぼ》り出してもらい、その「欲」に合致した商品が登場し、それを購入する……という際限《さいげん》のない「欲」の連鎖社会に生きています。「欲」をＡＩに生み出してもらう、馬車馬《ばしゃうま》操業と言えます。「欲」「欲」「欲」……、確かに人間が生きていくための一面ですが、これはもはや人間の「便利」のための「欲」でさえない。大企業の経済活動のために、国の「成長」産業のために、痛々しいほどの「欲」をつくり続けることなのです。人間の編み出した「知」によって、欲しくはなくても、欲しいものがつくられる、それを買わされる、いらないほど、迷惑なほどの「便利」なものを買わされる、使っているものにやっと慣れたら、それはもはや部品がないと言われ、もっと「便利」なものを買わされる、「欲」を土台にした社会、これが現代です。ここまで人間を下品に貶《おとし》めていいものでしょうか。

これほど「欲」をしぼり出すことで、人間は豊かな生活になったでしょうか。人々は「効率化」に煽《あお》られ、「もうたくさんだ」と悲鳴をあげ、心の病いが広がっているではありませんか。それでもまだ「成長させろ」と強迫されているのです。ここから脱するにはどうしたらいいのでしょうか。

しょうがいを持つ人、流浪の民、先住民族、女性、ＬＧＢＴ（性的少数者）などは、歴史的に差別を受けてきました。彼らが社会の中枢にいて、リーダーとなる、権力を持つ姿は、歴史上、ほとんど見られません。

これらの人たちも「効率性」の側に入れようというのではありません。いいですか！

これらの人々こそを社会の中心に置くのです！

効率性からはずされた人たちへの差別の解消だけではない、むしろ、効率性の方を解消していくのです。効率性につながらない人たちが生きやすい世の中とは、結果として、効率性のために無理に無理を重ねてきた人たちも生きやすい社会になるということです。近代に代わる、私たちの目指すところはズバリ、ここです。

さらに、新自由主義に対し大鉈《おおなた》で切り込むべきものとして、電力事情を真剣に考えなければなりません。

高度経済成長期にテレビ・洗濯機《せんたくき》・冷蔵庫（三種の神器）が家に入ったときは、娯楽が増え、便利になり、何よりも誰でも使えるものでした。

しかし、世界中の皆がパソコンを持ち、タブレットで授業をし、リモートで仕事を行う。瞬時に世界とつながる、世界に一斉に発信できることは、私たちに何をもたらしましたか。四六時中、携帯電話の履歴に気を配り、電車の中でもゲームから目を離せない。紙の教科書からデジタル教科書へ、家事労働からオール電化への流れ、それらがすばらしいことかのように、勝手に社会を変える。ネット社会からはずれた人間には情報は来ない。その上、その情報たるや、玉石混交《ぎょくせきこんこう》、陰謀論、救いようのない下劣な話題が煽情的に拡散する、個人攻撃のすさまじい「炎上」、これが現在の「文明」の姿です。情報・情報・情報・情報の嵐、しかし、その情報に「知性」は、一かけらもありません。単なる「知識」を得る「効率化」に過ぎないのに。

世界中でＳＮＳを利用し、デジタル化せよとさかんに言い、電気をバンバン使うように言っておきながら、CO_2削減のために、電力エネルギーの化石燃料使用はやめようと言い出す、CO_2削減のためと言いながら、O_2を生み出す森林を伐採して巨大風力発電を広げる、ここには整合性も何もありません。巨大企業と大手ゼネコンのただの巨大もうけ話（＝成長戦略）です。

はっきり言えることは、電力そのものを減らすことこそが人類全体で取り組むべきことです。電化製品など、１９９０年代のレベルで十分豊かな生活ができます。それどころか、ＬＥＤ化の力でずっと電力を抑えることができるはずです。

しかし、ＩＴ企業、巨大電力会社、大手ゼネコンの利権がからみ合った、この「成長」戦略は、地球が疲弊し、人間がこれほど弱っても行くところまで行きそうです。

もう、「効率化」も、「成長」もうんざりだ、私たちはグローバル経済の歯車の一つではない、真っ当に生活し、真っ当に文化を楽しみ、真っ当に生かしてほしい、という想いが歴史を変えてくれます。性のあり方は一つではない、多様性を認めようという時代になりました。その人らしさを認めよう、それが人権の尊重です。ところが、ことデジタル化に関しては、すさまじい同調圧力に組み込まれ、デジタル・パワハラと言ってよい状態が深刻化しています。デジタルを使わなければ生活できない時代になりました。「デジタルをしろ」はかつての「お国のために戦え」と同じくらいの同調圧力を持っています。個によって違う、自分はここまででけっこうだという人権を認めることが、限りなき「効率性」から脱する道です。デジタル化を拒否する思想の人、思想ではなくデジタルに馴染《なじ》めない人、アレルギー反応を感じる人、そういう人たちの人権を認めることが当たり前の時代を創る、結果、発展が目的化した運動、発展の自転車操業から、もう降ろしてほしい、そういう想いです。

3　次世代に抑制の社会を創る

（1）子育て！　楽しく

人間の一人一人には、いろいろな生き方があっていいのですが、大勢としては、次の世代につなげていかなければ、人類は絶えてしまいます。国策で「生めよ、増やせよ」とか、「一人しか生むな」などと押し付けるのは論外ですから、そこは個の判断に任すにしても、世界の子育てには、二つの現象と問題があるようです。

一つは、子どもをたくさん生んで、早く働かせ、家計に役立てる（児童労働）というもので、ひいては国の生産力の「即戦力」にしようというものです。人類の人口の止めどもない増加はバッサリ言うと、ここにあるのでしょう。

第二次世界大戦直後（１９５０年）の世界人口は25億人だったのが、二〇二〇年代には80億人になってしまいました。

もう一つは、いわゆる「資本制先進」国で軒並み起きている、「子どもの数」の減少です。子どもに「高い」教育を受けさせるのにお金がかかります。こちらも経済「成長」のために、人口増加を求めます。親（特に女性）の労働環境の「改善」は、個の幸せは二の次、本音は国の経済「成長」のためです。

前者も後者も劣悪な労働環境が基盤にあります。前者は、教育を受けさせない、「早く大人になれ」という子育てです。後者も国家の引力から、いつまでも逃げられない、がさつなものです。

しかし、世界中の国々が経済「成長」のために、人口増加を求めるのは正しいのでしょうか。それは破滅に向かって、急拡大してはいませんか。
①次の世代を創る
②地球に激しい負荷をかけ続ける人口増加をどうするか
③子どもをつくるか否かは、あくまでも個人の判断
このうち、出発点はあくまで③です。

そして、②をにらみつつ、①を意識しなければなりません。

子育ては楽しくなくてはならない。自分の家庭に、この子が生まれてきてよかった！

そして、それは母親だけが行うものではない、父親も当然行う、父親・母親の職場の労働、さらに社会全体が質の高い、心のこもった教育を提供する……。

それは、ＡＩによるものではない。アナログそのものの世界です。心が通うこと、子どものささやかな成長に目を見張ることとです。

先の二つの「子どもを育てる」形は、ここからいかに離れていることでしょうか。

次の時代を創るのは、若い人たち、そして何よりも子どもたちなのです。

かれらに何を伝えるか。今まで三百数十ページをかけて「人間の歴史」を伝えてきました。ここに私たち人類がどういう問題をかかえているのか、何に行き詰まっているのかを示してきました。

子どもたちをゆめゆめ、国策や経済政策の餌食《えじき》にしてはいけません。歴史は過去を学び、未来を見据えて、現在を創ること～それが子育て（教育）に直結するのです。次の世代にどういう社会意志を育てていくのか、そこが

教育になります。

（2）抑制の社会とは

私たちの生きている世界は、まちがえながら、失敗しながら、「学ぶ場」です。何よりも、人間は未熟な存在です。未熟でたえず失敗するのに、人間自身を破滅させるほどの「知」を持ってしまいました。それが近代なのです。ただ、人間には「知性」を使い、問題点を知り、「知恵」を生み出すことができます。

それでは、近代に代わる新たな時代をどういう時代に切り開いていくべきでしょうか。「文明」という「パンドラの箱」を開けてしまった人間に、「希望の声」は存在するのでしょうか。

次の時代のキー・ワード。それは抑制でしょう。

抑制は我慢ではありません。私たちは経済「成長」に疲れ果てているのです。「成長」のために頑張る時間を、自分の生きがいのために使おうということです。

限りなく、経済「成長」を求める人間に抑制などできるのでしょうか。

実は「人間は限りなく経済『成長』を求めるもの」という前提自体が、「ユーラシア文明圏」、近代、資本制経済、新自由主義という流れで、先鋭化してきたものです。

人類には、それ以外の歴史もありました。狩猟採集の民の歴史、アメリカ大陸・アフリカ大陸・オーストラリア大陸・シベリア・太平洋の島々の先住民族の歴史は、限りなき経済「成長」を求めた歴史ではありませんでした。

また、国家を持つ社会でも、アメリカの古代国家は、都市国家の形で続いていました。アジアの国々も、欧米列強の侵出以前は、王朝国家体制の国でした。そこでは、身分制でがんじがらめになっていましたが、「限りなき成長」を求める社会ではなかったです。

人間には、「成長」「効率」とは違う社会があったのです。それは社会意志によって、継続されていきました。

ということは、「成長」「効率」とは異なる社会意志を創っていくこともできるということです。それは無理に、「抑制」していたのではない、そこがちょうどいい塩梅《あんばい》だったということです。

そのことを白日のもとにさらすために、本書（『人間の歴史入門』）を書いてきました。

社会意志とは何か。

例えば、近代、はたして、ヨーロッパ列強のどこも侵略を行い、アジアはすべて、その侵略を受けていたのですか。

ナポレオン戦争〜ウィーン会議の流れの中で、スイスは永世中立国の道を選び、スウェーデンもその後、二百年以上も、戦争をしていません。

19世紀半ば、イギリスがインドを侵略し、すさまじい闘いになる中、ブータンは独立を保ち、その後、百数十年、戦争を避けてきました。

ブータンやスイスの平和はヒマラヤ山脈やアルプス山脈に囲まれ、日本の戦後の平和も、四方を海に囲まれているという地勢学的な条件もあったことでしょう。しかし、戦争に巻き込まれたくないという社会意志もありました。

北ヨーロッパの国々は、高福祉・高負担の形で、豊かな生活をおくっています。

世界をリードしてきた、いわば、戦争や「拡大」を好む、腕力の強い「目立つ」国々ばかりに目が行っていたら見えない、「戦争をしない国」「豊かな国」があったのです。

第二次世界大戦後の日本は、（少なくとも二〇二三年現在までは）米ソ冷戦の中で、東アジアや東南アジアが度々戦火を交える中、戦争に参加することを拒否してきました。それを「アメリカに守ってもらったから可能だった」という論者がいます。それは一面では当たっていますが、「戦争はいやだ」という国民の社会意志も無視できません。ただ、今はこの社会意志が弱まり、殺人兵器を外国に売って大もうけしたり、自らが海外に行って武力行使する道へ進もうとしています。

私たちは歴史への分析、現状への分析を試み(知性)、知恵に基づく社会意志を創ることができます。「成長」「効率化」は人間の性などではない、それとは異なる社会意志を示すことができるはずです。抑制を前提とした「文明社会」とはどういうものか、かつて啓蒙思想家が描いたような、青写真を創ることが必要なのです。

2010年代になって、アナログを徹底して忌み嫌い、デジタル化による「効率化」、分・秒単位の「効率化」が「正義」であるかのように、広まりました。「効率化」によって私たちは本当に生き苦しくなりました。人間らしい営みは、どうでもいい「無駄」と処理されました。ミヒャエル・エンデ『モモ』が示したように、私たちは「灰色の男」たちに時間を奪われ、その掌《てのひら》で生きています。

しかし、私たちは人間なのです。とんでもないまちがいも起こしますが、時代を変える力も持っているのです。それは「人間の歴史」が証明しているではありませんか。

〈参考文献〉

・イリイン・セガール『人間のあゆみ1』(理論社)　1986

おわりに

僭越《せんえつ》と言えば、大僭越だと思います。

肩書きも権威も何もない、田舎のじいさんが「人間の歴史」を描きました。

多分、大部分の歴史家には見向きもされないだろう。しかし、義務教育を終えた人ならば、わかってくれる説明にしようと思い、書き連ねました。なぜならば「人間の歴史」には誰もが考えなければならないことがたくさん詰まっているのですから。

最終的に何に悩んだか、それは『人間の歴史』全体を見通す眼差しです。

歴史上には、ガンディーやナイティンゲールもいるけれど、ヒトラーやスターリン、ネロもいます。何よりも名の伝わらない圧倒的多数の民衆がいます。そして、彼らにより、さまざまな歴史が営《いとな》まれてきました。

こうした歴史上の先輩たちをどういう眼差《まなざ》しで見たらよいのでしょうか。このとき、過去の事件や人物を断罪する「歴史の裁判官」になった瞬間、「お前はそんなことを言えるほど立派な奴なのか」という問いが自分に返ってきます。

それでは、「歴史の裁判官」ではない眼差しとは何でしょうか。

具体的には広隆寺の弥勒菩薩《みろくぼさつ》や、秋篠寺《あきしの》の伎芸天《ぎげいてん》の眼差しのような、暗黒な事件も、喜びに満ちた事件も皆含めて見られる、そんな眼差しができないかと思いました。

私の小学校教員時代に理想とした教育は、少し仲間と異質だったら、すぐに特別支援教室に回したり、学級に合わせられない子をすぐに家に戻したり、「能力別」に分ける、現代の個別分散化した、分断教育ではありません。この子は荒れている、この子は学びを拒否している、この子はしょうがいを持っている、この子はクラスからはみ出している、そういった子こそを受け入れるクラスを創ることでした。むしろ、立場の弱い、はみ出しがちな子どもこそ、学級の中心にいなければならないのです。私たちのいる社会の理想と現実（社会科）、自然の形と私たち（理科）、文芸作品の切れ味（日本語）、数と量の見方（算数）、表現（図工・音楽・体育など）を通して、学びの力・知性の力を借りて、仲間と個を創っていくことでした。

このとき、子どもの喜びや達成にはいっしょに喜び、悲しみや不安があれば寄り添い、対立や憎しみには本音を出し合い、よい知恵を見つける。その関わりこそが教育ではないですか。その一つ一つの経験が「生きている」ということです。

私には、弥勒菩薩や伎芸天のような、平安・慈愛・静寂な眼差しは求めても到達できません。しかし、小学校の一教員として養われた眼は持つことができると思いました。そういうわけでヒトラーもガンディーも、名前の伝わらない民衆も、重い歴史条件の中で、悩みと苦悩を持ち、一生懸命生き、歴史を創ってきたのだという目で接することができました。そして、たくさんの人々に不幸を強いてきた人物や組織については、何がそうさせたのか、そこから得られる教訓は何か考えていきました。

うらぶれた田舎のじいさんが文明論・世界史論なんて身《み》の程《ほど》知らずもいいところだと思います。最新の学説や、いやそもそも基礎知識でもまちがいや知らないところが多々あると思います。そこはこれからの余生で補《おぎな》っていくことにします。

２０２３年８月

著者略歴　**平山 裕人**（ひらやま・ひろと）
1958年、北海道小樽市で誕生。
1974年、小樽桜陽高校入学。「学力」「偏差値」ではなく、「学びのおもしろ・深さ・視点」を重視した教育を受ける。
1977年、北海道教育大学入学。南部昇先生に歴史学のイロハ、佐藤宥紹先生に「近世」北海道史のイロハを学ぶ。
●日本史・東洋史・西洋史の研究室の仲間たちと、さまざまな自主ゼミをつくり、濃密な時間を過ごす。
1981年から38年間の小学校教員
●1990年から5年間～札幌アイヌ語教室で白沢ナベさん、中本ムツ子さんらからアイヌ文化の見方を学ぶ。
●1993年から10年間～中村和之氏主催の『北方の歴史と文化を考える会』で北方史の専門家の発表を聞く。
●1996年から25年間～川瀬信五氏に誘われて『歴史学同好会』を結成。郷土史・日本史・世界史のさまざまな分野の発表を聞く。
●1998年～2018年、小樽市教育研究会社会科部会で小樽市内の史跡、小樽教育地図研究会で近隣の街の史跡・博物館を見学。
●1998年から2019年～教職員組合の全道合研・社会科分科会で多くのすぐれた実践を知り、これからの社会について議論していった。
●2019年～家でひっそりと小学校向け、大人向けの歴史塾（コロポックル学びの家）を開く。
●各地の小学校や、NPO法人自由学校「遊」などで、アイヌ史やアイヌ文化に関連するお話をして、余生を送る。

人間の歴史入門

著　者………平山裕人

発　行………2023年9月30日

発行者………藤田卓也
発行所………藤田印刷エクセレントブックス
〒085-0042　北海道釧路市若草町3－1
TEL　0154-22-4165
FAX　0154-22-2546
印刷所………藤田印刷株式会社

＊造本には十分注意しておりますが、印刷、製本など製造上の不備がございましたら「藤田印刷エクセレントブックス（0154-22-4165）」へご連絡ください

＊定価はカバーに表示してあります

ISBN 978-4-86538-158-0　C0020

2021年11月12日刊
発行　藤田印刷エクセレントブックス
判型　新書判（256頁）
定価本体　800円+税
印刷・製本　藤田印刷株式会社

アイヌ民族の現在、過去と未来！

平山裕人＝著

カント　オロワ　ヤク　サク　ノ
（天から役目なしに降ろされた物はひとつもない）
アランケプ　シネプ　カ　イサム

○我々はどこにいるのか。我々はだれなのか。
○北海道近代の植民地主義とは何だったのか。
○アイヌ民族の先住権の意味を考える。
○先住民アイヌ民族との真の共生は可能か。

目　次